Wstęp

Zadają mi setki pytań na ten temat. Naprawdę to robiłaś? Żartujesz, prawda? Jak to się zaczęło? Jak to jest? Jacy faceci korzystają z takich usług? Kim są dziewczyny, które to robią?

Szczególnie interesuje to mężczyzn. Chcą o tym rozmawiać, zadają w kółko te same pytania, chcą wiedzieć jak najwięcej. Jakby sami pragnęli zajrzeć do tajemniczego, po części zakazanego świata, którego karykaturą jest pornografia, świata krytykowanego przez konserwatystów, a stanowiącego obiekt zainteresowania niemal każdego człowieka. Mężczyźni odczuwają jakąś namiastkę podniecenia na samą myśl o tym. Kobiety zastanawiają się jak by to było, gdyby ktoś chciał im płacić – i to nieźle – za coś, co i tak rutynowo robią, otrzymując w zamian to, co otrzymują.

I, oczywiście, wszyscy patrzą na mnie i zaczynają się bać. Bo przecież chyba jestem – a jestem – jedną z nich. Jestem ich siostrą, sąsiadką, przyjaciółką. I jakoś nikomu nie przypominam dziwki. Może to ich przeraża...

Chcą, żeby call-girl była inna, łatwa do rozpoznania. Dzięki temu będą bezpieczniejsi. A w rzeczywistości call-girl niczym nie różni się od innych kobiet. Oczywiście dziewczyny, które wystają w nocy na ulicach, to co innego. Rozumiesz... Mówiąc szczerze sama mam przed nimi niezłego pietra. Kiedyś nocą przejeżdżałyśmy z Peach* obok nich i natychmiast zablokowałyśmy drzwi od środka. Chociaż, w jakiś tam sposób wykonujemy ten sam zawód, tak naprawdę nie mamy z nimi nic wspólnego.

* Ze względu na nieprzetłumaczalne znaczenie pseudonimu Peach, pozostawiono go w oryginalnym brzmieniu. W jęz. angielskim „peach" oznacza owoc – brzoskwinię, nazywa się tak osobę bardzo lubianą, a także określa się tym mianem kobiecą pierś – przyp. tłum.

Call-girls – kobiety, które pracują w agencji jako osoby do towarzystwa, zwłaszcza, w dobrej agencji, prowadzonej także przez kobiety – niczym szczególnym się nie wyróżniają. Nawet nie zawsze są jakoś szczególnie piękne. Dlatego się nas boicie: bo, w końcu może jesteśmy takie same jak wy?

Może właśnie takie jak ty?

* * * * *

Nie znoszę cytować programów telewizyjnych, ale tym razem muszę. Oglądam ostatnio dość regularnie serial pod tytułem „West Wing" („Zachodnie Skrzydło"), inteligentny, dowcipny, pełen wyczucia polityki i wrażliwości na sprawy ludzkie, emitowany raz w tygodniu. Jestem pod wrażeniem występujących tam postaci – są pełne życzliwości i poświęcenia. Ale w którymś z pierwszych odcinków, jedna z osób wypomina call-girl te same uniwersalne „grzeszki": że obca jest jej jakakolwiek etyka, że dla pieniędzy zrobi wszystko, że mówiąc krótko JEST tym, co robi. A to co robi, nie jest powodem do dumy.

Czy istnieje ktoś, kto byłby w stanie tolerować takie wywody?

Wbijcie sobie do głowy: call-girls mają zasady etyczne. Podejmujemy takie same decyzje jak każdy inny, zgodnie ze swoimi religijnymi i/lub moralnymi przekonaniami. Są wśród nas demokratki, republikanki, niezależne, socjalistki. Niektóre z nas pomagają zwierzętom. Nie mamy obsesji na tle seksu ani nimfomanii. Pozostajemy w normalnych kontaktach z ludźmi, można nam ufać, dotrzymujemy sekretów. Jesteśmy czyimiś siostrami i matkami; jesteśmy żonami. Mężczyźni nas potrzebują – oto cała prawda – chociaż woleliby nie potrzebować. A więc zwalają winę na nas. Dokładnie jak w krajach muzułmańskich – kobiety muszą się ukrywać przed mężczyznami – jest to, bowiem zapewne ich wina, że mężczyźni, patrząc na nie, czują się podnieceni. Dlatego „dziwki" są niemoralne – bo ich praca to obsłużenie tego, co jest niemoralne w was.

Spróbuj, więc odłożyć na bok wszystkie swoje oceny, wszystko, co włożono ci na ten temat do głowy. Chociaż na krótką chwilę uwolnij się od poczucia winy, od swoich uprzedzeń, swoich sądów. Wtedy dotrze do ciebie moja opowieść.

* * * * *

W 1995 obroniłam doktorat z antropologii społecznej i spodziewałam się, że dostanę pełny etat w jednej ze znanych wyższych uczelni. Zamiast tego otrzymałam jedynie kilka propozycji pracy jako wykładowca, gdyż większość szkół wyższych nie miała już etatów albo miała ich bardzo niewiele. To przecież lata dziewięćdziesiąte – dotacje i inne źródła finansowania nie były już tak dostępne jak wcześniej. Ale mimo wszystko chciałam podjąć pracę na uczelni. Była moim powołaniem.

Kiedy trafiłam do agencji towarzyskiej, byłam więc wykładowcą z umową przedłużaną z semestru na semestr, otrzymującą jako wynagrodzenie „zawrotną" kwotę 1300 dolarów brutto za cykl wykładów.

Kobieta o pseudonimie Peach, prowadziła średniej klasy agencję towarzyską. Jakby to lepiej określić? Kiedy do miasta przyjeżdżała gwiazda rocka, nie korzystała z usług tej agencji, ale korzystała towarzysząca jej ekipa. Korzystali właściciele firm, choć niekoniecznie tych znanych. Byli posiadacze apartamentów w Four Seasons, ale nie było tych, którzy mieszkają w starym Custom House. Nigdy nie przychodzili klienci, których interesuje szybki numerek w samochodzie, ale do rzadkości należeli tacy, którzy chcieliby zabrać dziewczynę na tydzień na Bahama. Peach, poszukując dziewczyn do pracy, dawała ogłoszenia do gazet, różniące się od innych tym, że warunkiem koniecznym było co najmniej półwyższe wykształcenie. Mówiąc szczerze, to dzięki niej wiele studentek mogło spłacić swoje kredyty, zaciągnięte na naukę. Specjalnością tej agencji było proponowanie towarzystwa osoby inteligentnej, z którą można porozmawiać i uprawiać seks. Cechą, na której zależało jej szczególnie była lojalność – zarówno dziewcząt, jak i klientów; zresztą sama starała się być zawsze w porządku wobec wszystkich.

Jej klientami byli pracownicy naukowi, maklerzy giełdowi, prawnicy. Bywały również typki z podziemnego światka, oferujące, że „załatwią" jej problemy, a także maniacy komputerowi, którzy nie rozróżniali dysku c: od miseczki „C". Byli właściciele restauracji, klubów nocnych, gabinetów odnowy biologicznej. Bywali niepełnosprawni, zapracowani, nieprzystosowani społecznie, albo tacy, którzy planowali wkrótce zawarcie związku małżeńskiego. Przyjmowali dziewczyny w biurach, restauracjach, na łódkach, w swoich własnych łóżkach małżeńskich, w obskurnych motelach w centrum rozrywek albo w swoich apartamentach w Hotelu Park Plaza. Byli niezauważalną, nieciekawą grupą mieszkańców Bostonu, których jedyną cechą wspólną było to, że mogli sobie pozwolić na zapłacenie 200 dolarów za godzinę towarzystwa.

Korzystali na różne sposoby z czasu, za który zapłacili – i taka jest właśnie moja odpowiedź, kiedy ktoś (a zawsze w rozmowie na ten temat znajdzie się ktoś taki) wypowiada sądy o postępującej degradacji, spowodowanej wymianą seksu na pieniądze. Moje doświadczenie przeczy tej tezie.

Myślisz, że bawię się w dobieranie słówek, prawda? Otóż przyjmij do wiadomości, że nie. Większość ludzi najróżniejszych profesji jest opłacana za godzinę pracy, prawda? Pracodawcy zatrudniają na przykład konsultantów z pewną konkretną wiedzą i doświadczeniem i płacą za to stawkę godzinową. Konsultant w określonym czasie wykonuje dla swojego klienta ustaloną wstępnie pracę. Jest profesjonalistą, dysponującym wiedzą, na którą jest zapotrzebowanie i za którą klient godzi się zapłacić. Korzysta ze swojego doświadczenia i wiedzy, ale to co tak naprawdę sprzedaje – to czas.

Call-girl jest taką właśnie konsultantką, zatrudnioną do uwodzenia i sprawiania przyjemności. Realizuje niepisany kontrakt z klientem, który płaci jej za godzinę, za wcześniej ustalony zakres usług. Jest zdolną profesjonalistką. Korzysta ze swojej wiedzy i doświadczenia, aby wykonać zadanie postawione przez klienta.

również dlatego, że zanim mnie zostawił, wykorzystał moje czeki. Mój książę. Niezapłacone rachunki za mieszkanie. Te grosze, które zostały mi w banku musiały mi wystarczyć do końca semestru, bo dopiero wtedy zapłacą mi dwie uczelnie, w których prowadzę zajęcia fakultatywne z socjologii. Musiałam jakoś wyżyć, planując bardzo ostrożnie konieczne wydatki i nie pozwalając sobie na żadne dodatkowe, niespodziewane koszty.

Dezercja Petera okazała się niestety takim niespodziewanym kosztem.

Nieważne. Koniec semestru dopiero za dwa miesiące. Oto, dlaczego potrzebowałam sporo forsy. Radziłam sobie z tym kryzysem w typowy dla mnie sposób. Spędziłam noc, upijając się i użalając nad sobą, obudziłam się rano, zmagając się z kacem gigantem i sporządziłam listę. Od dawna uwielbiam robić listy. Dają mi wrażenie, że mam coś pod kontrolą. Wypunktowałam wszystkie możliwe sposoby zdobycia potrzebnych mi pieniędzy.

To była bardzo krótka lista.

Jedno, czego nie zamierzałam robić, to prosić o jakąkolwiek pomoc. Ani rodziny, ani stanu Massachusetts. To ja źle oceniłam sytuację, nie miało więc sensu prosić innych by płacili za moje błędy. Napisałam, co prawda, na mojej liście „pomoc rządowa", ale zignorowałam ten punkt.

Rzuciłam okiem na pozostałe, wykreśliłam „opieka nad dzieckiem" gdyż nie tylko nie nadaję się do tego, ale na dodatek pieniądze byłyby z tego żadne. Co mi jeszcze zostało?

Nie miałam wyboru – musiałam spróbować tego, co zostało na liście. Westchnęłam głęboko i zabrałam się do dzieła.

Zadzwoniłam pod numer znaleziony w jednej z tych poniewierających się wszędzie studenckich gazetek, w której poszukiwani są ludzie do obsługi specjalnych numerów telefonicznych na 700. Rozmawiaj o seksie, przekonaj ich, że na nich lecisz – takie tam rzeczy. Cóż, ten pieprzony drań, mój chłopak przekonał mnie, że mam zmysłowy głos, toteż pomyślałam, że warto spróbować. Oczywiście tylko ten jeden raz.

Jasne, że nie przemyślałam sprawy, bo okazałam się absolutnie nieprzygotowana na to, jak obrzydliwa może być rozmowa kwalifikacyjna. Nie wzięłam pod uwagę, że obrazek może być tak przeraźliwy: rzędy ciasnych kabin, w których siedzą kobiety ze słuchawkami na uszach, gadając nieprzerwanie. Migające światełka na ich telefonach. Kobiety, w większości w średnim wieku, o obwisłych ciałach, z tandetnymi makijażami i ta atmosfera obojętności, która może byłaby okrutna, gdyby nie to, że tak naprawdę czuło się w niej rozpacz.

Nie wyobraziłam sobie też wcześniej zdecydowanie zbyt młodego cwaniaczka, z nadmierną ilością kolczyków, który nawet na mnie nie spojrzał, cedząc słowa przez zęby, w których tkwiła wykałaczka. Nawet na moment nie oderwał wzroku od magazynu dla skinów, który właśnie przeglądał.

– Okey, skarbie. Osiem bagsów za godzinę, dwie rozmowy minimum.

– Co znaczy dwie rozmowy minimum? Dwie rozmowy w ciągu godziny? – zapytałam.

To spowodowało, że w końcu spojrzał na mnie. Tyle, że nie wiedziałam czy jest rozbawiony, czy zmartwiony.

– Dwie rozmowy minimum, JEDNOCZEŚNIE – wycedził.

Spojrzałam z niedowierzaniem.

– Masz na myśli to, że jestem na linii jednocześnie z dwiema różnymi osobami...?

Miałam wrażenie, że jest absolutnie znudzony.

– No właśnie. Jeśli jedna osoba chce żebyś była ukraińską gimnastyczką, a druga – wytatuowaną lesbijką, wchodzisz w te role. Czas to pieniądz. Bierzesz tę robotę?

Ciągle nie mogłam dojść do siebie, wyobrażając sobie reakcje klientów, gdybym ich pomyliła. To było n i e d o o p i s a n i a. Naprawdę. Za jedyne osiem dolców na godzinę. To mogło się zdarzyć. Toteż odpuściłam. Podarłam listę i znów przez chwilę panikowałam z powodu pieniędzy. Rachunki, jak to zwykle, przychodziły nieprzerwanie. Czas nie zatrzymuje się z powodu bankructwa. Przez przerdzewiałe dziury w mojej skrzynce pocztowej widziałam te oficjalne pisma, wydrukowane komputerowo, w cienkich kopertach. Niektóre miały czerwony pasek wzdłuż krawędzi. Nie musiałam ich otwierać. Doskonale wiedziałam, czego dotyczą. Jakby na zamówienie jeden z tematów zajęć fakultatywnych z socjologii, które właśnie prowadziłam, brzmiał: „O śmierci i umieraniu". Łatwo mi przychodziło wiązać z tym tematem najczarniejsze myśli. Dzieliłam słuchaczy na grupy dyskusyjne, a sama ponad ich głowami gapiłam się w okno, czując zimne szpony strachu w brzuchu. Jedne z zajęć dotyczyły samobójstwa. Wcale nie wydawało mi się, że jest to niemożliwe rozwiązanie w mojej sytuacji.

Zaczęłam zastanawiać się, czy nie zajrzeć jeszcze raz do gazety z ogłoszeniami. Nawet po tym, jak zdecydowałam, że nie będę jednocześnie ukraińską gimnastyczką i wytatuowaną lesbijką, nadal przeglądałam czasem rubrykę „Po zmroku" w gazecie „Phoenix". Po prostu nie zwracałam już uwagi na ogłoszenia, dotyczące obsługi numeru 700.

Kolejne strony, za usługami seks-telefonów, zajmowały usługi towarzyskie. Oglądałam, składałam gazetę i pozwalałam, żeby mój kot Scuzzy umościł się na niej do snu, sama udając bardzo zajętą poprawianiem prac studentów. Ale myśl o tym powracała natrętnie...

Właściwie, czemu nie?

Czy to taki nieprawdopodobny pomysł? Czyżbym wolała dołożyć do mojego tygodnia pracy jeszcze dodatkowo pięćdziesiąt godzin na pracę w księgarni Borders albo parzenie kawy w Starbucks za minimalną płacę? W końcu, takie były kolejne możliwości na mojej liście. Po rozmowie na temat pracy w Borders powiedzieli, że mogę zacząć w każdej chwili.

To właśnie wtedy zaczął odzywać się w mojej głowie jakiś głos. Przypominał głos mojej matki – brzmiał podejrzliwie i nie był zadowolony z kierunku, w którym podążały moje myśli. Co ciekawe, był cicho kiedy brałam pod uwagę pracę w seks-telefonie, ale to była w końcu nieco odmienna sytuacja. Teraz głos naprawdę zaczął przesadzać.

Uspokój się, powiedziałam mu. Zaczekaj momencik. Pomyślmy. Możesz siedzieć w kabinie i udawać, że uprawiasz seks z dwoma facetami naraz (a należy się spodziewać, że nawet z trzema i więcej), trzymając ich przy słuchawce najdłużej jak tylko się uda, prowadząc takie same rozmowy dwadzieścia, trzydzieści, czterdzieści razy w ciągu jednej nocy. Albo możesz to zrobić. Raz w ciągu jednej nocy. Za dużo więcej niż osiem dolarów.

Jaka właściwie jest różnica? Tak uczciwie?

Jest OLBRZYMIA różnica – odpowiedział głos. Brzmiał desperacko, jak moja matka, kiedy nie zgadzałam się z jej zdaniem. Dobrze, powiedziałam, próbując zachować otwartość: ale dlaczego? GDZIE przebiega linia podziału? Dlaczego jedno jest częściowo akceptowane, a drugie zupełnie nie? Nie zgodzisz się na seks za pięć dolarów – to jasne. Akceptuję. Ale pomyślmy: za pięćset? Za pięć tysięcy? Za pięć milionów? A, no właśnie, to już całkiem inna sprawa. Toteż, jak to powiedział kiedyś Churchill: teraz wiemy już, kim jesteś. Musimy jeszcze tylko ustalić cenę. Głos uciszył się w końcu. No cóż, trudno polemizować z Churchillem.

Później, kiedy poznałam kilka innych call-girls, zadawałam im to samo pytanie. Dlaczego okazjonalny seks z facetem poderwanym w barze dla samotnych jest akceptowany, a seks jako propozycja biznesowa – nie jest? Co jest bardziej etyczne? Maria wyznała, że decyzję o pracy w agencji podjęła, gdy pewnego dnia dotarło do niej jak wielu facetom pozwalała wchodzić w siebie, facetom, którzy później budzili w niej obrzydzenie – a na dodatek nie miała z tego żadnych pieniędzy.

To naprawdę daje do myślenia.

Pozwoliłam temu pieprzonemu draniowi, mojemu chłopakowi, dotykać mnie, całować, rżnąć. Teraz na samą myśl o jego fiucie, rękach, języku dostaję mdłości, czuję się brudna. A na dodatek, jak się okazało, to JA zapłaciłam JEMU.

Zabrałam więc na drogę do Logan i do Anglii gazetę „Phoenix", usiadłam w pokoju w akademiku (było to jedyne miejsce do spania, na które było mnie stać w czasie tygodnia wykładów), rozłożyłam gazetę na rubryce „Po zmroku" i zaczęłam czytać ogłoszenia.

Jedno z nich zakreśliłam.

* * * * *

W czasie naszej rozmowy telefonicznej Peach była konkretna.

– Możesz odrzucić każde zamówienie, jeśli nie spodoba ci się głos faceta, albo jego wymagania – powiedziała. – Możesz odmówić, jeśli chce od ciebie czegoś, czego ty nie chcesz zrobić. Zawsze wezmę twoją stronę. Jedyna rzecz, której ci nie wolno, to podkradać klientów.

– Podkradać klientów? – zapytałam jak zupełna ignorantka.

– Tak, wciskać im swój numer telefonu, dogadywać się z nimi. Umawiać się z nimi bez pośrednictwa agencji. Ciągle tego próbują. Stałym klientom wybiłam to już z głowy, ale zawsze próbują tego z nowymi dziewczynami.

Nie przyszłoby mi na myśl podkradać klientów. Cały pomysł pracy w agencji, jak to sobie wyobrażałam, jest po to, aby czuć się bezpiecznie. No, cóż – byłam wtedy po prostu jeszcze dość naiwna.

Jej głos sprawiał wrażenie dobrze wyćwiczonego, nawet jakby nagranego na taśmę. Próbowałam wszystko zapamiętać.

– Ten biznes jest jak loteria, czasem fajnie, czasem mniej. Nigdy przedtem tego nie robiłaś? Dobrze, lubią to. Lubią myśleć, że są pierwsi. Pamiętaj, zawsze możesz powiedzieć: nie. Dokładnie jedna godzina. Ja biorę sześćdziesiąt dolarów, ty resztę. Napiwki możesz zatrzymywać, ale nie licz na nie za bardzo, lata osiemdziesiąte się skończyły, już nie ma napiwków. To co, spróbuj. Jeden telefon. Opisz mi jak wyglądasz, znajdę ci klienta, a potem zdecydujesz, czy wchodzisz w to, czy nie.

Mogę się założyć, że z trudem opanowywała ziewanie w czasie całej tej przemowy. Ja byłam daleka od ziewania. Odpowiadałam z wielkim niepokojem, ale widocznie były to prawidłowe odpowiedzi, widocznie – jakikolwiek test zdawałam – udało mi się go zdać. Kiedy skończyłam, po sekundzie ciszy w słuchawce usłyszałam:

– Mmmm, dobrze. Spotkasz się dziś wieczorem z Bruce'em. Wiem, że mu się spodobasz.

– Dziś wieczorem? – Mimo całego mojego zapału, wydało mi się to zbyt nagłe. Zbyt prawdziwe, zbyt szybko. Ogarnęła mnie panika.

– Peach, nie jestem odpowiednio ubrana!

Miałam na sobie dżinsy i t-shirt, czarną kamizelkę i oliwkowy lniany żakiet. Zupełnie nie przystawałam do mojego wyobrażenia o tym, jak powinna wyglądać call-girl (jakbym coś na ten temat wiedziała; obejrzałam *Half Moon Street** i *Pretty Woman* – i to by było na tyle, dosyć kiepski materiał porównawczy).

Poza tym moje ubranie nie było jedynym problemem.

– Wiesz. Miałam nadzieję, że spotkam się z tobą osobiście, zanim zacznę – powiedziałam – ...taki rodzaj rozmowy kwalifikacyjnej.

– To nie jest konieczne. Facet, z którym dziś się spotykasz, opisze mi ciebie. Nie muszę się z tobą spotkać – powiedziała rzeczowo.

– Ale ja chcę!– natychmiast pomyślałam, że mój głos zdradzał rozdrażnienie i nie wiedziałam jak z tego wybrnąć. Chciałam wydawać się choćby w małym stopniu osobą obytą w świecie. – To znaczy, nie ma problemu. Wyglądam młodo, nieźle, ale... – mój głos się załamał. Teraz naprawdę wychodziłam na ofermę. Wspaniała rozmowa. Wymowna jak diabli. Spróbuj tak na którymś ze swoich wykładów.

Jej głos z lekka uległ zmianie. Później, kiedy poznałam Peach, zauważałam tę subtelną zmianę w sposobie podejścia: nia-

---

* W Polsce wyświetlany pod tytułem *Ulica półksiężyca* – przyp. red.

nia, której polecenia nie są wykonywane przez wychowanków. Posłuszeństwo i zgoda są wymagane. Nawet nie próbuj sprawiać kłopotów.

– Pracuje u mnie wiele kobiet – powiedziała. – Nasi klienci mają bardzo różne gusty. Już teraz mam na myśli jednego czy dwóch, którzy zapewne by ci się spodobali. Jeden jest chirurgiem, drugi muzykiem, obaj lubią porozmawiać, nie chcą po prostu krótkiej, szybkiej wizyty, będą cię szanować.

Jakże była ostrożna! Zdałam sobie sprawę, że nie używa cięższych słów, że unika konkretów.

– Myślę, że spędzanie czasu z nimi będzie dla ciebie bardzo przyjemne.

Już dosyć dzieciaki, zabawa skończona, macie słuchać niani.

– Mimo wszystko, chcę się najpierw z tobą spotkać. Chcę, żebyś mnie zobaczyła. Chcę mieć pewność – powtórzyłam, jednocześnie starając się, aby te słowa nie brzmiały nazbyt natarczywie.

Peach zlekceważyła je.

– Nie ma sensu spotykać się, jeśli nie wiesz, czy ta praca ci się spodoba, czy w ogóle chcesz ją wykonywać. I nie obawiaj się – jesteś doskonale ubrana. Wielu klientów lubi styl sportowy. Robisz to, albo nie. Sama zdecyduj. Zadzwoń o siódmej, jeśli wchodzisz w to, a ja wszystko zorganizuję.

I to było na tyle. „Robisz to, albo nie."

Zdecydowałam, że będę to robić.

Peach dotrzymała słowa. Kiedy zadzwoniłam, miała przygotowane już wszystkie informacje, które podawała mi przez telefon jak katarynka, a ja pilnie notowałam na odwrocie jakiejś koperty, znalezionej w kieszeni marynarki.

– Ma na imię Bruce, jego telefon 555–4629. Ty masz na imię Tia, o ile pamiętam, tak chciałaś się nazywać? Nieważne. Masz dwadzieścia sześć lat, pięćdziesiąt sześć kilo, dziewięćdziesiąt sześć–sześćdziesiąt dziewięć–dziewięćdziesiąt cztery. Rozmiar biustu – C. Jesteś studentką. Zadzwoń do niego, umów się, a potem znów zadzwoń do mnie.

Ciekawe, czy zawsze mówiła swoim dziewczynom, jak mają wyglądać? Zaciekawiło mnie to. Ale nie zapytałam. Dopiero po pewnym czasie zorientowałam się, że Peach dopasowywała opis do tego, czego spodziewał się klient. Oczywiście w pewnych rozsądnych granicach. W tym momencie, jednak, byłam zaskoczona tym, jak szybko to wszystko następuje.

– Peach, oddzwaniam, żeby powiedzieć, że chciałabym spróbować – powiedziałam z zastanowieniem. – Jak to możliwe, że już masz dla mnie umówionego klienta?

– Miałam przeczucie, że się zdecydujesz – powiedziała, śmiejąc się.– A kiedy mam nową dziewczynę, zawsze najpierw dzwonię do Bruce'a. Teraz ty do niego zadzwoń. Wszystko zapamiętałaś?

Z ledwością. To sporo danych, pomyślałam, patrząc na zapisaną kopertę. Mnóstwo danych, których nigdy nawet nie przyszłoby mi do głowy nikomu podawać. Przypomniała mi się kwestia z filmu *Half Moon Street*: „Nie martw się. Pod spodem jestem całkiem naga!"

Ale mamy tu do czynienia zapewne z takim rodzajem facetów, którzy nie chcą żadnych niedomówień. W porządku. Nie miałam pojęcia, jakie są naprawdę moje wymiary, ale te brzmiały tak samo dobrze jak każde inne. Głęboki wdech. Zaczyna się. Naprawdę w to weszłam.

Bruce poprosił po raz kolejny, żebym podała swoje wymiary (może spodziewał się, że się jąkam?), ale chyba był dostatecznie zadowolony, gdyż udzielił mi wskazówek jak dojechać do Revere. Na przystań. Okazało się, że mieszka na łodzi.

Był wielki jak niedźwiedź, broda, oczy błyszczące zza okularów. Usiedliśmy na małej kanapie w kabinie jego jachtu, piliśmy dobrze schłodzone Montrachet, rozmawialiśmy o muzyce, a nasza rozmowa przeplatała się z momentami niezręcznej ciszy. To wszystko było dziwnie znajome, tak jakby... no cóż, mówiąc szczerze, czułam się jak na randce. Na pierwszej randce. Randce w ciemno. Wyjątkowo dziwnej.

28.10
31.80

59,90

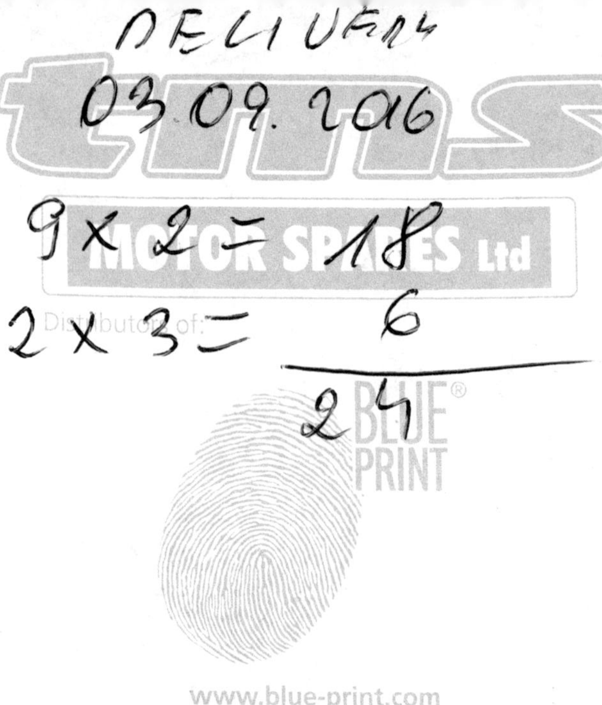
DELIVERY
03.09.2016
tms
MOTOR SPARES Ltd
9 x 2 = 18
Distributors of:
2 x 3 = 6
24
BLUE PRINT
www.blue-print.com
Blue Print is a bilstein group brand

Wstał żeby przynieść więcej wina, a kiedy wrócił, wykonał ten klasyczny manewr, znany już uczniom szkoły średniej – udawane ziewnięcie i przeciąganie; uniosłam swój kieliszek dokładnie w tej samej chwili, kiedy usiłował dolać mi wina. Trochę się rozlało...

Nie byłam w tym dobra w czasach szkolnych i, niestety, to się nie zmieniło. Chrząknął.

– Czy nie masz nic przeciwko temu, żebym cię objął?

Speszyłam się. Czy miałam coś przeciwko temu? Cóż – nie. Przyszłam tu po to, żebyś mnie przeleciał, płacisz dwieście dolarów za godzinę, myślę, że nie powinnam wzbraniać się przed tym, że chcesz mnie objąć... Patrzyłam na niego, nie mogąc przez chwilę wydobyć z siebie głosu. On naprawdę czekał na moją odpowiedź. To było szalenie wzruszające.

Jeszcze w Londynie wyobrażałam sobie różne sytuacje. Po powrocie, siedząc w jacuzzi w moim klubie gimnastycznym, wyobrażałam sobie jeszcze więcej i zastanawiałam się nad tym, w co właściwie się pakuję. Uczciwie mówiąc, wyobrażałam sobie wiele przyjemnych sytuacji. Ale takiej, że ten uprzejmy, zakłopotany facet będzie mnie pytał, czy może mnie objąć, nie przewidziałam nawet w najdziwniejszych snach.

– Byłoby przyjemnie – udało mi się wydukać, a w chwilę później mnie pocałował. Właśnie tak, jak na pierwszej randce.

Odwzajemniłam pocałunek z pewnym entuzjazmem, przesuwając dłonie po jego ramionach i karku, przyciągając go mocniej, bliżej ku sobie, oddając swoje usta jego ustom, delikatnie przesuwając językiem po jego zębach.

I to była właśnie taka chwila, w której już wiedziałam, że wszystko pójdzie świetnie. Nie było w tym nic dziwacznego, pokręconego, niebezpiecznego. Było to coś, co zdarzało mi się już wcześniej, co dobrze umiem, i – co najważniejsze – lubię robić.

Wsunął dłonie pod mój t-shirt, odsunął stanik i dotykał moich piersi, bawiąc się sutkami, tak, że w odpowiedzi zrobiły się twarde. Nie przestawał mnie całować. Lekko mrucząc, przylgnęłam ciałem jeszcze mocniej, czując przyspieszone bicie jego serca, słysząc jego coraz szybszy oddech. Odsunęliśmy się na chwilę od siebie, powodowani jakimś wewnętrznym impulsem, i jego oczy spotkały się z moimi.

– Jesteś piękna – powiedział.

– Dziękuję – wyszeptałam, dotykając delikatnie palcem konturów jego ust.

Odchrząknął.

– Czy chciałabyś... czy możemy przejść do sypialni?

Dokładnie wiedziałam, co dalej robić; to było dziecinnie proste. Mogłam to robić nawet śpiąc, na włączonym pilocie automatycznym. Nie musiałam o niczym myśleć. Czułam się bardzo naturalnie.

– Tak. Proszę... – odpowiedziałam, usiłując kontrolować niecierpliwość w moim głosie.

Sypialnia nie była daleko. W końcu – byliśmy na łodzi. Aby się zabezpieczyć, jadąc tutaj, kupiłam prezerwatywy. Teraz zawahałam się chwilę przed pójściem za nim, sięgnęłam po lampkę z winem, a w międzyczasie przełożyłam dyskretnie jedną z prezerwatyw z torebki do kieszeni dżinsów. Dobra robota Abbott. Cholernie sprytne. Ale cóż, przecież dopiero zaczynałam.

Wciąż jeszcze czułam się jak na pierwszej randce.

Sypialnia była oświetlona jedynie dzięki uchylonym drzwiom do kabiny. Dostrzegłam łóżko i prawie nic więcej. Ale to przecież nie miało znaczenia. Jedyne, czego potrzebowaliśmy to właśnie łóżko. Zsunęłam żakiet i kamizelkę, ściągnęłam z siebie t-shirt i stanik. Zrobiłam to tak uwodzicielsko, jak tylko umiałam, odpinając stanik z tyłu i pozwalając mu osunąć się na podłogę. Bruce pożerał mnie wzrokiem.

– Jesteś piękna – wyszeptał jeszcze raz, a ja wyciągnęłam do niego rękę, poczułam, że jestem atrakcyjna, że go podniecam.

– Chodź – powiedziałam głosem tak niskim i zmysłowym jak tylko mogłam wyartykułować. Marleno Dietrich, nie masz przy mnie startu.

Siedzieliśmy na łóżku naprzeciwko siebie, całując się namiętnie. Później dowiedziałam się, że niektóre z dziewczyn nie pozwalają się całować, bo uważają, że usta są tą jedyną częścią, którą mogą zachować dla siebie. Nie zgadzam się z tym, nawet z dzisiejszej perspektywy. Może udawany romans jest lepszy niż żaden? A może po prostu lubię się całować?

Delikatnie popchnął mnie na łóżko, nie przestając całować moich piersi. Położyłam głowę i zamknęłam oczy. Myślałam, że będzie to okropne i ciągle jeszcze nie mogłam uwierzyć, że – jeśli już oceniać – było przyjemne.

Walczyłam z guzikami jego flanelowej koszuli, rozpinając je czułam swój przyspieszony oddech. Rozsunęłam na boki odpiętą koszulę, przesunęłam dłonie po jego piersi w kierunku karku, przyciągnęłam go do siebie po kolejny pocałunek, jeszcze bardziej namiętny, mruczałam z zadowolenia, jak zwykle w takich sytuacjach.

Mieliśmy mały problem z jego i moimi dżinsami, ale w końcu wylądowały na podłodze obok siebie; dotykaliśmy się, nasze ciała przylegały do siebie coraz mocniej. Wyczuwałam udem twardość jego penisa, znów coś mruknęłam, kiedy moja dłoń przesunęła się w dół. Dotykając go, czułam narastające w nim podniecenie.

Całował moją szyję, dotykał językiem mojego ramienia, obejmował dłońmi moje piersi. Objęłam jego penisa dłonią, delikatnie, pewnie, czując jak całe jego ciało przylega do mojego. Cicho mruczałam, moje palce błądziły po nim, po wewnętrznej stronie jego ud, jego owłosieniu, jego penisie i jądrach. Czułam, że robię się wilgotna, że moje biodra chcą być jeszcze bliżej i ku mojemu zaskoczeniu, to on nagle uniósł się na łokciu i zapytał:

– Masz ze sobą jakieś zabezpieczenie?

Albo to był najsympatyczniejszy mężczyzna w całym Bostonie, albo Peach naprawdę świetnie go wyszkoliła.

– Tak, w kieszeni – powiedziałam, wskazując na ciuchy porozrzucane po podłodze.

– Mogłabyś...? – Wyciągnął moje dżinsy z całej sterty ubrań, podał mi je. Potem znów zaczął całować mój kark. Znalazłam paczkę kondomów i podałam mu. Potem usiadłam, pochylając się nad jego penisem i dotykając go ustami. Taaak, wiem. Wiem, że nie wolno robić nic bez zabezpieczenia, ale on nie był jeszcze bliski erekcji, a ja próbowałam mu pokazać, że bardzo go lubię. Już wtedy myślałam o tym, żeby „zamówił" mnie ponownie. Zaczynałam wyczuwać, może jedynie intuicyjnie, jakie jest credo każdej call-girl. Regularni klienci, to nasza podstawa, powód, dla którego nadal robimy to, co robimy. Kiedy spotykamy kogoś takiego jak Bruce, robimy wszystko, żeby to nas wybierał po raz kolejny i kolejny.

Nie zastanawiałam się jak to się stało, że Peach znalazła go dla mnie tak łatwo, na początek. Później dowiedziałam się, że miała umowę z Bruce'em na nowe dziewczyny. To nie on dzwonił do niej, ale ona do niego. Każdy był zadowolony: Bruce miał frajdę, że przysługuje mu coś w rodzaju prawa pierwszej nocy z każdą nową dziewczyną, dla dziewczyny było to łatwe zamówienie. Ale w tej konkretnej chwili, czułam się jak szczęściara, myślałam, że to wcale nie będzie taka straszna i uciążliwa praca.

Pytania typu – czy to źle, że podoba mi się ta praca? Czy powinnam nienawidzić tego, co robię? – pojawiły się później. W tej konkretnej chwili czułam się zadowolona, nie było to nieprzyjemne i okazało się, że jestem w tym dobra.

Przesuwałam językiem po jego penisie, podczas gdy on otwierał opakowanie z kondomami. Przerywał co chwila, aby odgarnąć włosy z mojej twarzy, by lepiej widzieć jak jego penis przesuwa się w tę i z powrotem między moimi ustami. Westchnął:

– Boże, jesteś świetna.

Odsunęłam się na chwilę, by mógł nałożyć kondom. Robiąc to nie przestawał mnie całować, nasze języki dotykały się, a on ciągle jęczał pod wpływem przyjemnych doznań. I nagle znowu leżałam na łóżku, on na mnie, jego wielkie ciało na moim, jego twardość wdzierała się we mnie, rozchyliłam uda i objęłam go nogami, żeby przyciągnąć go jeszcze bliżej; znów jęknął z rozkoszy, jeszcze głośniej niż poprzednio.

Całowałam go w kark, gdy zaczął we mnie wchodzić, chwyciłam jego ramiona i przyjęłam jego członka, dużego i twardego, czułam brodę szorującą po moim policzku.

W pewnej chwili wydało mi się, że słyszę:

– Tia.

Nie byłam pewna, ale odmruknęłam:

– Bruce...

Sprawiło mu to chyba przyjemność, jęknął znowu i wszedł we mnie jeszcze mocniej.

Czułam jak oboje pokrywamy się potem, mimo że to dopiero marzec i kiedy przyszłam było mi dość chłodno. Okienka były uchylone, odczuwałam gorąco nie z powodu braku świeżego powietrza. To my byliśmy tak rozgrzani. Wsunęłam palce między owłosienie na jego klatce piersiowej obejmując go mocniej, żeby utrzymać się, gdy jego penis poruszał się we mnie. Byliśmy naprawdę mokrzy.

Jego orgazm nastąpił nagle, w chwili gdy włożyłam mu dłonie we włosy, przyciągając jego twarz, by znów się całować, głośno jęknął i przeszedł po nim dreszcz, a ja przycisnęłam go do siebie szepcząc:

– Jestem tutaj, skarbie. Jestem tutaj.

I chcesz wiedzieć? To był lepszy seks niż z tym pieprzonym draniem – moim chłopakiem. Nigdy nie było mi tak dobrze. A, co jeszcze lepsze, płacono mi za to. Na dodatek nie odczuwałam nagłej pustki po stosunku seksualnym, jaka pojawiała się zwykle po przeżyciu jednorazowej przygody. Zsunął się ze mnie i przyciągnął do siebie, moja głowa opierała się na jego piersi, czułam bicie jego serca. Pieściłam go delikatnie nadal, moje palce dotykały jego klatki piersiowej. Lekko dmuchnęłam na jego spoconą skórę, zadrżał i przytulił mnie mocniej. Było mi lepiej niż podczas jakiegokolwiek innego „jednorazowego" romansu.

Bruce zniknął w łazience i pierwszy się ubrał, a kiedy wyszłam z sypialni, trzymał już kieliszki napełnione winem i podając mi mój, pocałował mnie w policzek.

Zadzwonił telefon. Odebrał. Powiedział:

– Taak. Tia jest tutaj, zaczekaj chwilę – i podał mi słuchawkę. – To do ciebie.

Byłam zdziwiona.

– Halo?

To była Peach.

– Zakończyłaś?

– Tak... – nie miałam pojęcia, o co jej chodzi.

– Świetnie. Zadzwoń do mnie, jak już wyjdziesz.

Chyba wyczuła, że nie rozumiem o co jej chodzi. Westchnęła.

– Zawsze dzwonię po upływie godziny. Niektórzy faceci prowadzą gierki. Czasem któryś próbuje cię zatrzymać. Płaci za twój czas, a moim zadaniem jest upewnić się, że dostał to, za co zapłacił. Sprawdzam, czy wyszłaś od niego bezpiecznie, czy cię nie zatrzymuje, czy nie jesteś zdana tylko na siebie i czy nie zdarzyło się nic złego. Więc teraz wyjdź i zadzwoń do mnie z budki telefonicznej.

– Dobrze. Oddałam telefon Bruce'owi. Oczywiście znał zasady. Trzymał pieniądze w ręku. Pożegnaj się pięknie, Gracjo.

– Tia, to było naprawdę miłe spotkanie – powiedział. Uśmiechałam się, wsuwając banknoty do kieszeni.

– Mnie też było miło, Bruce. Mam nadzieję, że jeszcze się spotkamy.

– Bardzo bym tego chciał – jego głos brzmiał tak, jakby to rzeczywiście była prawda.

Odprowadził mnie do trapu, pocałował w policzek i uścisnął na pożegnanie.

– Dobranoc.

– Dobranoc, Bruce. – Odeszłam w kierunku mojego samochodu; czułam, że chce mi się śpiewać albo skakać, albo coś w tym rodzaju. Miałam za sobą udany wieczór. Po odjęciu sześćdziesięciu dolarów dla Peach, zostało mi na czysto sto czterdzieści. Za jedną godzinę.

Ktoś z was tyle zarabia?

Zadzwoniłam do niej z najbliższej budki, jaką udało mi się zauważyć. Peach zapytała grzecznie, jak mi poszło i życzyła dobrej nocy. Odłożyłam słuchawkę i przyszła mi do głowy dziwaczna myśl. Pamiętam, jak siedziałam w jacuzzi w klubie, czując się wdzięczna za dożywotnią kartę wstępu (o ironio! prezent od mojej mamy), bo zawsze będę mogła tu przyjść. Byłam wdzięczna, że mają otwarte do późnych godzin nocnych. Siedziałam tam i myślałam, że gdy zacznę, będę tu przychodzić, żeby dzięki tym bąbelkom usunąć z siebie poczucie winy. Będę używać tego miejsca, żeby znów poczuć się czystą. Ale kiedy wsiadłam do samochodu, by wrócić do domu, chciało mi się śmiać z tamtych myśli. Nie stało się nic, co chciałabym zapomnieć. Jakie poczucie winy?

Tej nocy spałam naprawdę dobrze. Bez koszmarów, bez budzenia się zlana potem, bez napadów paniki, bez kamieni w brzuchu. Zaczęłam zarabiać na życie. Nawet wystawiłam czek zakładowi energetycznemu.

To musiało zadziałać. I wcale nie byłam zszokowana brakiem jakichkolwiek negatywnych odczuć.

Rozdział drugi

Nastał następny dzień – jak to następne dni mają w zwyczaju – na pewno i niestety. Po wczorajszym powrocie do domu wzięłam prysznic, ale rano zgodnie z nawykiem znów to zrobiłam, zanim ubrałam się, by wyjść na wykład. Założyłam ciuchy typowe dla środowiska studenckiego, które (jak mi się wydaje) wyglądają wystarczająco służbowo, żeby odróżnić mnie od studentów, ale jednocześnie nie tak służbowo, by ktoś mógł pomyśleć, że traktuję siebie nazbyt serio. W świecie akademickim społeczne szkoły wyższe nie są traktowane zbyt poważnie. To wielka szkoda, zwłaszcza, że to właściwie nieprawda. Czy to nie Lenin powiedział, że to, co postrzegamy uznajemy za rzeczywistość? Dla wielu ludzi właśnie tym się wszystko zaczyna i na tym się kończy.

Nie chciało mi się o tym rozmyślać.

Udało mi się z moim wykładem „O śmierci i umieraniu". Proponowano go w ramach umowy między szkołą a pobliskim szpitalem, w związku z czym był oblegany przez dyplomowane pielęgniarki, które podjęły studia. Toteż studenci mieli nie tylko silną motywację, ale także doświadczenie w tym zakresie. Mówiłam o śmierci; moi studenci stykali się z nią na co dzień. W gruncie rzeczy dość mocno mnie to peszyło. Ale tego pierwszego poranka, po podjęciu pracy u Peach, muszę przyznać, że nie czułam w sobie żadnej pokory. Wręcz odwrotnie, czułam, że jestem na topie.

Tego dnia mówiliśmy o śmierci i wojnie. To mój ulubiony temat w całym programie nauczania, bo wszędzie jest pełno materiałów, z których studenci mogą skorzystać. Nie dokonywałam oceny, czy wojna jest dobra, czy zła, moim celem było pobudzenie ich do wyciągnięcia własnych wniosków, albo zamieszanie im w głowach, jedno z dwojga.

Przeczytałam głośno dwa wiersze – Edny St. Vincent Millay „*The Conscientous Objector*" i Randalla Jarella „*Losses*". Obydwa bardzo wzruszające, niezwykle piękne i dające dużo do myślenia. Przeczytałam te wiersze, a właściwie to wyrecytowałam je z pamięci. Obserwowałam salę, aby wychwycić reakcje, które pomogłyby mi dalej poprowadzić dyskusję.

I nagle, na ułamek sekundy – naprawdę nie dłużej – znów znalazłam się na łodzi, siedząc, pijąc wino już całkowicie ubrana, ze zwitkiem banknotów wciśniętych w dłoń. I podobało mi się to. Jakby w przyspieszonym tempie wyszłam ze swojej skóry, popatrzyłam na siebie – i naprawdę byłam zadowolona ze swojego wyglądu. Byłam dumna ze swoich osiągnięć zawodowych, z faktu prowadzenia wykładów na tak poważne tematy ale także z powodu tajemnicy, że poprzedniej nocy ktoś zechciał mi zapłacić za to, że byłam seksy, piękna, budząca pożądanie. Podobały mi się obie połówki mnie samej. Nawet bardzo mi się podobały. Szybko przywołałam się do porządku. W sali wykładowej brzmiały jeszcze ostatnie słowa wiersza Randalla Jarella:

But the night I died I dreamed that I was dead
And the cities said to me: „Why are you dying
*We are satisfied, if you are"; but why did I die?**

Czekałam. Cisza jest moim sprzymierzeńcem. Powoduje u ludzi poczucie dyskomfortu, toteż zaczynają mówić, aby ją przerwać. I wtedy często mówią to, czego być może nie powiedzieliby w żadnej innej sytuacji. Słowa Edny St. Vincent Millay rozbrzmiewały w ciszy:

I shall die; but that is all I shall do for death.
*I am not on his payroll.***

Tym razem zaoszczędziłam im najgorszego. Wiersz Jarella „*Death of the Ball–Turret Gunner*" dokonałby spustoszenia. Przytoczyłam go tylko raz, kiedy prowadziłam ten wykład po raz pierwszy i jednej trzeciej studentów zrobiło się niedobrze. W każdym razie tak to wyglądało.

Toteż czekałam. Ciszę zakłócały mi moje własne myśli.

Ci ludzie, moi studenci, słuchali poezji, na którą, jak byli przekonani, nie ma miejsca w ich życiu. Słuchali tylko dlatego, że im kazałam. Przez wiele tygodni, miesięcy musiałam zdobyć u nich tyle zaufania, żeby teraz, poprzez te archaiczne słowa, dotarli do ukrytych prawd. Ufali mi. Połowa grupy zwracała się

---

* *Tej nocy, gdy nadeszła śmierć, śniło mi się, że już byłem martwy/Wszyscy wokół mówili: „Czemu właściwie umierasz?/Jeśli się cieszysz, nas także to cieszy ale dlaczego już nie żyję?"* – tłum. B. J.

** *Zapewne umrę; ale to jedyna rzecz, którą zrobię dla śmierci./Nie jestem na jej usługach.* – tłum. B. J.

do mnie „pani doktor". Przede wszystkim czułam, że mam autorytet. To było dość dziwne. Co, jeśli mój autorytet przesłania moją kobiecość? Jeśli już nie będę mogła pracować dla Peach? Albo zostanę odrzucona? Co, jeśli Bruce był wyjątkiem? Czy na pewno nie byłam na to wszystko za stara? Skończy się na tym, że będę wspominać tę pierwszą noc z goryczą, bo zasmakowałam w czymś, czego nie mogę mieć? A jeśli tak, to czy nie lepiej żebym nigdy nie zaczęła?

Toteż gdy zadzwoniłam do Peach tego popołudnia, powiedziałam jej jeszcze raz – tym razem zdecydowanie – że chcę ją poznać osobiście. Nie chciała się zgodzić. Odmawiała. Jak później zauważyłam, nie lubiła się spotykać z żadną z dziewczyn; w każdym razie nie na początku, a w niektórych wypadkach – nigdy. Zawsze czekała, aż wyrobi sobie opinię o każdej z nas, przez telefon, dzięki informacjom od klientów. Nigdy nie zrozumiałam, dlaczego to robi. Może spotkania z dziewczynami uczyniłyby całe to przedsięwzięcie zbyt realistycznym? Może łatwiej było jej utrzymać dystans, kiedy jej pracownicy i klienci pozostawali bezcielesnymi głosami po drugiej stronie słuchawki? A realia tej pracy – co było przecież nieuniknione – powodowały, że z pełną świadomością czasem wysyłała dziewczyny w dość obskurne miejsca, lub pakowała w okropne sytuacje. A jakie miała wyjście?

– Jen, gdybym zaczęła o tym myśleć, nie wysłałabym nigdy nikogo w żadne miejsce – zwierzyła mi się kiedyś w chwili słabości. Może całe to przedsięwzięcie było dla niej łatwiejsze do zniesienia bez wizualizacji osoby, poczucia, że ma z nią jakiś związek, że to żywy człowiek? Po drugiej stronie słuchawki dziewczyna jest tylko statystyką, koniecznymi kłamstewkami: wymiary, wzrost i waga, kolor oczu, długość włosów, przybliżony wiek. Plus wymyślona historia w telegraficznym skrócie („ona jest słodziutka, właśnie przeprowadziła się tu z Kansas, aby zacząć studia"), wszystkie informacje stworzone, przetworzone, przykrojone na miarę każdego klienta. A oni zwykle byli zachwyceni (jak mi się nieco naiwnie początkowo wydawało), że Peach zawsze tak dokładnie spełniała ich oczekiwania.

Tak na marginesie, ciekawe, że mężczyźni nie są w stanie odgadnąć ile lat ma kobieta. Ta nieumiejętność sensownej oceny wieku kobiety na podstawie jej wyglądu jest chyba spowodowana jakąś blokadą komórek w męskich mózgach, jakichś braków, zakodowanych w ich DNA, albo może jest wynikiem narastającego napięcia seksualnego, kiedy to – jak wszyscy wiemy – nie głowa jest najlepiej funkcjonującą częścią ciała. W każdym razie – nie potrafią ocenić wieku kobiety, zwłaszcza wtedy, gdy już wcześniej ktoś go podał.

Kiedy zaczęłam pracować w agencji brakowało mi kilku miesięcy do ukończenia trzydziestu czterech lat, lecz Ellie – asystentka Peach natychmiast się tym zajęła. Zaraz następnego dnia po moim spotkaniu z Bruce'em zadzwoniłam do Peach, żeby potwierdzić, że mogę pracować tego wieczoru. Okazało się, że jej nie będzie.

– To mój wolny dzień – powiedziała. – Nie martw się, moja asystentka Ellie wie wszystko i wkrótce do ciebie oddzwoni.

Zaniepokoiło mnie to, ale jakoś się uspokoiłam, zwłaszcza, że moje konto bankowe przypominało mi, że to nie jest dobry moment na branie wolnego dnia. Zresztą, gdybym teraz stchórzyła, zapewne nie zgłosiłabym się już nigdy więcej. Powinnam wykorzystać to, że byłam na fali.

Ellie koordynowała zlecenia. Zadzwoniła do mnie około siódmej żeby wypytać o parę szczegółów. Potrzebny był jej opis mojego wyglądu zewnętrznego, pewnie po to, by dopasować go do zamówienia klienta oraz mój wiek. Jej reakcja była bezpośrednia i nie pozbawiona racji.

– O, nie. Nikt nie chce się umawiać z kimś powyżej trzydziestki – powiedziała.

Próbowałam ją przekonać, że to nie ma znaczenia. Próbowałam wyjaśnić, że w pracy zwykle biorą mnie za studentkę, nie za wykładowcę. Mam trzydzieści trzy lata ale nie wyglądam na tyle.

– Ci faceci nie mają pojęcia jak wygląda cokolwiek, co jest starsze niż trzydzieści lat. To są dupki mające tylko jedno w swoich ptasich móżdżkach – mój wiek zdawał się mieć wielkie znaczenie dla Ellie. Jak się okazało miała dość cyniczne podejście do klientów, a jak pomyśleć o tym przez chwilę – także do życia.

– Nawet dwadzieścia osiem, dwadzieścia dziewięć lat to już przegięcie, stanowczo za dużo dla nich. Nie znajdę ci żadnego zamówienia, jeśli powiem, że masz trzydzieści trzy lata.

– W porządku. – Nie zamierzałam się upierać. W końcu wiedziała o tym więcej niż ja. Nowa gra, nowe zasady, a ja byłam chętna do nauki. Jakiś czas później dowiedziałam się, że Ellie ma zaledwie dwadzieścia lat.

– Cóż, umówmy się, że masz dwadzieścia cztery, czyli robisz dyplom. Ten smaczek intelektualny kręci niektórych z nich. Będziesz świetna dla tych mądrali, którzy zawsze proszą o dziewczynę „ze szkołą". – Ellie nie przestawała mówić.

Dla mnie w porządku. Już tego wieczoru znalazła mi klienta, inżyniera-gadułę z New Delhi. I od tego czasu Peach przedstawiała mnie jako kobietę w wieku od dwudziestu dwóch do dwudziestu dziewięciu lat – w zależności od tego, czego chciał klient. Wydawało mi się, że dwadzieścia dwa to naprawdę przesada, ale nigdy, żaden z mężczyzn, z którymi się spotykałam nie zakwestionował prawdziwości jej słów. Muszę jednak przyznać, że mimo zaufania do swojego wyglądu, sprawa wieku nieco mnie peszyła. W końcu myśląc o prostytutce, wyobrażamy sobie osobę młodą, czasem nawet młodocianą, rodzaj cheerleaderki. Nawet, jeśli były typem *femme fatale*, to zawsze z dużą domieszką Lolitki. W końcu oglądaliśmy *Pretty Woman*, prawda? Bohaterka tego filmu była młoda, dostatecznie młoda, by zachować ideały. Co prawda widziałam też *Half Moon Street*, ale tam bardzo wyraźnie to pokazano, że mimo iż wiek i inteligencja Sigourney Weaver były naprawdę wyjątkowe, to jej klienci nie byli początkowo przekonani, że jest tą dziewczyną, którą chcieli. Postać grana przez Julię Roberts – młoda, wesoła, gadatliwa i słodka – jest standardem w tym zawodzie. Dziwka o złotym sercu.

Ja nie byłam ani młoda, ani wesoła, ani gadatliwa, a tym bardziej – słodka. Nijak nie pasowałam do tej formuły. Nie dawało mi to spokoju. Po tym co mi zrobił Peter – ten pieprzony drań – najgorszą rzeczą, byłoby kolejne odrzucenie.

Najzabawniejsze jest to, że mimo rozmyślań, planowania, przygotowań, które towarzyszyły początkom tej pracy, nigdy nie miałam cienia wątpliwości, że potrafię to robić. Siedząc w akademiku w Londynie, gapiłam się w notatki przed jutrzejszym wykładem i denerwowałam się, jak zostanę przyjęta w innej kulturze, jakie pytania będą mi zadawać i innymi tego typu sprawami. Byłam cała w nerwach, ale nawet wtedy jedna połowa mojego mózgu przygotowywała się do wykładu, a druga roztrząsała problem „być albo nie być..." prostytutką.

Wiedziałam, że jestem atrakcyjna, ale oczywiście moja pewność siebie nie miała z tym wiele wspólnego. Raczej świadomość, że jestem silna. Przed tym pieprzonym draniem Peterem miałam innych chłopaków – a mówiąc uczciwie także dziewczyny – i wszyscy twierdzili, że jestem najlepszą kochanką, jaką mieli. Może też to słyszeliście? Może mówili jedynie to, co chciałam usłyszeć? Biorę to pod uwagę, niech będzie, że nie wszyscy mówili prawdę. Ale kiedy jest się w czymś naprawdę dobrym, wie się to instynktownie, czuje się to we krwi i w każdej kosteczce, w każdym mięśniu, w każdej komórce, z pewnością, której nie można wytłumaczyć. Wiedziałam, że jestem dobra w uprawianiu seksu, we flirtowaniu, w uwodzeniu. To coś wrodzonego, coś o czym nie myślałam. Podrywając mężczyznę, włączałam automatycznego pilota. Po prostu. Zupełnie nie myślałam. Flirtowałam. I zawsze zdobywałam każdego, kogo chciałam.

Przypadek z pieprzonym draniem, to jakby wypadek przy pracy – źle oceniłam sytuację. Po tych wszystkich wstępach, byłam świadoma swojej siły. Wiedziałam, że jeśli jestem sam na sam z rozebranym facetem – kimkolwiek by nie był – jestem w stanie go zadowolić. Mogłam go oszołomić, wywołać u niego ekstazę, spowodować, że pragnął więcej i więcej, i więcej. Wiedziałam, że doświadczenie i umiejętności mają swoją podniecającą wartość, że miałam do zaoferowania coś, czego nie mają dwudziestolatki.

Dlatego właśnie zakreśliłam ogłoszenie Peach. Czułam się zaszokowana ilością fotografii silikonowych biustów i blondynek z wielkimi ustami, wypowiadającymi słowa: „Moja podniecona cipa czeka na ciebie!" Ale wśród takich ogłoszeń były dwa, które zamieściła Peach. Jedno z nich było dla klientów – w średniej wielkości koronkowej ramce – po prostu nazwa agencji: Avanti i słowa: „Jeśli chcesz czegoś więcej niż zwykle". No, dobrze. Mogło to oznaczać wiele różnych rzeczy, ale nie było tam żadnego silikonu, co już było dobrym znakiem.

Drugie ogłoszenie, na innej stronie, ale podobne mówiło: „Praca na część etatu. Aby nadać kolorów twojemu zwyczajnemu życiu. Wymagane minimum wykształcenie półwyższe". I to mnie właśnie ujęło. Nigdzie indziej nie wspominano o wykształceniu. Ta agencja miała klientów, którzy, jak można się spodziewać, chcieli również porozmawiać z zamówioną dziewczyną, szukali czegoś więcej niż tylko twarde cycki i puste głowy.

A o takich klientów mi chodziło, o mężczyzn, którzy uznaliby moje stopnie naukowe raczej jako coś uzupełniającego, a nie zmniejszającego moją atrakcyjność seksualną. To było rozwiązanie. Dlatego zakreśliłam tylko to jedno ogłoszenie. Czasem zastanawiam się, co by to było, gdyby mi się nie udało w tej agencji. Znów przeglądałabym ogłoszenia, znalazłabym jakieś mniej agresywne niż inne? Nie wiem. Zabrałam gazetę ze sobą do Londynu i nazwa Avanti tkwiła w mojej głowie przez wszystkie cztery dni wykładów.

Wróciłam do domu i nawet się nie rozpakowałam. Zadzwoniłam do Peach. To był właśnie ten dzień, kiedy spotkałam się z Bruce'em. Dzięki temu dowiedziałam się, że byli mężczyźni, którzy chcieli się ze mną spotykać – jak Bruce czy hinduski inżynier, czy prawnik z departamentu stanu – ale nadal byłam niepewna swojego miejsca w tej profesji, zdominowanej przez młode dziewczyny. Dlatego, po raz kolejny przycisnęłam Peach o spotkanie. Po to, żeby upewnić się, że „pani profesorka" pasuje do jej światka, a Bruce i inni nie byli po prostu jakimiś dziwakami.

Myślę, że na tym etapie Peach zdecydowała, że jestem warta tego, by zainwestować swój czas w spotkanie ze mną.

– W porządku. Obiad w czwartek o pierwszej w „Legal Seafood" przy Copley.

W kilka dni po randce z prawnikiem, Peach zgodziła się wreszcie spotkać ze mną. Szybka decyzja, szybka zmiana planów, to typowe dla Peach. Aż się spociłam z wrażenia.

– Świetnie, będę tam – odpowiedziałam. I byłam. Ale ona się nie pojawiła. Nie przyszła do „Legal Seafood"; kiedy zadzwoniłam o drugiej, powiedziała, że skręciła sobie kostkę. A ja przez całą godzinę, wystrojona – nieco przesadnie nawet jak na pasaż handlowy w centrum miasta – w elegancki kostiumik, niewygodne szpilki – nerwowo przyglądałam się każdej wchodzącej kobiecie, myśląc, że to może Peach. Byłam wyczerpana. Odwołała jeszcze dwa następne spotkania, tym razem jednak informując mnie odpowiednio wcześniej. Żeby zdążyć na jedno z nich, znalazłam zastępstwo, za które oczywiście musiałam zapłacić. Nie mogłam dłużej pozwalać na to, żeby moje dodatkowe zajęcie rozwalało coś, co w końcu było sprawą pierwszoplanową – moją karierę naukową, zwłaszcza, że lokalizacja spotkań była zawsze bardzo niedogodna, w centrum, czyli daleko od Allston, w którym mieszkałam. Musiałam więc, za każdym razem, znaleźć płatny parking, odszukać restaurację i zacząć zgadywać, która kobieta może być nią. Zaczynałam już myśleć, że nigdy nie dojdzie do spotkania. Czas spędzony z Bruce'em na łodzi wydawał mi się już jedynie kadrem zatrzymanym w pamięci, czymś tak ulotnym, że prawie nie wartym pamiętania. Hinduski inżynier, do którego wysłała mnie Ellie właściwie się nie liczył, to było najwyżej dwadzieścia minut i nie sądzę, żeby choć raz spojrzał na moją twarz. Ten prawnik z departamentu stanu był raczej bardziej skupiony na tym, jaką odwagą się wykazał, zamawiając taką usługę niż na tym, kto ją właściwie wykonuje. Nie miałam więc wystarczającego doświadczenia, którym mogłabym się wesprzeć. Jednocześnie samo zagadnienie prostytucji zaczynało mnie coraz bardziej fascynować. Choć zaledwie otarłam się o ten temat, poczułam, że mnie wciągnął jak studnia. Może odezwała się we mnie jedynie żyłka poszukiwacza, naukowca? Zaczęłam czytać o prostytucji, nie mogłam przestać o tym myśleć, a nie byłam w stanie nawet umówić się na spotkanie z moją własną Madam.

W końcu zostałam skierowana do „Legal Seafood", ale tym razem w Centrum Handlowym Prudential. Pojechałam myśląc, że zapewne znów mnie wystawi. Nawet nie ubrałam się jakoś specjalnie, sądząc, że to nie ma sensu. Miałam na sobie zwykłe ciuchy – dżinsy, bluzę i płaskie pantofelki firmy Ryka. Mój plan był następujący: poczekam (bezskutecznie) na nią, później zadzwonię i usłyszę jakąś kolejną nieprawdopodobną wymówkę, a następnie pójdę na resztę popołudnia do biblioteki uniwersyteckiej. Toteż ubrałam się tak jak do biblioteki. Tym razem byłam odpowiednio przygotowana – zabrałam ze sobą pracę, którą mogłam wykonać, korzystając z faktu, że jestem w śródmieściu. Nie zamierzałam marnować cennego czasu, lecz wykorzystać go konstruktywnie. Byłam wtedy już dość znużona. Nie wierzyłam nawet przez moment, że Peach przyjdzie na spotkanie.

Przyszła.

Wyglądała zupełnie inaczej niż sobie wyobrażałam. Rozglądałam się za słodką kobietką o wyglądzie Barbie, jakie widuje się w centrum Bostonu, produktem godzin spędzonych w gabinetach kosmetycznych i sklepach przy ulicy Newbury. Zakładałam, że będzie wyglądała jak jedna z tych kobiet, które noszą prowokujące ciuchy, jakby były ich znakiem firmowym.

Moja przyjaciółka Irena i ja nabijałyśmy się kiedyś z tych kobiet w poczuciu własnej wyższości. Stwierdziłyśmy, że dzielą się na dwie grupy. Jedne z nich to zdrowe, niepracujące żony, przybywające po swoją tygodniową porcję kolagenu, lakieru do włosów i ploteczek, próbujące przekonać same siebie za pomocą tego kontaktu z miastem, że ich prowincjonalne życie w Andover, Acton lub południowym New Hampshire jest piękne i wartościowe. Druga grupa to kobiety biznesu w średnim wieku, pracujące w bankach, w biurowcach, otaczających Prudential. Te kobiety wyglądały doskonale, bo musiały. Taki był niepisany paragraf w ich zakresie obowiązków. (Taki niepisany paragraf był także zawarty w opisie obowiązków podmiejskich żon, jak się domyślam). Kobiety biznesu miały mniej czasu na przyjemności: biegły do śródmieścia w czasie przerwy obiadowej, żeby kupić prezent urodzinowy albo coś z biżuterii do założenia na wieczorne spotkanie „z kimś ważnym". Nabijałyśmy się z tego z Ireną, ale przecież w naszych obserwacjach było dużo prawdy. To były kobiety, które stanowiły śródmieście Bostonu. I dlatego myślałam, że Peach będzie wyglądać jak jedna z nich. W końcu trudno być bardziej śródmiejską niż Madam.

Bóg jeden wie, jak bardzo starałam się ją sobie wyobrazić. Jej głos był delikatny, ale zdecydowany: była kobietą, która podejmowała decyzje szybko i zwykle przy nich pozostawała, dopóki ktoś taki jak ja nie skłonił jej do zmiany zdania. Założyła swoją własną firmę i prowadzi ją od ośmiu lat; być może więc kostium nie odbiega zanadto od jej stylu. Ale z drugiej strony jej praca to uwodzenie i przyjemność; bardziej w jej stylu może zatem być miękka tkanina kobiety z północnego Andover lub Manchesteru–nad–Morzem. Jaki więc byłby ten jej styl?

– Jen? Czy ty jesteś Jen? – usłyszałam za uchem. Nawet nie zauważyłam jak podeszła. Była w moim wieku, no może parę lat młodsza lub starsza. Musiała być, skoro już tak długo prowadzi ten biznes, a jeszcze zapewne kończyła studia; wydawało mi się oczywiste, że ktoś, kto wymaga wykształcenia od pracowników, sam także je posiada. Miała gęste, rude włosy, jasną cerę i wyjątkowo piękne zielone oczy. Gdyby nie jej spodnie w kolorze khaki i skórzana kurtka, wyglądałaby jak z obrazu Burne–Jonesa. Jeśli dobrze pamiętam prerafaelici stanowczo woleli eteryczne, białe, zwiewne suknie.

Wyciągnęłam dłoń. Podała mi swoją po chwili wahania.

– Cześć, no tak, to ja. Ty zapewne jesteś Peach – kolejna błyskotliwa uwaga w wykonaniu pani profesorki.

– Wyjdźmy na zewnątrz – zaproponowała Peach. To by było na tyle, jeśli chodzi o lunch. Usiadłyśmy na betonowym murku, na świeżym powietrzu.

– Jesteś z policji? – Peach przeszła od razu do rzeczy. Zdębiałam.

– Mmm, nnie. No przecież zadzwoniłam do ciebie...

– Muszę mieć pewność. Jesteś z policji? – zapytała spokojnie raz jeszcze.

– Nie. A czy wyglądam, jakbym była?

– W porządku – odparła. I podjęłyśmy rozmowę.

Chciałabym, żeby życie zawsze było takie proste.

* * * * *

A teraz zapamiętaj sobie jedno z przykazań Peach. Nie wiem, czy to prawda, czy może jedna z tych bajeczek znanych w środowisku spoza prawa. W każdym razie wszyscy ponoć wiedzą, że jeśli zapytasz kogoś, czy jest z policji, a on lub ona odpowie, że nie, ale w rzeczywistości JEST z policji, to każda sprawa sądowa, oparta na materiale dowodowym zdobytym w taki sposób, zostanie odrzucona przez sąd. Dla mnie brzmi to dziwnie, ale Peach wiedziała co i jak robić, więc przyjmuję, że to prawda.

Nie miała ochoty na żadne pogaduszki. W tej roli także używała swojego, jakby nagranego na taśmę głosu.

– Jeśli kiedykolwiek nabierzesz złych przeczuć albo podejrzeń, dotyczących klienta, nie przyjmuj zamówienia. Jest parę sposobów, aby z tego wybrnąć. Jeśli myślisz, że to prowokacja, zapytaj czy jest policjantem. Jeśli naprawdę się przestraszysz, powiedz, że zostawiłaś kluczyki w samochodzie, że zaraz wracasz i zmywaj się stamtąd czym prędzej. Jeśli to nie jest bardzo pilne, w czasie gdy dzwonisz do mnie by potwierdzić, że jesteś na miejscu, zapytaj mnie czy dzwoniła twoja siostra.

Byłam zdeprymowana.

– Moja siostra nie zadzwoniłaby do ciebie – wydusiłam.

– To nie ma znaczenia – rzekła niecierpliwie. – To taki kod. Odłóż słuchawkę i powiedz klientowi, że stan męża twojej siostry, który przebywa a szpitalu, bardzo się pogorszył i musisz natychmiast jechać do niego. Powiedz, że jest ci przykro i żeby natychmiast zadzwonił do mnie, a ja się wszystkim zajmę. I wyjdź. Skontaktuję się z tobą, zanim przyjmę jego kolejne zamówienie, będę wiedziała o co chodzi. Nigdy, ale to nigdy nie wykonuj zlecenia, które wydaje ci się podejrzane. Zawierz swojemu instynktowi.

Myślcie sobie co chcecie, ale jej system działał. Przez cały czas kiedy u niej pracowałam, nie zdarzył się ani jeden wypadek aresztowania.

Spotkałyśmy się więc. Peach potwierdziła, że jestem wystarczająco atrakcyjna i dostatecznie młoda (przynajmniej z wyglądu), aby pracować w tym zawodzie, toteż wróciłam do domu zbita z tropu i z poczuciem nieco przekręconej pewności siebie. Po jakimś czasie wyznała mi, że na tym pierwszym spotkaniu miała poczucie zagrożenia z mojej strony, gdyż oceniła mnie jako osobę mądrą, elegancką i wykształconą. Oczywiście wcześniej nie miałam o tym pojęcia. Jedyne, co wiedziałam po tym spotkaniu, to było to, że zmieściłam się „pod radarem".

Czy ci się to podoba, czy nie, rzeczywistość jest taka, że wszyscy poddajemy się dyktaturze Madison Avenue*, wyczynom rodem z Hollywood.

Choćbyśmy chcieli temu zaprzeczyć – niestety taka jest prawda. Jeśli twierdzisz, że nie jesteś pod wpływem plakatów firmy

---

* Aleja w Nowym Jorku, przy której mieści się większość sławnych agencji reklamowych i *PR* – przyp. tłum.

GAP albo dwudziestu kilku programów telewizyjnych, jeśli twierdzisz, że nigdy się nie porównujesz i nie zastanawiasz w głębi serca, czy możesz im dorównać, to z przykrością informuję cię, że po prostu nie mówisz prawdy. „Newsweek" opowiada o kulturze młodzieżowej, jakby to było jakieś odległe zjawisko, przedmiot studiów antropologicznych, ale gwarantuję, że reporterzy, pracujący nad tym studium bardzo chcieliby należeć do tej grupy.

Albo ja. Zrobiłam dwa magisteria i trudny doktorat. Moje życie było niezależne i całkiem szczęśliwe. Robiłam karierę w dziedzinie, która fascynowała mnie przez całe dotychczasowe życie. A mimo wszystko, tego popołudnia nieporównanie większą przyjemność sprawiło mi zapewnienie, że jestem wystarczająco młoda, szczupła, atrakcyjna, uwodzicielska by pracować w agencji towarzyskiej. Znalezienie się w szeregu dwudziestolatek dało mi większą satysfakcję niż moje dokonania naukowe.

Cóż, może więc wcale nie jestem taka mądra.

* * * * *

Tego wieczoru, po spotkaniu z Peach, nie przyjęłam już żadnego zlecenia. Pozwoliłam sobie natomiast zainwestować w moją nową pracę, dokonałam niezbędnych poprawek, tak, by wpasować się w mój nowy wizerunek. Poszłam do klubu poćwiczyć i zostałam tam przez trzy godziny pocąc się i wysilając na stepie i na siłowni, nagradzając się dwudziestoma minutami w jacuzzi.

Wybrałam step tuż obok kobiety, którą poznałam już wcześniej w klubie. Pracowała w jednej z firm, tworzących programy komputerowe, przy drodze 128. Widywałyśmy się co jakiś czas także poza klubem, ale zwykle jednak nasze rozmowy toczyły się tutaj, kiedy dysząc obserwowałyśmy na ekranie poziom swojego tętna. W zależności od tego, co akurat działo się w naszym życiu, opowiadałyśmy sobie o naszych miłosnych podbojach albo o ich braku.

– Przyjdziesz jutro wieczorem na grilla? – zapytała Susan, nie odrywając wzroku od migocących czerwonych światełek na monitorze przed nią.

– Nie mogę... – odpowiedziałam po chwili zastanowienia. To przykuło jej uwagę.

– O Boże! Nic mi nie mówiłaś! Świetnie! Jen, spotykasz się z kimś? Widzisz! Mówiłam ci, że zapomnisz o tym dupku Peterze.

– Nie, to nie z tego powodu – nie wiedząc co powiedzieć zaczęłam pić wodę mineralną. Nie mogłam przestać myśleć o tym, co by było, gdybym powiedziała jej prawdę: „Nie, Susan, to właściwie nie jest randka. Osłupiałabyś, gdybym ci powiedziała, co naprawdę zamierzałam robić? Że moja randka zakończy się wręczeniem mi dwustu dolców". Z trudem powstrzymywałam śmiech. Nie mam zielonego pojęcia, co by sobie pomyślała. Jeśli oczywiście w ogóle by mi uwierzyła. No właśnie – jeśli.

– Po prostu potrzebuję pieniędzy. Wzięłam dodatkowe zajęcia.

– Wspaniale – odparła, znów koncentrując się na światełkach – ja też muszę sobie znaleźć coś takiego.

Roześmiałam się w duchu z niewinną minką i jakby na wstrzymanym oddechu (w końcu intensywnie ćwiczyłam).

– Dlaczego? Myślałam, że wy, maniacy komputerowi zarabiacie wielką kasę.

– Niby tak, ale dając wykłady można przynajmniej spotkać kogoś innego niż szczur z sąsiedniego boksu. Chociaż od czasu do czasu chciałabym spotkać się z kimś, kto ma coś ciekawego do powiedzenia.

Cóż, pomyślałam, że faktycznie, nie wszyscy moi klienci to maniacy. Ale jeśli chodzi o ciekawe rozmowy, to nie jestem przekonana, czy to zajęcie daje do nich okazję.

Wzięłam prysznic, wypiłam sok w klubowym barze i udałam się do sklepów, aby uzupełnić moją garderobę. Nic nadzwyczajnego, tylko to, na co pozwoliła mi moja karta kredytowa Citibanku. „Nowa praca – nowe ubranie", zwykła mawiać moja mama. Pamiętam ją pierwszego dnia pracy w banku jako asystentka wiceprezesa, w odpowiednim kapeluszu, dopasowanych do niego kolorystycznie rękawiczkach, butach... Cóż, inne czasy, inna moda.

Weszłam do Cacique i kupiłam komplet bielizny. Na wszelki wypadek dołożyłam kilka bluzeczek na ramiączkach z koronką, które mogły być traktowane także jako bielizna i oczywiście, budzący moje przerażenie pas do pończoch i pończochy; miałam nadzieję, że nie będę musiała używać ich zbyt często. Pytacie dlaczego? Informuję dżentelmenów na widowni, że jeśli kobieta mówi, iż czuje się w tych rzeczach wygodnie, po prostu wciska wam kit. Usiłuje być miła, bo wie, jak ten strój na was działa, ale na pewno nie jest jej wygodnie. Doceńcie więc to. Naprawdę doceńcie.

Poza tym płacono mi, toteż ta odrobina dyskomfortu była dużo łatwiejsza do zaakceptowania.

Weszłam jeszcze do paru innych sklepów, kupując ciuchy, które były zaledwie odrobinę bardziej wyzywające niż te noszone na co dzień: ciut krótsze spódnice, troszkę bardziej wydekoltowane bluzki. Dużo czerni. Mała czarna torebka naszywana koralikami. Ubrania, które można ze sobą łączyć, łatwe do zdejmowania, łatwe do zakładania. Ciasne pomieszczenie na dziobie łodzi czyli sypialnia Bruce'a czegoś mnie nauczyło. W końcu poszłam do fryzjera, ostrzygłam się i uczesałam, dałam fryzjerowi przesadnie duży napiwek i wróciłam do domu. Była już dziesiąta. Następnego dnia miałam wykład o drugiej po południu. Byłam gotowa zacząć moją nową pracę natychmiast po wykładzie.

Bajka o dwóch tak różnych karierach. Uśmiechnęłam się w duchu. Lepiej być nie może.

Rozdział trzeci

Nic nie zmieni faktu, że to była jednak prostytucja. Można próbować to jakoś zawoalować, ale twierdzenie, że nie może być lepiej, niż wtedy gdy zarabia się na życie jako prostytutka jest nieco naiwne. Jakby rozczarowujące. Po spotkaniu z Peach spędziałam wyjątkowo nudne półtora tygodnia. Zwyczajne wykłady, nieciekawe zamówienia z agencji.

Nie jestem pewna, czego właściwie się spodziewałam: pejczy i łańcuchów? Albo habitów zakonnic czy czegoś w tym rodzaju? Miałam natomiast nieciekawy seks, który zwykle towarzyszy pierwszym tego typu doświadczeniom. Trochę niezręczny, nieco dziwny, i ta myśl, pojawiająca się w trakcie spotkania, że przecież w końcu tak naprawdę nie lubisz tego człowieka.

To samo zdarza się dość często w normalnym życiu.

Oczywiście moja sytuacja miała zdecydowaną przewagę w porównaniu z normalnym życiem – mogłam po godzinie po prostu wyjść. Zwykle jesteś zmuszona pozostać z facetem nieco dłużej...

Wielu klientów mówiło mi co mam robić i trochę mnie to irytowało. Jestem dość kreatywna i mogę szybko dopasować się zamiast wykonywać polecenia. Zresztą nigdy nie przepadałam za wykonywaniem czyichś poleceń. W każdym razie nie w moim normalnym życiu. To o tyle nie ma znaczenia, że w tej sytuacji jakoś to akceptowałam. Ale przesadzali. Siadaj tutaj, zrób to, zdejmij to. Zrób to jeszcze raz. Zrób to mocniej. Trochę bardziej. Wstań, pocałuj mnie tutaj, odwróć się, schyl się. Może nikt ich nigdy nie słuchał? Może jedynie wtedy czuli się panami sytuacji?

Spotykałam się od czasu do czasu z pewnym przystojnym Murzynem w średnim wieku, mieszkającym na przedmieściach – w północnym Andover. Po spędzeniu trzech dość „średnich" kwadransów w jego łóżku, teatralnym gestem wypisywał mi czek (oczywiście po wcześniejszym uzgodnieniu z Peach, w końcu to rodzaj biznesu oparty wyłącznie na gotówce). W rubryce „tytuł płatności" wpisywał: „zakup dzieła sztuki", puszczając do mnie oko. Myślę, że kwalifikuję się do tej kategorii.

Był też miły, młody chłopak z południowego Bostonu, który zawsze częstował mnie piwem light i nigdy nie dawał szansy się go napić.

Był mój pierwszy klient hotelowy, systematycznie raz w miesiącu przyjeżdżający do Bostonu w sprawach służbowych. Zawsze tłumaczył mi jak bardzo jest zajęty, wskazując na swojego laptopa na stoliku i porozrzucane dookoła papiery. I rzeczywiście – podniesionym głosem nakazywał mi szybki seks oralny, a po zakończeniu dawał dziesięć dolarów napiwku. Po maksimum dwudziestu minutach byłam już wolna. Wpół do dziewiątej wieczorem, dobrze ubrana, w pełni poczucia własnej atrakcyjności, szłam korytarzem hotelowym, ze stu czterdziestoma dolarami, których zarobienie zajęło mi mniej czasu niż ubranie się.

Zwykle jednak odmawiałam, gdy Peach dzwoniła do mnie ze zleceniem hotelowym. Wyobrażałam sobie tych facetów, przejazdem w Bostonie, siedzących w hotelu, zamawiających usługi agencji towarzyskich, nie dość uważnych i dyskretnych. Jedna jedyna rzecz, która mogłaby mnie z hukiem powalić na ziemię, to aresztowanie. Zdecydowałam się na świadczenie usług seksualnych, żeby zarobić na życie, ale nie zamierzałam zwichnąć swojej prawdziwej kariery, a przecież mogło się to przytrafić w mgnieniu oka, jeśli zostałabym aresztowana.

– Chcę tylko stałych klientów. Takich, których znasz – mówiłam Peach.

– Nie martw się. Matt jest w porządku. Korzysta z usług agencji już od roku – uspokajała mnie.

– No, dobrze. Ale pamiętaj – nigdy, przenigdy nie dawaj mi nowych klientów. Nie mam zamiaru aż tak ryzykować – mówiłam.

– Skarbie, rozumiem – odpowiadała.

Był klient z Brookline Village, który płacił za dwie godziny i po tym jak skończyliśmy w łóżku, zabierał mnie do chińskiej restauracji. Bardzo słodkie. Podwójne pieniądze, droga kolacja z kimś, komu w normalnych okolicznościach zapewne nie towarzyszyłabym na kolacji, ale w sumie nie takie to znów nieprzyjemne.

Na pewno przyjemniejsze niż parę moich randek z przeszłości. Jednak żaden z klientów nie miał szczególnie błyskotliwej osobowości. Generalnie, większość z nich była zupełnie nieinteresująca. Jeden był nadęty i napuszony, inny nie mógł się powstrzymać od uwag typu: „Och, nie zdajesz sobie nawet sprawy, z kim masz do czynienia". Że niby co? Mam przyjemność z jakimś Einsteinem czy kimś w tym rodzaju? Nie byłam jeszcze wystarczająco obyta w tym zawodzie, więc początkowo przytakiwałam.

– Doktorat Einsteina nie był z antropologii, a mój jest – nie wytrzymałam w końcu. I na szczęście zatkało go.

Ale generalnie, nie byli to jacyś szczególnie źli ludzie. Okropnie nudni, mało atrakcyjni, bez talentów towarzyskich. Tępi, przewidywalni, zupełnie pozbawieni pewności siebie, co przeważnie odreagowywali na mnie. Nie byli wrogo nastawieni, przerażający czy wręcz odrażający. Spotykałam się z facetami podobnymi do nich także dawniej. Tyle, że tamci mi nie płacili.

Pewnego czwartku, prawie miesiąc po tym, jak zaczęłam pracować regularnie, trzy, cztery razy w tygodniu, dla Peach, kończyły się wykłady „O śmierci i umieraniu". To był mój ulubiony okres – mogłam bowiem dowiedzieć się, co zostało w głowach moich studentów, jakie idee im zaszczepiłam, jakim talentom pomogłam się rozwinąć. Od początku semestru studenci wiedzieli, że na zaliczenie będą musieli złożyć pracę końcową. Będzie to zadanie do wykonania indywidualnie lub w grupie, opisanie czegoś, co przyciągnęło ich uwagę, zainteresowało, zaczęło ich pasjonować. Niejednokrotnie byłam zdumiona rezultatami ich prac.

Ten czwartek także mnie nie rozczarował.

Karen, jedna z niewielu studentek spoza grona pielęgniarek, zrobiła własny projekt. Poszła do hospicjum, żeby porozmawiać z umierającymi na AIDS. Nagrywając rozmowy na taśmę, rysowała ich portrety (które później im podarowała, co samo w sobie stanowiło kolejną historię).

Na wykładzie nie było osoby, która nie byłaby poruszona. Głosy z taśmy wypełniły przestrzeń dokoła nas; głosy silne i przerażone, spokojne i wściekłe... Słuchaliśmy ich słów, patrząc jednocześnie na te portrety, te przygaszone oczy, zapadnięte policzki. Patrząc na salę widziałam łzy, napiętą uwagę, współczucie; moje własne serce przepełniała duma.

I nagle – jak to wytłumaczyć? – w tej wspaniałej, świętej chwili przypomniała mi się poprzednia noc w mieszkaniu w Chestnut Hill, lśniące szwedzkie meble i ten facet, który mówił:

– Prowadzisz wykłady o śmierci? Ludzie, to naprawdę podniecające! Śmierć to najlepszy afrodyzjak!

Odepchnęłam tę wizję natychmiast, zszokowana, że się w ogóle pojawiła. Słuchałam głosów ludzi, mówiących o stracie przyjaciół, o tym, że własne matki boją się ich dotknąć, moje policzki płonęły. I w tym ważnym momencie, wyprowadzona z równowagi nagłym wspomnieniem wczorajszego wieczoru, wyszłam z sali.

Otworzyłam drzwi i wyszłam! Zdradziłam pracę wykonaną przez Karen, zdradziłam samą siebie.

Nie wiedziałam, co zrobić z tą świadomością.

Nie wiedziałam, co o tym myśleć.

Chciałam o tym zapomnieć.

* * * * *

Tego wieczoru... Jeśli wierzysz w to, że kara spada na grzesznika natychmiast po dokonaniu przestępstwa, masz całkowitą słuszność. Zostałam ukarana. Przyjęłam zlecenie w Back Bay. Bostońska dzielnica Back Bay to stare kamienne domy, stare rody, stare pieniądze. Jak apartamenty paryskie czy budapeszteńskie – dziedziczne, nie na sprzedaż, a już na pewno nie na wynajem.

Ja mieszkałam w okolicach Allston, z hałasem tramwajów zielonej linii, hiszpańskim targiem, rosyjskimi sklepami drogeryjnymi. Tu w Back Bay rozciąga się elegancka Aleja Commonwealth położona przy Miejskim Parku, wzorowana na bulwarze Haussmana w Paryżu, dająca złudzenie, że właśnie tam się znajdujesz. Jest ulica Beacon z charakterystycznymi ogrodzeniami, poręczami schodów i artystycznie wykonanymi balustradami z żelaza. Jest ulica Marlborough z półkolistymi okienkami nad ciężkimi dębowymi drzwiami. Są latarnie gazowe i delikatny szum ulicy dobiegający ze Storrow Drive.

Idąc tymi uliczkami zastanawiasz się, kto mieszka za tymi okazałymi oknami, za tymi grubymi, aksamitnymi zasłonami. Wyobraźnia podpowiada, że to zapewne ludzie o wielkiej kulturze, którzy sącząc brandy w długie zimowe wieczory, rozmawiają o Rimbaudzie i Verlainie lub Hofstadterze i Minskim.

Mówiąc szczerze, miałam swój własny pogląd na mieszkania w okolicach ulicy Beacon w Back Bay. Kiedy robiłam doktorat, byłam przez parę semestrów asystentką pewnego profesora, który tu mieszkał i do którego systematycznie przynosiłam poprawione prace semestralne. Mieszkanie było długie i ciemne, ściany zawieszone ogromnymi, ponurymi obrazami olejnymi w złotych ramach, jeden przy drugim, tak, że prawie nie było widać tapety. Ręcznie robione orientalne dywany na podłodze, ciężkie meble z mahoniowego drewna, wszystkie książki oprawione w skórę. Czasem częstował mnie herbatą o delikatnym aromacie; nigdy później już takiej nie piłam. Toteż gdy Peach wysłała mnie na ulicę Beacon, niemal nie mogłam się doczekać kiedy się tam znajdę. Facet nie był nazbyt przyjemny przez telefon, kiedy dzwoniłam, żeby się dokładnie umówić, ale wtedy miałam już swoją opinię na ten temat. Wynikało z niej, że mężczyźni aroganccy przez telefon okazywali się dość przyjemni w kontakcie osobistym i na odwrót.

Cóż, w tej ocenie także się pomyliłam.

Ale gdy umawiałam się z nim przez telefon, ta opinia ciągle jeszcze wydawała mi się słuszna, toteż nie przejęłam się niemiłą rozmową.

– A więc, co lubisz? – zapytał.

Pomimo mojej dość krótkiej kariery w tej profesji, pytanie to już wtedy budziło we mnie złość. Wcale nie chodzi przecież o to co JA lubię, ale co lubi klient i czasem takie pytania brzmią jak egzamin, jakby mnie podpuszczał, żebym przedstawiła ofertę, a on potem coś sobie wybierze. Byłam przekonana, że zaczynam ich wszystkich rozumieć.

– Wiele rzeczy. Jestem przekonana, że polubię ciebie. Może po prostu przyjadę i sami sprawdzimy jak to nam wyjdzie razem? – odparłam.

Mieszkanie znajdowało się na trzecim piętrze, z widokiem na rzekę Charles i natychmiast po wejściu przesunęłam się w kierunku okna zachwycona widokiem. Większość facetów byłaby zadowolona, że chwalisz ich mieszkanie. Było naprawdę cudowne. Dookoła mnie, pode mną ciemność upstrzona jedynie punkcikami światełek, okna, z których wylewało się ciepłe żółte światło bezpośrednio w noc, błyskające czerwone lampki na dachach po drugiej stronie rzeki, kładące nieregularne refleksy na ciemną wodę. Ale klient, o imieniu Barry, natychmiast powiedział, że nie płaci mi za podziwianie widoków, złapał mnie za nadgarstek tak silnie, że zostały mi siniaki, odciągnął od okna i przysunął do siebie. Pierwszy pocałunek pokaleczył mi usta. Przyciskał mnie do nierównej ściany, która raniła mi plecy. Jego ręce były tak samo brutalne, kiedy przesuwał je po moim ciele, zgniatał zbyt mocno moje piersi. Wydałam stłumiony okrzyk strachu i odsunęłam się najdalej jak tylko mogłam, żeby go powstrzymać, a on zaczął się śmiać.

– Nie masz prawa mówić mi, co mam robić. Jesteś zwykłą kurwą. Słyszysz? To ty masz robić to, co ja chcę – wysyczał.

Powinnam była wyjść już wtedy. Mogłam, Peach może miałaby mi to za złe, ale na pewno wzięłaby moją stronę. Ciągle jednak wydawało mi się, że mam dobre wyczucie w tym zawodzie, szczerze wierzyłam, że sobie poradzę. Chciałam to sobie udowodnić. Pomyślałam, że zapanuję nad sytuacją. To w końcu tylko godzina. Godzinę wytrzymam.

Wepchnął mnie przez drzwi, zwieńczone łukiem, do maleńkiej sypialni, rzucił na nieposłane łóżko. W powietrzu unosił się nieprzyjemny, dziwny odór. Rząd reflektorów nakierowany był prosto na łóżko. Tak, zdecydowanie facet z klasą... Szkoda gadać!

Nie odrywał ode mnie rąk, ściskając, szczypiąc, gniotąc. Zdejmując mi sukienkę, urwał dwa guziki przy szyi, a kiedy spróbowałam odzyskać choć odrobinę kontroli, proponując, że sama się rozbiorę, złapał mnie za włosy i przyciągając moją twarz na odległość kilku centymetrów do swojej krzyknął:

– Zamknij się dziwko!

Najdziwniejsze było to, że w międzyczasie rozłożył ręczniki na łóżku. Zważywszy na bałagan, panujący w pokoju zaczęło to wyglądać naprawdę przerażająco.

Być może nie uwierzycie, ale prawie nie pamiętam, co stało się później. Wszystko to nastąpiło w mgnieniu oka. Wszystko stało się jednym wielkim przerażającym bólem, tak wielkim, że nie jestem w stanie tego opisać w jakiś normalny sposób.

Rzucił mnie na łóżko, przygniótł swoim ciężarem tak, że ledwie mogłam oddychać, moje uniesione w górę ręce trzymał mocno za głową.

– Jesteś tylko kurwą! Jesteś małym, brudnym kurwiszonem! Powtórz to! Powiedz, że jesteś kurwą! Powiedz, że ci się to podoba! – krzyczał i krzyczał na okrągło.

Pamiętam przerażenie, kiedy w końcu zdałam sobie sprawę, że wszystko wymknęło mi się spod kontroli, że on nie użyje kondomu, że nie jestem w stanie go powstrzymać. Przez sekundę odczułam ulgę, bo jednak go nałożył, ale zaraz potem kolejny atak strachu, bo związał moje ręce poszewką od poduszki. Wtedy zaczęłam krzyczeć. Wiedziałam, że jeśli dam się związać, to już naprawdę nie będę miała żadnej szansy, toteż wyrywałam się i wierzgałam aż wreszcie odpuścił. Ale stał się jeszcze bardziej wulgarny i brutalny. Pamiętam jak mnie pieprzył, wciskając się we mnie z taką siłą, że przypominało to napad szału, walił tak mocno, że myślałam, że nie wytrzymam z bólu następnego ruchu. Jego uderzenia dochodziły aż do szyjki macicy i myślałam, że rozrywa mi wszystko w środku. Pamiętam, jak na chwilę przestał, po to tylko, żeby przekręcić mnie na brzuch. Zrozumiałam z przerażeniem, że usiłuje wepchnąć się w mój odbyt.

Jestem daleka od wszelkiej pruderii. Uprawiałam seks analny nie raz i nawet mi się podobał. Próbowałam wielu rzeczy, które mają związek z poddaniem się, dominacją i seksem. Ale w tym wypadku nie było ani cienia bezpieczeństwa czy poczucia wolności, toteż zareagowałam drastycznie. Barry nie był zadowolony.

– Dziwki są po to, żeby dawać dupy! – wycharczał.

– Ale ze mną to nie przejdzie – powiedziałam.

Większość ludzi by ustąpiła. Większość, nawet ci z minimalnym wyczuciem norm społecznych zrozumieliby, że nie mam zamiaru na to się zgodzić i staraliby się jakoś sensownie zmienić swoje wymagania. Niektórzy nawet by przeprosili. Dopiero później dowiedziałam się od Peach, że wiele z jej dziewcząt bało się bólu, który może spowodować seks analny z nieznanym klientem, a Barry, który korzystał z usług agencji już od dawna domyślał się, że jeśli mnie o to zapyta, odmówię. Mógł przecież to zrobić w czasie naszej krótkiej rozmowy telefonicznej. Teraz zrozumiałam, dlaczego tego nie zrobił. Jeśli nie pytasz, nikt ci nie odmówi. A może uda się jakoś oszukać albo zmusić mnie do zrobienia tego... Jak już powiedziałam, większość ludzi starałaby się przejść nad tym do porządku dziennego. Ale nie Barry. Gdybym nie była tak zirytowana i przerażona, to, co się stało dalej, mogłoby nawet wydawać się śmieszne.

– O! Proszę cię, chociaż raz – dorosły facet, owłosiony, goły, skomlący jakby był pięciolatkiem, któremu zabrali loda.

– Nie chcę i nie zrobię tego – też brzmiało to dość dziecinnie w moim wykonaniu.

– Proszę cię – jego głos był tak namolny, jakby miał nadzieję, że mnie przekona poprzez nieustanne namawianie. – Chociaż na minutę. Obiecuję, że jak powiesz stop, to przestanę. Spodoba ci się, zobaczysz, bardzo ci się spodoba. Będę grzeczny. Zrobię, co chcesz.

– A może spróbujemy... – w świetle dotychczasowych faktów nie zamierzałam się zgodzić.

– Nie! Nie chcę nic innego! Ty suko! Po to tu przyszłaś i zrobisz to! – znów wybuchnął i znów zaczęłam się bać.

Wyrwałam się i skuliłam golusieńka u wezgłowia łóżka. Trzęsłam się, częściowo ze strachu, ale także z wściekłości.

– Barry, jak mówię, że nie, to nie. Powinieneś był powiedzieć Peach, że właśnie tego chcesz. Ja tego nie robię. A już na pewno nie z tobą – wykrzyczałam. Usiadł na brzegu łóżka, zastanawiając się co teraz zrobić. Widocznie miał plan B, bo dotknął delikatnym gestem mojego ramienia.

– No dobrze już. Dobrze. Chodź tutaj, nie zrobię ci nic, czego byś nie chciała. – powiedział.

Myśląc sobie „Panie Boże przecież ta godzina już się chyba wreszcie kończy", przesunęłam się lekko w jego kierunku. To nagłe przejście od agresji i poniżania do delikatności i współczucia było kłopotliwe. O co tu chodzi? Powinnam wprawić się teraz w romantyczny nastrój? A głos w mojej głowie podpowiedział – tak, powinnaś. Za to ci płacą.

W rzeczywistości nie musiałam. Gdy tylko znalazłam się na wyciągnięcie ręki, Barry złapał mnie i znów rzucił na łóżko. Znów uwalił się na mnie. Moja twarz była wciśnięta w poduszkę i przez kilkanaście przerażających sekund myślałam, że się uduszę, że umrę. Świat jakby odpłynął. Tylko czerwień. Pulsująca, krwawa czerwień pod powiekami, wyrywam się w przód, w tył, w jakąkolwiek stronę, żeby złapać oddech. Jedyne czego pragnęłam, to złapać oddech. Ale on w ogóle nie zwracał uwagi na moją głowę usiłując wetknąć kutasa w mój odbyt. I mimo że starałam się do tego nie dopuścić, już prawie mu się udało. Z trudem łapałam oddech, moja twarz była wciśnięta w wezgłowie łóżka i znów zaczęły się wyzwiska:

– Pierdolona kurwo, pierdolona suko, dawaj...

Żadne pieniądze nie są tego warte. Znów udało mi się złapać oddech i zaczęłam krzyczeć. Najgłośniej jak tylko się dało. Barry nagle rzucił się żeby mnie uciszyć. Kiedy zakrył mi dłonią usta, ugryzłam go, bardzo mocno; zaklął i wyrwał dłoń. Skorzystałam z chwilowego zamieszania, żeby wydostać się spod niego, z łóżka, stanęłam w drzwiach, zakrywając piersi dłońmi. Jakby był to właściwy moment na przejawy skromności. Wychodzi na to, że mimo wszystko moja mama dobrze mnie wychowała.

Był wściekły, to jasne. Trząsł się, a w kąciku ust pojawiła mu się piana.

– Ty pierdolona pizdo! Żadna kurwa mi tego nie zrobi! – krzyczał.

Bałam się spuścić go z oka.

– Jeśli mnie skrzywdzisz, Peach już nigdy nie przyśle ci żadnej dziewczyny – powiedziałam, nie wiedząc, czy to właściwie prawda, czy też nie. Byłam zadowolona, że dostałam pieniądze od razu na początku, bo teraz to będzie dobrze, jak uda mi się stąd wydostać razem ze swoimi ciuchami. Może właśnie to, że Peach kazała mi pobrać opłatę „przed", a nie jak w wypadku wszystkich innych stałych klientów „po", powinno było mnie zastanowić już wcześniej.

– Wychodzę.

Pogróżka zadziałała. Jakiś czas potem dowiedziałam się, że Peach utrzymuje twardą dyscyplinę wśród stałych klientów, chłopaczków, którzy zawsze próbują zmuszać call-girls do różnych rzeczy, ale którzy skomlą i błagają o wybaczenie, gdy o ich złym zachowaniu dowiaduje się Mamuśka. Barry usiadł na łóżku, furia powoli mu przechodziła.

– Niech to szlag – powiedział.

Komentarz był słuszny. Schyliłam się, żeby podnieść swoje rzeczy z podłogi. Błyskawicznie nałożyłam sukienkę, nawet nie myśląc o urwanych guzikach, wciskając bieliznę do torebki, marząc tylko o tym, żeby nie pozostać w tym miejscu ani pół sekundy dłużej niż muszę.

Przeszedł koło mnie, kiedy zakładałam buty i skierował się do łazienki.

– Nie trzaskaj drzwiami, jak będziesz wychodzić. Idę wziąć prysznic. Czuję się brudny przez ciebie, ty nędzna pierdolona pizdo – rzucił zimno.

Czuje się brudny przeze mnie!

Natychmiast po wyjściu na ulicę zadzwoniłam do Peach. Miałam już telefon komórkowy i byłam bardzo wdzięczna, że mogę teraz w odosobnieniu wsunąć się do mojego samochodu i rozmawiać.

– To było dość obrzydliwe – powiedziałam jej na poły wściekła, na poły załamana.

– Rozumiem cię, skarbie – w jej głosie była taka głębia zrozumienia i współczucia, że nagle jakoś to wszystko stało się nieważne. – Nie musisz już nigdy go widzieć, jeśli nie chcesz.

Poczułam przypływ wdzięczności wielkiej jak ocean.

Dopiero wiele miesięcy później zrozumiałam, że ona doskonale wiedziała, na co mnie naraża i nie ostrzegła mnie. Fakt, wtedy prawdopodobnie nigdy bym tam nie poszła. A w końcu chodzi nam o pieniądze. Ale, jednak... powinna była mi powiedzieć. A całe to współczucie, zrozumienie i uprzejmość były wyreżyserowane. Teraz to doskonale wiem.

Tamtego roku, nieco później, poznałam dziewczynę o imieniu Margot, która też pracowała dla tej agencji. Przy drinkach w „Jullian's" zaczęłyśmy opowiadać sobie o swoich doświadczeniach. Okazało się, że Barry był jednym ze stałych klientów Margot. Popatrzyłam na nią zszokowana i zmieszana.

– Jak możesz to wytrzymać? – zapytałam

– Cóż, mam taką teorię – Margot pociągnęła solidnego łyka swojego „Manhattana". Zawsze myślałam, że powinnam wykazywać większą staranność w doborze drinków, jak na przykład Margot. Miała aromatyczny oddech z zapachem ciepłego wermutu.

– Tacy faceci jak Barry mają w sobie ogromną nienawiść do kobiet, wiesz? – zapytała.

– Cholernie słuszne, ten problem dotyczy około osiemdziesięciu procent mężczyzn – mruknęłam. Miałam w pamięci wykład o chorobach psychicznych i obawach, które powodują, że mężowie oddają żony do zakładów zamkniętych na resztę życia.

– Pewnie, ale Barry jest wyjątkowo blisko skrajności.

– Na pewno – powtórzyłam, zaciekawiona, dokąd Margot zmierza z tym wywodem.

– No właśnie. Toteż chodzi w tę i z powrotem po swoim małym mieszkaniu i powtarza uparcie, że kobiety są dziwkami. Może obserwuje je ze swojego okna – te atrakcyjne kobiety przy

Esplanade albo Memorial Drive, opalające się, jeżdżące na rolkach albo robiące coś w tym rodzaju, i gromadzi w sobie poczucie niepewności, nieprzydatności. W końcu napięcie staje się tak wielkie, że grozi eksplozją.

Napiła się znów drinka i wygłosiła ostatnie zdanie:

– I zdajesz sobie sprawę, że to co właśnie powiedziałam jest typowym opisem gwałciciela, prawda?

Muszę przyznać, że to co zdarzyło mi się tamtej nocy rzeczywiście miało cechy gwałtu. Na samą myśl o tym przeszły mi ciarki po plecach – moja twarz wciśnięta w poduszkę, duszenie się, jego ciężar na moich plecach, rozrywanie pośladków... Margot kontynuowała swój wywód:

– Jeśli więc to ciśnienie trochę opadnie, jest szansa, że nie dojdzie do eksplozji. Może dzięki temu, że realizuje swoje ohydne fantazje z jedną z nas, a my jesteśmy w stanie nad nimi zapanować i je znieść, nie wyjdzie na ulicę Beacon pewnej nocy, nie będzie śledził jakiejś niewinnej kobiety, wracającej do domu i nie skrzywdzi jej.

Rozejrzała się dokoła, migające światła jakby pomagały jej uporządkować myśli, i znów wróciła się do mnie:

– Widzisz, Jen, ja mam to pod kontrolą, nawet jeśli jemu się wydaje, że nie. Mam nad nim przewagę. Zawsze mogę zadzwonić do Peach. To jedyna agencja, z której on korzysta. Nie wiem dlaczego, ale jeżeli Peach przestanie przyjmować jego zamówienia, nie będzie miał nic i on o tym wie. I myślę, że w głębi serca zdaje sobie sprawę, że po prostu bardzo potrzebuje się wyładowywać.

– Czyli uważasz, że babrząc się w tym gnoju, uchronisz jakieś kobiety od gwałtu? – próbowałam to sobie jakoś ułożyć w głowie.

– Tak, właśnie tak myślę – Margot wzruszyła ramionami – a poza tym, popatrz na to jeszcze z innej strony, jeśli chodzi o niego jako o klienta, to nie mam zbyt dużej konkurencji. Możesz to więc traktować jako altruizm albo jako dbałość o własny interes. I jedno, i drugie jest prawdziwe.

Spodobała mi się teoria Margot. Dużo o tym myślałam. Wszystkie książki o prostytucji i handlu seksem, które przeczytałam mówiły o tym, że to były przyczyny represjonowania kobiet i utrwalenia męskich żądz władzy i siły. A ta piękna, mądra dziewczyna, sącząc spokojnie swój „Manhattan" mówi mi, że częścią jej motywacji do uprawiania tej profesji jest ochrona innych kobiet. Spodobał mi się ten tok myślenia. Spodobała mi się myśl o tej anonimowej kobiecie, która idzie ulicą Bacon, migocą uliczne lampy, słychać jej kroki na jezdni. Dobrze było pomyśleć, że jest bezpieczna, bo gdzieś tam na trzecim piętrze jest Margot, która prześpi się z wrogiem.

Rozdział czwarty

Po wieczorze w Back Bay zdecydowanie potrzebny był mi klub. Poszłam tam, pocąc się ćwiczyłam do granic wytrzymałości, potem stałam pod prysznicem i szorowałam skórę prawie do krwi. Później spędziłam godzinę w jacuzzi, wychodząc co dziesięć minut, aby przedłużyć czas kąpieli na czasomierzu. Gdyby nie to, że zamykali, zapewne zostałabym tam całą noc. To, że zanim zaczęłam tę pracę, myślałam o związanym z nią brudzie i skalaniu, wcale nie przyniosło mi ulgi. Prawda jest taka, że aż do tego wieczora miałam dużo szczęścia. Peach ostrzegła mnie kiedyś, że to loteria, lecz ja myślałam, że to znaczy tylko, iż jeszcze nie wyciągnęłam naprawdę wielkiej wygranej.

Ale to obrzydliwe wspomnienie powoli przygasło. Dostawałam na tyle neutralne, a nawet całkiem dobre zlecenia, że zrównoważyły one to jedno z Barry'm. Zwłaszcza, że nie musiałam już nigdy więcej go widzieć. I, jak to zwykle bywa, zepchnęłam to doświadczenie gdzieś na samo dno mojej pamięci, koncentrując się na tym, co było najważniejsze. Na pieniądzach.

Tak, pieniądze były najważniejsze, bo pracując dla Peach zaledwie kilka tygodni, zaczynałam wierzyć, że moje problemy finansowe niebawem się skończą. Oczywiście to jeszcze trochę potrwa, nawet jeszcze nie jestem w połowie drogi, ale już odzyskiwałam pewność, że się uda. Mogłam już płacić regularnie za wynajem mieszkania. Niby to nie takie znów wielkie osiągnięcie, a jednak! Ciągle mnie korciło, żeby wysłać e-mail do pieprzonego drania do Kalifornii i napisać mu, jak świetnie mi się wiedzie. Ale może nie powinnam.

Po moim pierwszym tygodniu pracy w agencji Peach, w niedzielę wieczorem usiadłam w domu w towarzystwie mojego kota, dziwnie zadowolonego i przymilnego, i wypisałam kilka czeków, aby spłacić choć w części zobowiązania, wiszące od dawna nad moją głową. Wydałam już trochę pieniędzy na swoje nowe „stroje służbowe" – te małe sprytne kompleciki z Next i z Express, bieliznę z Cacique. Nawet mimo tych wydatków udało mi się uregulować bieżące rachunki. Znów będę mogła odbierać telefon, zamiast ignorować go w obawie przed wierzycielami. Znów będę zaglądać do skrzynki pocztowej bez panicznego lęku, że znajdę tam wezwania do zapłaty i pogróżki. Czułam się dobrze, ba, co najmniej dobrze!

I nawet było to widać. Odzyskałam pewność siebie, zapewne w związku z moją nową pracą, albo może po prostu dlatego, że nie musiałam już ukrywać się przed komornikiem. Cokolwiek to było, znajomi zaczęli to zauważać. Pierwsza skomentowała to dziekan Wydziału Socjologii, na którym prowadziłam wykłady „O śmierci i umieraniu".

– To, co? Nowy chłopak?

– Nie, Hannah. Dlaczego? – zaskoczona niemal wylałam swoją kawę.

– Świetnie ostatnio wyglądasz. Sprawiasz wrażenie szczęśliwej. Prawdę mówiąc, słyszałam też jak nucisz coś pod nosem w łazience. Myślałam, że znów masz kogoś – powiedziała rozbawiona.

Cóż, Hannah. Jest wielu takich „ktosiów". Co noc inny, jeśli cię to ciekawi. Ale natychmiast odpędziłam te myśli i zamieniłam szelmowski uśmieszek na właściwą, profesjonalną minę.

– Dużo więcej pracuję, może to dlatego – odparłam.

Inny fakultet z socjologii, który prowadziłam w tym semestrze to: „Życie w Azylu". Był to cykl wykładów przedstawiający w ujęciu historycznym sposoby traktowania pacjentów przez instytucje medyczne i psychiatryczne. Poświęciłam trochę czasu na omówienie tak zwanych „pałaców nędzy", czyli ogromnych, rozbudowanych szpitali psychiatrycznych, powstałych w dziewiętnastym wieku, by pomóc tym ludziom i czynić to właściwie – cokolwiek uznawano za właściwe w danym okresie.

Po zrobieniu zakupów i wizycie u kosmetyczki poszłam na wykład o „Azylu" (jak sami uczestnicy go nazywali) z mieszanymi uczuciami, które musiałam uporządkować. Wykłady trwały już kilka tygodni i ten etap był dla mnie najtrudniejszy. Miałam mówić o tym, jak społeczeństwo korzysta ze szpitali psychiatrycznych, aby zamykać tam niechciane kobiety. Nigdy nie byłam w stanie traktować tego tematu z odpowiednim dystansem i podchodzić do niego jak nauczyciel. Te wykłady za każdym razem wzbudzały we mnie złość. Niepotrzebna stara panna, cicha żona, stara matka – wszystkie mogły zostać zamknięte, jeśli tylko mężczyzna chcący się ich pozbyć znalazł lekarza, który podpisał formularz stwierdzający ich niepoczytalność. A po umieszczeniu w szpitalu dla umysłowo chorych, ofiara nie mogła być wypuszczona za zgodą tego samego lekarza, zgodę musiał wyrazić krewny – mężczyzna, który ją tam umieścił. Uważałam, że to jest straszne. Zawsze gdy o tym mówię, natychmiast skacze mi ciśnienie.

Jako lekturę studenci mieli przeczytać książkę Gellera i Harrisa „*Women of the Asylum*". Prawdopodobnie starannie przygotowali się do skomentowania wypowiedzi z pierwszej ręki, zawartych w tej książce, głosów prawdziwych kobiet, które spędziły całe lata, a nawet dziesięciolecia, w lunatycznych miejscach odosobnienia, kobiet wcale nie bardziej szalonych niż mężczyźni, którzy je tam zamknęli. Nie bardziej szalonych, ale za to zupełnie bezsilnych.

W związku z moim nowym tematem badań (albo osobistą obsesją, jeśli chcecie) czytałam właśnie materiały, dotyczące tego, że czasami prostytucja była uznawana za dowód choroby psychicznej, co spowodowało we mnie złość jeszcze większą niż zwykle. Wiem, nie jest to akademickie podejście do sprawy. Niektóre ze studentek reagowały po przeczytaniu tej książki jeszcze gwałtowniej niż ja. To jest dla mnie najpiękniejsze w nauczaniu: przekazujesz ludziom nowe informacje, o których wcześniej nie mieli pojęcia, i widzisz, jak rodzą się w nich pasje. A nawet, prawdę powiedziawszy, widzisz, jak zmienia się ich życie.

Może któregoś dnia zmieni to cały świat?

Rozgorzała więc, co było do przewidzenia, dyskusja z udziałem prawie wszystkich studentów.

Nie jest łatwo czytać słowa, wyrażające tak wielki ból, w sposób elegancki, bez własnego, choćby minimalnego zaangażowania. Pozwoliłam na swobodną dyskusję, spacerując po sali, od czasu do czasu komentując lub zadając pytanie. Oczywiście, jak zwykle, studenci daleko odbiegli od tematu, na co im pozwoliłam, chcąc zorientować się dokąd zmierzają, zanim w końcu znów przywołam ich do porządku.

– W końcu to nie jest aż takie ważne, prawda? To po prostu historia, teraz to już się nie zdarza.

– Żartujesz? Teraz są inne metody. Może nie takie oczywiste, ale nic się nie zmieniło.

– Ale co się właściwie nie zmieniło? – zapytałam cichutko i niewinnie.

– Co się nie zmieniło? Prawdziwe pytanie brzmi, co się zmieniło! Ludzie nadal przecież myślą, że kobiety, które nie robią tego, co powinny, są jakby nienormalne, wybrakowane.

– Gówno prawda! W naszych czasach kobiety są prezesami firm!

– A co właściwie kobiety powinny robić? – znów wtrąciłam pytanie.

– Wszystko! – odpowiedź była bardzo gwałtowna. – Powinny móc robić wszystko, być kim chcą i nadal opiekować się domem i nie zagrażać nikomu ze swego otoczenia! Muszą być seksy. Muszą być fantastyczne, ale jednocześnie mają gotować co najmniej tak dobrze jak matka ich męża! Powinny pragnąć potomstwa, a jeśli nie chcą, tylko w głowie im kariera, to znaczy, że są nienormalne, egoistyczne, myślące tylko o sobie. Gdybym żyła sto lat wcześniej, chyba by mnie zamknęli w domu wariatów.

– To ma także podłoże seksualne – wtrącił inny kobiecy głos. – Mężczyzn za popełnienie przestępstwa zamyka się do więzienia, kobiety są zamykane w odosobnieniu za to, że są zbyt zmysłowe. Jeśli noszą zbyt krótkie spódnice albo zbyt wydekoltowane bluzki, albo mają zbyt wyzywający makijaż lub biżuterię wtedy nie pasują do obrazka, są karane i obrzucane wyzwiskami.

– Jakimi wyzwiskami? – zapytałam, patrząc na nią uważnie.

– No, wiesz – wzruszyła ramionami. – Kurwa. Dziwka. Szmata. Albo spełniasz ich oczekiwania, albo jeśli nie – będą cię obrażać.

– No właśnie. I nie wygrasz z nimi, kiedy rzucają ci w twarz, że jesteś dziwką, podświadomie chcą żebyś nią była!

– To jest właśnie różnica – powiedziała inna studentka – my jesteśmy zaledwie obrażane, za to, że jesteśmy inne. Sto lat temu umieszczano za to w miejscach odosobnienia.

Głosy studentów ciągle jeszcze rozbrzmiewały, a ja zaczęłam patrzeć na to wszystko z innej perspektywy. Znałam wypowiadane przez nich argumenty, ale miałam wrażenie, że słyszę je po raz pierwszy. Bo po raz pierwszy dotyczyły mnie osobiście. Nawet w dzisiejszych czasach powiedzieć o kimś „prostytutka" jest obrazą. Moi studenci tak mówią, więc to zapewne prawda.

Zadałam im pracę pisemną. Prosiłam żeby przelali swoją złość i pasję na papier. Wiedziałam, że kobiety napiszą dosadne, wściekłe, prawdziwe słowa, a mężczyźni – słowa nie mniej dosadne i prawdziwe, ale mające na celu usprawiedliwienie się.

Usiadłam przy biurku i pochyliłam się nad papierami. Byłam ubrana w swoje ciuchy „do nauczania" – spódnicę, bluzkę z jedwabnej dzianiny, marynarkę, płaskie pantofle. Z wyjątkiem bielizny nie planowałam nic zmieniać na dzisiejszy wieczór.

Społeczeństwo nic nie zauważy; jeśli więc nie wyglądam jak dziwka, to może w końcu jestem nadal tą miłą dziewczyną...

Kiedy poznałam więcej dziewczyn pracujących dla Peach, zdziwiło mnie, że nikt nie poznałby po ich wyglądzie, że pracują w agencji towarzyskiej. Nie wyglądały jak „część tego".

Co znaczyło „wyglądać jak część tego?" Sama już nie wiedziałam.

* * * * *

Peach zadzwoniła o siódmej trzydzieści.

– Do której najpóźniej możesz dzisiaj pracować? – zapytała.

– Nie wiem. Dlaczego pytasz?

Nie żebym miała mnóstwo innych spraw do załatwienia dziś wieczorem. Od czasu kiedy ten pieprzony drań Peter mnie rzucił, moje wieczory były dość podobne do siebie.

– Chyba będę miała dla ciebie kogoś, kto ci się spodoba. Ale nie mogę cię umówić wcześniej niż na dziesiątą. Może być?

– Oczywiście. – Miałam co robić do tego czasu; chciałam zajrzeć do internetu. Z powodu kierunku, w którym poszła dzisiejsza dyskusja na wykładzie, musiałam sprawdzić parę rzeczy, których nie było w programie nauczania. To były początki i nadal wydawało mi się, że mogę bezpośrednio po sprawdzeniu prac studentów wstać i pojechać do klienta. Nie zdawałam sobie sprawy, że potrzeba choć trochę czasu na to, żeby się przestawić z jednego zajęcia na drugie.

– Doskonale. Nie musisz do niego dzwonić – powiedziała Peach.

Zdziwiło mnie to. To świetnie, że nie muszę nikogo przekonywać. Miła niespodzianka.

– On czeka w „Bella Donna" przy ulicy Hanover, na North End – kontynuowała Peach.

– Ale to przecież restauracja!

– Wiem. On jest właścicielem. Po prostu idź do baru i powiedz, że chcesz się widzieć ze Stefano. Bądź tam o dziesiątej i zadzwoń do mnie, jak będziesz na miejscu.

– W porządku.

Byłam tam kiedyś na kolacji z chłopakiem, którego miałam przed Peterem pieprzonym draniem. To jedna z tych restauracji, których się nie zapomina. Północno-włoska kuchnia, sosy, które śnią ci się później po nocach.

Szef kuchni umiał przyrządzać takie potrawy z grzybów, że sam Pan Bóg by mu pozazdrościł; gotował taką zupę z pięciu rodzajów grzybów, że mogłabym ją jeść codziennie aż do końca życia. To było interesujące zlecenie.

Jak się okazało zaparkowanie samochodu w pobliżu restauracji graniczyło z cudem. Mogłam wsiąść do autobusu linii T, ale jechałabym tam z Allston ponad godzinę. Z drugiej strony, dzielnica North End jest znana z tego, że nie ma gdzie zaparkować bez względu na porę dnia. Wyjechałam więc dużo wcześniej i przeszukiwałam niepewnie parkingi, zanim wreszcie znalazłam jeden, strasznie drogi. Stamtąd drogą pod górę dostałam się wreszcie na ulicę Hanover.

Część restauracji „Bella Donna" stanowił niewielki bar oblegany przez „miejscowych" mężczyzn, w pełni wieku, w większości kumpli i kolesiów właściciela. Siadłam przy barze pełna wahania, miła dziewczynka w dziwnym towarzystwie, aż barman podszedł do mnie, uśmiechając się szeroko.

– Szukam Stefano – powiedziałam, przeklinając w duchu, że nie zapytałam Peach o jego nazwisko. Wydawało mi się, że byłoby mi mniej głupio.

Ale jeśli usiłowałam być dyskretna, to Stefano z pewnością na tym nie zależało. Zaraz potem jak zapytałam o niego wszyscy ludzie przy barze zaczęli mrugać do siebie, kiwać głowami, wymieniać porozumiewawcze uśmieszki. Wszyscy doskonale wiedzieli po co tu przyszłam.

Sam Stefano, który wyszedł z zaplecza był nawet dość przystojny. Miał ciemne włosy, zaczątki brzuszka, białe zęby i... owłosione palce u rąk. No, cóż, nie można mieć wszystkiego.

Pocałował mnie w rękę, co zważywszy na okoliczności, było bardzo miłe z jego strony i zaproponował koktajl. Sączyliśmy winko i prowadziliśmy uprzejmą rozmowę o pogodzie, a jego kolesie komentowali każde słowo, jakby we wszystkim doszukiwali się jakiejś puenty. Powiedziałam, że byłam we Włoszech. Rzucił coś po włosku, co tak rozbawiło znajomków, że się prawie dusili ze śmiechu.

Wypiliśmy jeszcze troszkę, potem Stefano zaczął tłumaczyć coś swoim kolegom, długo i z wdziękiem, po czym zsunął mnie ze stołka. Zeszliśmy po schodach, gdzie naprzeciwko piwnicy z winami znajdował się pokój – jakby to określić? – przystosowany do jego potrzeb. Wszystko mi wyjaśnił: nie ma powodów do zażenowania. Czasami te „potrzeby" to kobieta, czasami partyjka lub dwie partyjki w karty. Od czasu do czasu mieszkali tu goście. Pokój służył mu też jako miejsce schronienia, gdy jego żona Gianetta miała go już dosyć i wyrzucała z domu, co zdarzało się wcale nie tak rzadko. W każdym razie był tam stolik i krzesła, sofa i dwa lub trzy fotele, a w rogu małe, pojedyncze łóżko.

Zamknął starannie drzwi. Usiedliśmy na wąskim łóżku i zaczęliśmy pieszczoty. To było dość zabawne. Zapach stęchlizny i jego głodne dłonie przypomniały mi letnie obozy z wczesnej młodości. Jak przez mgłę widziałam budynek przystani, na wpół napompowane koła ratunkowe, porozrzucane rakietki do badmintona i dwoje rozpalonych nastolatków, którzy w tę cichą, gorącą noc, znaleźli tam schronienie. Całował mocno i szybko, co znów ożywiło moje wspomnienia o nastoletnich chłopcach, nie znających jeszcze swojej siły, nie wiedzących, co tak naprawdę powinni robić.

Stefano wyciągnął się na łóżku i dał mi do zrozumienia, żebym wstała.

– Rozbierz się – ponaglał.

Zsunęłam marynarkę, zdjęłam jedwabną bluzkę, on rozpiął pasek u spodni, odsunął suwak i wyciągnął swojego penisa. Zanim zdołałam pozbyć się mojej bielizny, on już – jakby to powiedzieć – był po wszystkim. Miał orgazm. Serwetki do dzieła.

Dowiedziałam się z czasem, że seks ze Stefano zawsze się do tego sprowadza, ale w tym momencie nie byłam zachwycona. Poza tym, w końcu przyszłam do pracy, prawda? Właściwie nic nie zrobiłam. Nawet nie byłam jeszcze naga.

Stefano umawiał się ze mną jeszcze wielokrotnie, ale scenariusz był zawsze taki sam. Nigdy nie było wiadomo, co będzie pierwsze – ja będę rozebrana czy Stefano będzie miał orgazm. Ani razu nie mieliśmy prawdziwego kontaktu fizycznego. Tego nie było w planach. Ale przecież musiał dbać o swoją reputację u kolegów z baru, musiał pokazywać, że bywa z kobietami w swoim pokoiku na dole.

W czasie gdy mył się w maleńkiej umywalce w rogu, ja ubierałam się, a za chwilę, idealnie na czas, rozlegało się lekkie pukanie do drzwi i jeden z pomywaczy (nigdy kelner) zjawiał się z tacą pełną jedzenia i wina. Siedzieliśmy przy stoliku, pijąc Chianti lub schłodzone Valpolicello, jedliśmy cielęce eskalopki, albo przepyszne owoce morza, albo (na moją specjalną prośbę) tę niesamowitą zupę z pięciu rodzajów grzybów. Czasem rozmawialiśmy, czasem nie. Kiedy czas minął – a zwykle było to mniej niż godzina – wstawał, całował mnie w dłonie, wciskał w jedną z nich pieniądze i szliśmy z powrotem na górę.

Przy barze czekała na mnie torba pełna pojemniczków ze smakołykami. Wręczał mi tę torbę eleganckim gestem, przy barze wybuchała burza oklasków, i było po wszystkim.

Jak się później okazało, jeśli dziewczyna miała swojego kierowcę, Stefano zawsze dowiedział się, gdzie ten nieszczęśnik czeka i albo zapraszał go na darmową kolację do swojej restauracji albo wysyłał kogoś z taką samą wielką torbą delikatesów dla kierowcy. Był szczodry, otwarty i uprzejmy.

Zaraz po powrocie do domu po tej pierwszej nocy ze Stefano, zadzwoniłam do Peach.

– Czy on kiedykolwiek uprawia z kimś seks? – zapytałam.

– Nie sądzę, że mógłby – odpowiedziała pogodnie. – Co jadłaś na kolację?

– Cielęcinę. Była przepyszna – zaśmiałam się mimowolnie.

– Wiedziałam, że ci się spodoba. Chcesz jeszcze jakieś zamówienie na tę noc?

– Nie sądzę. Ale jutro mogę pracować – odparłam. Było już wpół do dwunastej, a ja miałam jutro o jedenastej wykład „O śmierci i umieraniu".

– Dobrze. Załatwię to, skarbie. Śpij mocno.

Spałam mocno. Miałam zapas jedzenia na co najmniej dwa dni, sześćdziesiąt dolarów napiwku i nawet nie zdjęłam ubrania. To naprawdę łatwe – myślałam wsuwając się do łóżka, na którym już rozgościł się Scuzzy. Nic wielkiego. Zadziwiające, że nie robi tego więcej kobiet. Ja znoszę to bez większego problemu.

Cóż, każdy może się pomylić.

Rozdział piąty

W końcu jednak wzięłam kilka dni wolnego. Stefano był zabawny, większość moich klientów była w porządku, ale doświadczenie z facetem z Back Bay wstrząsnęło mną bardziej niż byłam w stanie się do tego przyznać. Zamiast pracować siedziałam w mieszkaniu, sącząc czerwone wino i zastanawiając się, czy nie popełniłam błędu. Może świat prostytucji był naprawdę tak okrutny jak przedstawiano go w filmach i książkach? Może jednak okaże się, że będę czuła się źle? Być może będę musiała w końcu zdecydować, czy doświadczenia z takimi jak Stefano są w stanie wynagrodzić mi takich Barrych.

Zdecydowałam, że to, czego naprawdę mi trzeba to ucieczka i nabranie dystansu. Potrzebowałam dawki „prawdziwego życia" – czymkolwiek ono jest – aby ponownie poczuć się sobą. Dlatego poświęcałam dużo czasu, aby lepiej przygotować wykłady, zorganizowałam grupie wizytę w domu pogrzebowym i sprawdziłam kilka potencjalnych możliwości otrzymania pełnego etatu.

Spędziłam też sporo czasu na odszukiwaniu znajomych, z którymi umawialiśmy się, że będziemy utrzymywać kontakty, ale jakoś to zaniedbałam. Byłam przekonana, że nie potrzebuję życia towarzyskiego. Myliłam się. Traciłam kontakt z przyjaciółmi, lecz mimo to nie robiłam nic, by to zmienić. To się często zdarza, gdy związek się rozpada: ludzie, którzy znali was kiedy byliście razem czują się dziwnie w twoim towarzystwie gdy już nie jesteście parą. A ja nie starałam się nikogo przekonywać. Teraz chciałam to jakoś nadrobić.

Umówiłam się na obiad z moją bliską koleżanką szkolną – Ireną. Poszłyśmy do restauracji „Jae's" przy ulicy Tremont i jedząc *pad thai* i *sushi* rozmawiałyśmy o tym, że nie mamy szans na otrzymanie stanowiska z możliwością stałego zatrudnienia, i że w naszym życiu nie ma nawet cienia czegoś, co można by nazwać miłością. Obiecałyśmy sobie spotykać się częściej.

Wybrałam się też z Rogerem – moim przyjacielem gejem do klubu „Silhouette Lounge" w Allston. Z tego co mówił wynikało, że w przeciwieństwie do mnie i Ireny, prowadzi bujne nocne życie towarzyskie. Piliśmy niebieskie drinki, Roger miał coś do powiedzenia o każdym facecie, który pojawiał się w drzwiach. Rozstając się, obiecaliśmy sobie, że będziemy spotykać się częściej.

Zaprosiłam nawet swoją sąsiadkę z przeciwka na hinduskie dania (dostarczone z restauracji) i obejrzałyśmy na AMC film *Rear Window*, co było dość zabawne. Jednak nie umówiłyśmy się na kolejne spotkanie. Ona wstaje bardzo wcześnie i jeździ autobusem linii T do dzielnicy finansowej, gdzie ma jakieś zajęcie na giełdzie; moje zaproszenie wykorzystała, by zwrócić mi uwagę (co uczyniła wielokrotnie), że czasem, już po godzinie dziesiątej wieczorem, słyszy muzykę z mojego mieszkania.

Peach oczywiście wyczuwała, o co mi chodzi i starała się jakoś mi pomóc.

– Mam dla ciebie coś naprawdę wyjątkowego – powiedziała, dzwoniąc do mnie we środę.

– Co to takiego? – zapytałam, bo miałam już dosyć przekonywania samej siebie, że prowadzę życie towarzyskie.

– Nie „co" tylko „kto", skarbie.

Tym „ktosiem" okazał się klient Jerry Fulcher, a to czego chciał – to pograć w kasynach w Foxwoods. I chciał, żebym mu towarzyszyła. Trzy dni, dwie noce, pokaz „Earth, Wind and Fire", masaże, gabinety kosmetyczne – wszystko, czego sobie życzę.

– Po prostu bądź moją dziewczyną – powiedział.

– Nie możesz spędzić z nim całego weekendu i brać pieniądze za każdą godzinę – zwróciła mi uwagę Peach.

Ustaliła już z nim stałą kwotę i była to niezła sumka. Trzy dni za miastem, w największym na świecie kasynie i jeszcze tysiąc dolarów do kieszeni. Nie zastanawiałam się długo. Wakacje były mile widziane.

Więc w ten weekend udaliśmy się do Foxwood.

Pojechaliśmy tam jednym samochodem, tak jak zaproponował Jerry. Zgodziłam się i to był kolejny błąd! Ale skąd mogłam wiedzieć? To było dla mnie jakby zupełnie nowe terytorium.

Do Foxwood prowadzą nudne autostrady, a potem nie mniej nudne drogi. I nagle – jest! Parking za parkingiem, opasujący je jak betonowa fosa, autobusy w pastelowych kolorach kursujące tam i z powrotem. A na wzgórzu właśnie to miejsce. Wyglądem przypomina, sądzę że nieprzypadkowo, pałac królewny Śnieżki, ten z filmu Disneya, tyle, że jakby na sterydach. Tak wielki, że nie można go ogarnąć wzrokiem: baszty, balkony, wieżyczki, tysiące szyb odbijających zieleń drzew (ciągle nawiązujemy do królewny Śnieżki). Wszystko czyściutkie, każdy szczęśliwy. Obsługa tak przyjazna, jakby ją także wyprodukowała ogromna machina Disneya.

Ja też przyjechałam tu pracować. Radosna, seksy, gotowa na wszystko.

W naszym pokoju stały kwiaty z karteczką, że są dla mnie, co przyznaję wydało mi się eleganckim gestem. Niestety, Jerry kilkakrotnie dał mi do zrozumienia, że te kwiaty to świadectwo jego klasy. Nic nie da się porównać do faceta, który powtarza z uporem maniaka, jaki to on jest subtelny.

Chciałam wziąć prysznic i pójść na krótki spacer, by wyprostować nogi po długiej jeździe samochodem, ale najpierw musiałam iść do łóżka i zabrało to więcej czasu niż się spodziewałam. Jerry był jakiś rozdrażniony, co w takiej sytuacji, nie jest dobre. Po mocno przedłużonej sesji, głównie mojej pracy, w końcu miał orgazm. Natychmiast po tym usiadł i wyjaśnił, co go tak zirytowało:

– Przemyślałem to. Nie sądzę, że zaliczyli mi wszystkie punkty, które powinienem dostać na moją kartę Wampum. Muszę to natychmiast sprostować! – powiedział szybko, ubierając się i mnie też poganiając, żebym się natychmiast ubrała.

Stałam obok gdy on wykłócał się przez ponad dziesięć minut z jedną z muszkieterek (która, ku mojemu zdziwieniu, przez cały czas zachowała przyjazny uśmiech) na temat czegoś, co jak się okazało było warte dwadzieścia dolarów i wcale mu się zresztą nie należało, ale co w końcu dostał, byle tylko już sobie poszedł. Mimo, że świadkami całego zajścia była tylko muszkieterka z obsługi i jakaś para w średnim wieku i tak poczułam się zażenowana.

Nie zdawałam sobie sprawy, że to był dopiero początek.

Po tym weekendzie zrozumiałam dziewczyny, które nigdy nie godzą się na spotkania z klientami w publicznych miejscach. Żadnych restauracji, koncertów, wycieczek. Miały rację. Większość z tych facetów potrzebuje dodatkowego szkolenia w zakresie zachowania się wśród ludzi.

Kolację jedliśmy w „Cedars Steak House", w części kasyna wystylizowanej na Wodospady Bedford lub jakieś tego typu miejsca – przepiękne, nieomal graniczące z fikcją.

– Możesz wybrać z karty co tylko zechcesz. Nawet najdroższą potrawę. To chyba będzie homar. Tak, homar. No, nie krępuj się, zamawiaj. Nic mnie to nie kosztuje, bo mam kartę Wampum – powiedział Jerry tonem nieznoszącym sprzeciwu.

Zamówiłam tego homara. Nie dyskutowałam o tym, czy posiadanie karty Wampum, na której punkty zdobywa się dzięki całym godzinom przegrywania pieniędzy przy stolikach w kasynie, rzeczywiście przekłada się na bezpłatną kolację. Miałam dużo ważniejszy problem. Byłam przesadnie wystrojona. No dobrze, śmiejcie się z mojej naiwności, albo mówiąc inaczej nieświadomości, nieobycia, romantyzmu. Wszystkiego po trochu.

Mówiąc prawdę nigdy w życiu nie byłam w kasynie, ale za to oglądałam mnóstwo filmów przygodowych i szpiegowskich z lat sześćdziesiątych. James Bond, Steve McQueen w *Sprawie Thomasa Crowna*, Dean Martin jako Matt Helm i Frank Sinatra jako Tony Rome. Wszystkie te filmy stały się już klasyką. Oglądałam je, bo bardzo je lubię, na domowym magnetowidzie. Uwielbiam smokingi i marynarki wieczorowe, martini i manhattany, zmysłowe kobietki ze sztucznymi rzęsami i prawdziwymi biustami. To były czasy! I taka właśnie była moja wiedza o hazardzie i kasynach.

Poza tym Jerry jasno określił swoje wymagania: chciał się pokazać. Chciał, żebym stała tuż przy nim, kiedy gra w blackjacka, żebym masowała jego ramiona w szczególnie napiętych momentach, żebym zamawiała dla niego drinki i całowała go, podając mu je.

Wszystko to ułożyło się w mojej głowie w konkluzję: masz być olśniewająco piękna. To ja będę tą zmysłową kobietką wspartą na dżentelmenie we fraku, podczas gdy on swym pokerowym spojrzeniem będzie trzymać przeciwników w napięciu, w końcu odkrywając zwycięską kartę.

Cóż, jak już wcześniej wyznałam: jestem romantyczką.

Podstawowy problem polegał na tym, że byliśmy z innych filmów – ja z *Casablanki*, oni z *The Cable Guy**.

Jerry miał na sobie zgniłozielone spodnie od dresu i t-shirt z napisem „I Hart NY". Niemal wszyscy wokół prezentowali dokładnie taki sam styl. Widziałam poliester. Widziałam, na-

---

* W Polsce wyświetlany pod tytułem *Telemaniak* – przyp. red.

prawdę, choć to nie do uwierzenia – parę w średnim wieku w podkoszulkach z napisem: „Stary Pierdziel" i „Żona Starego Pierdziela". Najlepiej z nich ubrani byli w zwykłych dżinsach. Ja zaś miałam na sobie mocno wyciętą czarną suknię z Lord & Taylor, pończochy ze szwem i wyzywające czarne szpilki. Och!

Podano kolację typową dla steak house w kasynie. Całe szczęście, że zamówiłam homara, bo to jest jedno z niewielu dań, które trudno zepsuć. Zamówiliśmy butelkę lokalnego białego zinfandela, a kiedy kelnerka ją otwierała Jerry zażartował, że to samo wino ma w domu w butelkach z odkręcanymi korkami. Udawałam, że nie słyszę. Kiedy odchodziła, bez najmniejszego zażenowania pożerał ją wzrokiem.

– Ale ma świetną dupcię – rzucił.

Posłusznie, choć bez przekonania, przytaknęłam. Zresztą ciągle myślałam o swojej sukience. Jerry zacisnął wargi.

– Założę się, że szuka cizi. Rozpoznaję to bezbłędnie. Zaglądała ci w cycki – kontynuował.

Takie „zjawiska" jak ja pojawiają się tu pewnie raz na dziesięć lat. Kelnerka chyba zastanawiała się, ile mogła kosztować moja suknia.

– Tak myślisz? – zapytałam na odczepnego.

Gorliwie potwierdził, po czym dodał:

– Wiesz, zastanawiam się, czy nie chciałaby się do nas przyłączyć po pracy. Założę się, że będzie mnie bardzo rajcować patrzenie, jak cię pieści.

Najwyższa pora uciąć te dywagacje. Zaraz palnę coś takiego, że posypią się wióry, ale co tam do diabła! Znacie zapewne te wszystkie opowiastki o aligatorach, zamieszkujących kanały ściekowe, o dzieciach wkładających koty do mikrofalówek, które wybuchają. To taki specjalny rodzaj bajeczek. Według jednej z nich Maria Magdalena była prostytutką (przeczytałam ją w nadziei znalezienia sobie świętej patronki). Wiadomość specjalna: Maria Magdalena nie była żadną prostytutką, ale tak uparcie chcemy w to wierzyć, że ignorujemy fakty i dowody.

Są też bajeczki o zabarwieniu seksualnym. Inne dla facetów, inne dla kobiet. Faceci – oświadczam wam – nie zamierzamy was rajcować uprawianiem seksu we dwie na waszych oczach. W zaciszu naszej prywatności nie przypinamy sobie plastikowych wielkich penisów i nie zachęcamy naszych partnerek do plastikowych orgazmów. Zapewne to właśnie chcielibyście oglądać. Zapewne w to chcecie wierzyć. A jeśli nawet dwie kobiety robią to w waszej obecności, to musicie zrozumieć, że to po prostu odgrywana dla was scenka. Zapłacicie za to w taki lub inny sposób. Zapewniam was, kiedy robią to dwie dziewczyny z agencji, to jest teatr za pieniądze.

Popatrzyłam więc na Jerrego i pokręciłam głową z powątpiewaniem

– Ależ oczywiście, że tak! – powiedział bardziej do swojego steku niż do mnie. – Musimy ją o to zapytać.

Pomyślałam: Boże, tylko nie to. Nie każ mi jej o to prosić.

Okazało się, że kolacja właśnie dobiegła końca. Jerry miał teraz ważniejsze sprawy na głowie. Może jednak Bóg mnie wysłuchał.

– Pora wygrać kupę szmalu – poinformował mnie i udaliśmy się do sali gier. Na wszelki wypadek podziękowałam w duchu Marii Magdalenie za ratunek.

* * * * *

O blackjacku (pokerze) wiedziałam nieco mniej niż typowy pięciolatek. To chyba gra w karty? Grają w nią mężczyźni o kamiennych twarzach, w wieczorowych marynarkach, których oglądałam na moim magnetowidzie. Szybko okazało się, że na szczęście znajomość zasad tej gry nie jest mi ani trochę potrzebna. Byłam po prostu elementem dekoracyjnym. I nawet gdybym wcześniej nie zauważyła, że mój strój wieczorowy jest z całkowicie innej bajki, to teraz patrząc na reakcje otoczenia, na pewno bym się zorientowała. Mężczyźni, którzy nie byli akurat całkowicie pochłonięci grą, dawali mi odczuć, że mnie pożądają, kobiety, że mnie nienawidzą.

To było do przewidzenia.

Patrzyłam, jak Jerry sadowi się przy stoliku, daje znak krupierowi, karty zostają rozdane; starałam się sprawiać wrażenie raczej czarującej niż znudzonej. Muszę przyznać, że Jerry radził sobie nieźle, na tyle nieźle, że wkrótce odwrócił się w moją stronę i dał mi studolarowy żeton.

– Masz, ty też idź się zabawić – powiedział tak głośno, żeby wszyscy przy stole słyszeli.

Nie jestem głupia – wzięłam żeton, ale zwlekałam z odejściem. Spojrzał na mnie niecierpliwie.

– No idźże, zagraj w ruletkę – ponaglił – zabaw się, a jak skończysz to wróć.

– Jeśli naprawdę sobie tego życzysz... – powiedziałam i już mnie nie było. Po trzech godzinach spędzonych z nim musiałam trochę odreagować. Nie zagrałam w ruletkę. Spieniężyłam żeton i schowałam pieniądze do torebki (maleńkiej, drogiej, bardzo seksy – co było oczywiście kolejnym *faux pas*, gdyż większość kobiet miała ze sobą wielkie winylowe torbiska, do których mogły zgarniać żetony z automatów) i zrobiłam sobie spacer po kasynie, żeby zaspokoić swoją ciekawość.

Moja przyjaciółka Irena dowiedziawszy się, że wybieram się do Foxwood („po prostu z pewnym znajomym, nikim specjalnym") sypnęła garść szczegółów:

– O mój Boże, Jen. Czy ty wiesz, co to za miejsce?

Moja odpowiedź utwierdziła ją w przekonaniu, że nie mam pojęcia.

– To powinna być własność plemienia indiańskiego, dostali to wszystko – ziemię i kredyty, bo biali chcieli im się jakoś zrewanżować za to, że kiedyś wszystko im odebrano.

No, tyle to oczywiście ja też wiedziałam.

– I co dalej? Na razie wydaje mi się to całkiem w porządku.

– Może tak by i było – kontynuowała Irena – ale wychodzi na to, że człowiek, który zaczął cały ten biznes to oszust. Nie ma już żadnych Indian Pequot, wymarli przed laty, a ten facet – nie chcę go nazwać po imieniu – powiedział, że jego cała rodzina pochodzi z tego plemienia i nawet nie musiał tego udowadniać w taki sposób jak musiały inne plemiona. Myślę, że pomysł z kasynami jest dobry, ale powinny być lepiej kontrolowane, żeby przynosiły zyski właściwym ludziom a nie jakimś cwaniakom.

Myślałam o tym, przechadzając się tam i z powrotem. Jedno było pewne – widziałam wiele osób przebranych za Indian: kelnerki roznoszące koktajle były ubrane w zamszowe sukienki z frędzelkami, a na głowach miały opaski z pojedynczym piórem. Nie jestem pewna, czy pióro było autentyczne, ale jestem przekonana, że Indianie byliby zszokowani długością tych sukienek, zaledwie zakrywających tyłki, a już na pewno siatkowymi rajstopami i szpileczkami. Hiawatha z dużą dawką Moulin Rouge.

Przemierzyłam kilka sal wypełnionych ludźmi gapiącymi się w karty albo w kości i wróciłam do stolika, po drodze gubiąc się, co mile mnie zaskoczyło, tylko raz. Jerry siedział dokładnie w tym samym miejscu, jedyne, co się zmieniło, to kilku graczy. Zauważył mnie kątem oka.

– No, jesteś. Przynieś mi drinka, dobrze, skarbie?– poprosił, po czym dodał kurtuazyjnie – Jak ci poszło?

– Wszystko przegrałam, misiu. Postawiłam na datę swoich urodzin i straciłam – odpowiedziałam zawiedzionym tonem. Na pewno bym straciła, gdybym była tak głupia, żeby w ogóle wchodzić do gry.

– Nie ma sprawy – objął mnie w talii i popatrzył dokoła, żeby upewnić się, czy wszyscy patrzą – chciałem, żebyś się trochę rozerwała. Przynieś mi drinka, dobrze?

Kiwnęłam na jedną z tych pseudoindianek. Na pewno nie była tak dobrze przeszkolona, jak muszkieterki z recepcji, albo może była na mnie wściekła za to, że wyglądałam ponętniej niż ona.

– O co chodzi? – zapytała.

– Proszę Chivas z lodem – zamówiłam dla Jerrego. Dzięki wspólnej podróży z Bostonu znałam już nie tylko jego upodobania seksualne. – A dla mnie dżin z tonikiem – dokończyłam. W końcu też mogę się trochę zrelaksować. Wiem z doświadczenia, że trochę alkoholu pomaga przetrwać w niewygodnej sytuacji.

Jerry był podenerwowany. Zaczekałam aż przyniosą drinki i wzięłam kilka żetonów z kupki. W drodze z Bostonu Jerry poinstruował mnie także na ten temat.

– Tym laleczkom też się coś należy za kręcenie tyłeczkami. Zawsze daję im napiwki – powiedział.

Myślał zapewne, że to wielka łaska. Zresztą – może dla niego – tak jest.

Dałam napiwek kelnerce, co wcale nie poprawiło jej nastawienia do mnie. W porządku, pomyślałam sobie, próbowałam, a teraz się odwal. Postawiłam drink Jerrego na drewnianej podstawce, napiłam się i zaczęłam patrzeć na grę. Wyjaśniło się, że Jerry wściekał się, bo... zaczął przegrywać.

Nawet nie znając zasad blackjacka, domyśliłam się, że Jerry przegrywał. Nie została mu już nawet połowa żetonów, a co gorsze – wszyscy inni przy stole mieli więcej żetonów niż on.

Teraz wiem, że w blackjacku, nie gra się z innymi. Oni po prostu tam są. Gra się z krupierem. A potem krupier zwraca się do kogoś innego i gra z nim, i tak dookoła stolika. To wszystko przypomina dramatyczne jednoaktówki rozgrywające się w zupełnej ciszy, każdy czeka na swoje starcie. I chociaż to jak sobie radzą inni gracze przy stoliku nie ma decydującego znaczenia, Jerry patrząc na ich żetony, po każdym rozdaniu stawał się coraz bardziej zirytowany.

Zakończył swoją Chivas i niecierpliwie rozejrzał się dokoła za następną. Zezłościł się na mnie, bo nie dość szybko przywołałam imitację Pocahontas. Zaczął głośno wzdychać, kiedy inni rozgrywali swoje karty. Mówiąc krótko – nie umiał przegrywać. A przy tym był okropnie męczący dla wszystkich.

– Szłoby mi o wiele lepiej, gdyby pozostali umieli lepiej grać – powiedział do mnie głosem na tyle podniesionym, że wszyscy go usłyszeli. Masowałam jego kark, mrucząc słowa pocieszenia w stylu: Skarbie, uspokój się, wszystko będzie dobrze, jestem zachwycona twoją grą, następnym razem się uda.

– Co ty do cholery o tym wiesz? Jakaś pieprzona dziwka chce mnie uczyć jak grać – wykrzyknął, odtrącając moje ręce.

Zamarłam, tak samo jak wszyscy inni przy stole, z wyjątkiem krupiera, któremu zapewne takie scenki nie były obce. Pomyślałam, że nie słyszałam, by James Bond zwrócił się tak kiedykolwiek do którejkolwiek ze swoich czarujących towarzyszek.

Jerry popatrzył na innych graczy.

– Byłoby lepiej, gdyby tu siedzieli jacyś cholerni Amerykanie – rzucił tonem konkluzji.

Konsternacja. Patrzyłam na pozostałych graczy. Nie było wątpliwości, że mieli azjatyckie korzenie.

To wszystko zaczynało wyglądać naprawdę nieciekawie. Byłam przekonana, że tylko ja rozpoznałam ironię jego wcześniejszej wypowiedzi o „Amerykanach" w kontekście faktu, że kasyno zostało im rzucone jak psu kość w ramach wynagrodzenia szkód, a następnie podstępnie zabrane.

Nadszedł czas bym wzięła sprawy w swoje ręce.

– Chodź, skarbie. Zróbmy sobie przerwę. Tęsknię za tobą. Chociaż kilka minut – przynaglałam Jerry'ego, starając się mówić uwodzicielskim tonem i znacząco dotykać jego ramion.

Ludzie, nie obchodzi mnie to, czy Maria Magdalena była naprawdę prostytutką; zapalam jej świeczkę: wstał od stolika i wyszedł ze mną.

Znaleźliśmy ciemny bar (było ich kilka do wyboru) i pieszcząc jego fiuta pod stołem oraz przemawiając najczulej jak tylko byłam w stanie, czekałam aż wleje w siebie dwie następne whisky, co oczywiście nie wróżyło nic dobrego. Był przekonany, że kiepska gra pozostałych oznaczała, iż karty były ustawiane przeciwko niemu. Jasne: „czego można się spodziewać po bandzie przeklętych żółtków? Wszędzie ich tu pełno".

Miałam tych wywodów powyżej uszu, nawet za cenę tysiąca dolarów. Przysunęłam się do niego, przesuwając językiem po jego karku, palcami uciskając jego fiuta przez spodnie od dresu, tak, że stawał się twardy. Uprawianie seksu za pieniądze nie jest takim znowu wielkim problemem. Prawdziwy problem to umieć powstrzymać się od wygarnięcia rasiście, maniakowi seksualnemu, dupkowi zakochanemu w sobie co naprawdę o nim myślisz.

– Już pora. Potrzebuję cię... Proszę skarbie... teraz – mruczałam tuż nad jego uchem.

Dał się złapać. Dzięki Bogu ciągle mam tę moc dotyku. Coś tam przebąkiwał o tym, że zawsze robimy to na co ja mam akurat ochotę, o tym, że jestem nienasyconą nimfomanką, i że mam szczęście, że trafiłam na takiego koguta jak on, a nie jednego z tych mięczaków, których wszędzie tu pełno. Przytaknęłam i wciągnęłam go do windy. Niech się dzieje, co chce.

A to była dopiero pierwsza noc.

Zanim skończył się pobyt i zaczęliśmy pakować się do wyjazdu, coraz trudniej przychodziło mi odzywać się do niego w sposób cywilizowany. Najadłam się za niego wstydu przed barmanami, kelnerami, krupierami, szefami sal, pokojówkami i tymi wszystkimi ludźmi w ubraniach z poliestru. Pozwalał sobie na nieprzyjemne komentarze w pokojach dla specjalnych gości, a nawet zdarzyło się, że rzucił się na jedną z kelnerek – Pocahontas, łapiąc ją za biust. Na spektaklu „Earth, Wind and Fire" kazał murzyńskiemu małżeństwu, siedzącemu przy naszym stoliku, przestać podskakiwać w rytm muzyki i dość głośno skwitował to komentarzem o „ludziach, którzy ciągle zachowują się jak małpy".

Na szczęście, żeby odbyć stosunek płciowy nie musisz odzywać się do swojego partnera. A już na pewno nie jest potrzebna jakaś głębsza rozmowa, bo zapewne powiedziałabym parę rzeczy, które mogłyby obrócić się przeciwko mnie.

Za każdą chwilę spędzoną w obiecanym gabinecie kosmetycznym musiałam zapłacić przedłużonymi grami w łóżku.

– Powiedz, że mam największego, jakiego kiedykolwiek widziałaś. No, powiedz to! Hej, suko, mów, głośno!

Kazał mi doprowadzać się do stanu tuż przed erekcją i zatrzymywać się, i znów, i znów, byłam zupełnie wyczerpana, a on leżąc na plecach pytał:

– Co się dzieje? Chodź tu. Pocałuj mnie tutaj. A tutaj języczkiem!

– Muszę złapać oddech – zaprotestowałam.

Złapał mnie za włosy i przyciągnął moją twarz do swojego krocza z taką siłą, że łzy stanęły mi w oczach.

– Nie jesteś tu dziwko po to, żeby odpoczywać, ale robić co ci każę, włóż go w usta!

Mieliśmy więc długie sesje bardzo agresywnego seksu, milczące posiłki i długie godziny gry w kasynie, kiedy zżymałam się na jego zachowanie.

W sobotni wieczór urwałam się na pół godziny pod pretekstem bólu głowy i znalazłam się – jako jedyna klientka – w jednym z tych ciemnych barów.

– Co podać? – zapytał barman, który na szczęście nie był przebrany za jednego z tych hollywoodzkich Indian.

– Grand Marnier – odpowiedziałam myśląc o tym, że przeżyję choć dziesięć eleganckich minut, głęboki kielich, podgrzany likier, coś, co przypomni mi o życiu poza Foxwoods.

– Już podaję – i rzeczywiście po chwili wręczył mi zamówiony likier. W plastikowym kubku! Zdębiałam.

– Coś nie tak? – zapytał – chciałaś z lodem?

* * * * *

Do niedzieli wieczorem Jerry był już całkiem zdesperowany. Miał przez moment w sobotę dobrą passę, ale od tamtego czasu przegrywał systematycznie. Przybyło mu wiele punktów na karcie Wampum.

Planował wracać o trzeciej, a było już po czwartej. Bagaże spakowane. Jerry wciąż pochylony nad kartami.

– Dobrze, dobrze, Tia. Jeszcze jedno rozdanie – powiedział podniesionym tonem.

– Jerry, jest piętnaście po czwartej i już dawno powinniśmy byli wyjechać – upierałam się.

Wiedziałam, że był ważnym klientem dla Peach, bo inaczej zostawiłabym go już w sobotę. Ona nie chciałaby stracić takiego klienta, a ja nie chciałam stracić jej. Ale jaka pokusa!

– Jezu Chryste! – jego ryk przerwał tok moich myśli i przestraszył ludzi z sąsiedniego stolika. Szef sali także to zauważył i zaczął przesuwać się w naszym kierunku. Jerry upewnił się, że wszyscy na nas patrzą i tonem, który domagał się współczucia z ich strony powiedział do mnie:

– Czego się czepiasz? Płacę ci więcej niż jesteś tego warta, a ty się ze mną licytujesz o każdą chwilę!

Wyszłam z sali. Czekałam na niego w hallu. Stał tam jakiś pomnik i co jakiś czas odbywała się słowno-muzyczna prezentacja indiańskiego dziedzictwa Pequotów. Pomyślałam o tym, co mówiła mi Irena, popatrzyłam na pióropusz na pomniku, który bardziej przypominał Johna Wayne'a niż Johna Smitha i czekałam na Jerry'ego. Ciekawe, co na moim miejscu zrobiłyby te wspaniałe kobiety w zmysłowych czarnych sukniach, odwiedzające kasyna, w których bywał James Bond i inni. Myślałam o tym jakieś dziesięć minut, a potem zrobiłam to. Wsiadłam do samochodu i pojechałam do domu sama.

Rozdział szósty

Wiosna niepostrzeżenie przeszła w lato. To była jedna z tych typowych dla Nowej Anglii wiosen, która – jeśli nie obserwujesz uważnie – po tygodniu już mija bezpowrotnie. Jednego dnia jest mokro i chłodno; wkładasz wełnianą kurtkę, a po tygodniu budzisz się w nocy cały spocony, zamotany w pościel, bo temperatura regularnie dochodzi do 30 stopni.

Skończyłam ostatnie wykłady, w końcu maja i w czerwcu rozpoczęłam zajęcia w szkole letniej.

Trzy cykle wykładów, myślałam z ulgą. Nie znaczyło to, że mogłam już obyć się bez Peach, ale miałam nadzieję, że ciężar mojej uwagi przesunie się tam, gdzie powinien – raczej na salę wykładową niż na sypialnię.

Lato jest ważne nie tylko z powodu pięknej pogody, ale ma też duże znaczenie dla takich jak ja „wykładowców–bez–etatu" bo wprowadza trochę luzu do programu nauczania. Latem studenci nie biorą przedmiotów obowiązkowych, wolą fakultety żeby dowiedzieć się czegoś interesującego i odkrywczego. Toteż większość uczelni godzi się na tematy, które niekoniecznie są częścią obowiązkowego programu nauczania. Prowadziłam te same wykłady, co wiosną: „Życie w Azylu" i „O śmierci i umieraniu". Miałam też zajęcia we czwartki wieczorem w Bostońskim Centrum Nauczania dla Dorosłych na temat podróży po świecie w pojedynkę.

Na studiach licencjackich wraz z moją przyjaciółką – też zapaloną podróżniczką – napisałyśmy poradnik dla kobiet, chcących podróżować, i mimo że w tych czasach mój budżet na wyjazdy był dość ograniczony, wiedziałam, że moje rady mogą być bardzo przydatne. A poza tym taki temat wykładów był po prostu przyjemnością. Peach nie była oczywiście zadowolona z moich czwartkowych zajęć.

– A co jeśli będę cię potrzebować? Czwartki bywają bardzo zajęte.

– To tylko jeden wieczór w tygodniu. I tak nie pracuję codziennie – broniłam się.

– Jeśli zadzwoni któryś z twoich stałych klientów, będę musiała go odesłać do innej dziewczyny – powiedziała niezadowolona.

W tym czasie miałam już swoich regularnych klientów. I muszę wyznać, że to naprawdę wygodne. Na myśl o stracie któregoś z nich zaczęłam się znów zastanawiać. I może coś bym zmieniła, ale zdałam sobie sprawę, że stali klienci także bywają nieprzewidywalni. Pewność ma się dopiero po wyjściu, z pieniędzmi w kieszeni. Jeżeli nie rozumiałam tego przez większą część swojego życia, to na pewno praca u Peach pozwoliła mi to odkryć.

Właściwie to nawet nie chodzi o to, że jakoś szczególnie lubiłam stałych klientów, ale w tym oceanie niepewności stwarzali oni jakiś rodzaj komfortu. Jedną z – jak to określić: niepokojących, deprymujących? – cech tego zawodu jest to, że często masz wrażenie, jakbyś chodziła na randki w ciemno. Nigdy nie wiesz, kto lub co cię czeka po drugiej stronie drzwi. Poza tym musisz być cały czas aktywna. Bardzo wskazane jest kilka lekcji gry aktorskiej, bo od chwili kiedy otworzysz te drzwi, musisz użyć całego swojego talentu, aby wyjść stamtąd z dwustoma dolarami w kieszeni i perspektywą, że ten klient umówi się z tobą po raz kolejny. I na to właśnie musisz pracować, za każdą cenę. Sprzedawać siebie raz i drugi raz, i kolejny raz. Być dokładnie tym, kim klient chce cię widzieć. Kameleony to my. Stali klienci uwalniają od poczucia niepewności, tego stanu, który jest jak strach, choć właściwie nie jest taki groźny, od poczucia ciągłej gry, sprzedaży, prób przekonywania, zadowalania facetów i jednoczesnego zachowania zdrowego rozsądku, żeby nie popaść w tarapaty. Stali klienci to możliwość lekkiego relaksu. Wiesz, czego się po nich spodziewać, czego od ciebie chcą, jak twoja wizyta będzie przebiegać.

To, co wiesz, daje poczucie komfortu.

W zasadzie można powiedzieć, że za każdym razem gdy znajdujemy się w nowej sytuacji, gdy spotykamy się z nowym klientem mamy zawsze jeden cel. Chcemy, żeby został stałym klientem. Oczywiście nie wtedy, kiedy jest to jakiś potwór, o czym można się przekonać w ciągu pierwszych pięciu minut.

Niektórzy ze stałych klientów nawiązali ze mną jakby rodzaj związku, który tym tylko różnił się od innych, że na koniec wieczoru następowało rozliczenie. Nie wszystkich poznałam dzięki Peach. Jej celem było skupianie wokół agencji mężczyzn, którzy chcieli zmieniać dziewczyny co tydzień, gdyż to przynosiło jej więcej pieniędzy. Toteż kilku klientów znalazłam sama, kilku innym zostałam przedstawiona. Naprawdę ich lubiłam. Z niektórymi nawet się przyjaźniłam. W ramach obowiązującej definicji pojęcia „związek", z kilkoma klientami łączyły mnie prawdziwe związki.

Był wśród nich Phil, który lubił się mną chwalić przed swoimi znajomymi. Popijaliśmy razem koktajle w modnych knajpkach przy Columbus Avenue, rozmawiając ze wszystkimi, którzy „przypadkowo" też się tam znajdowali. Potem szliśmy do niego.

Robert zabierał mnie na degustacje win w „Cornupia–on–the–Wharf". Podczas każdej kolacji próbowaliśmy win z innego kraju lub regionu. Siedzieliśmy przy wielkich, okrągłych stołach, słuchaliśmy przedstawicieli handlowych, prezentujących wina, które piliśmy, a Robert z satysfakcją patrzył na innych facetów, gapiących się na mój dekolt. Lubił, kiedy miałam na sobie suknie z dużym wycięciem i błyszczące naszyjniki. Zwykle sprawiałam mu tę satysfakcję.

Dla mojego najulubieńszego klienta – Raoula – zakładałam maleńkie czarne sukienki koktajlowe i chodziłam z nim do filharmonii, do Stowarzyszenia Haendla i Haydna na koncerty, a czasem nawet do opery. Najpierw jedliśmy kolację..., ach te cudowne kolacje w okolicach filharmonii – w „Table of Content" albo w „Tiger Lily"... Mój związek z Raoulem był dziwnym rodzajem przyjaźni. Seks był zawsze jakimś dodatkowym, nie tak znów ważnym szczegółem – piętnaście minut, kiedy wieczór już dobiegał końca – oboje odczuwaliśmy to jako rodzaj obowiązku. Dość często zdarzało się, że pytał mnie z troską w oczach, czy byłoby mi przykro, gdybyśmy tego wieczoru w ogóle zrezygnowali z seksu. Miał już ponad sześćdziesiąt lat, oczywiste było to, że jest zmęczony. W mojej odpowiedzi, że „doskonale rozumiem", że „nie ma problemu", zawsze jednak brzmiała nutka żalu, bo wiedziałam, że sprawi mu to przyjemność.

Stali klienci agencji, mieli duże znaczenie dla mojego zdrowia psychicznego, ale przecież ci spośród nich, którzy chętnie spotkaliby się ze mną, gdy miałam wolny dzień, brali jakąś inną dziewczynę. Toteż pogróżka Peach, że będzie musiała wysyłać do nich kogoś innego pod moją nieobecność była prawdziwa. Ale w końcu były w tygodniu także takie wieczory, kiedy nie przyjmowałam zleceń. Dlaczego moja nieobecność we czwartki miałaby być tak wyjątkowo trudna do zaakceptowania? Peach starała się grać fair, ale za każdym razem, kiedy miałam wolny wieczór, w mgnieniu oka proponowała moim klientom inną dziewczynę. Toteż pomimo jej zastrzeżeń wzięłam jednak wykłady w czwartki wieczorem.

Obydwa wykłady dzienne były dla mnie bardzo przyjemne, ale czwartkowe wykłady wieczorne były czystą frajdą. Dominowała na nich pewność siebie, pulsowały życiem. Uczestniczyły w nich wyłącznie kobiety, ale jakie! Szalone podróżniczki, wybierające się w pojedynkę do Tajlandii, Argentyny lub na Ukrainę. Opanowane pasją wędrowania, fotografowania, pisania, przeżywania przygód. Śmiałyśmy się do rozpuku, czułyśmy jakiś rodzaj solidarności dzięki temu, że każda z nas była kobietą bez zobowiązań, pragnącą poznawać świat.

Rozmawiałyśmy o krajach muzułmańskich i o kompromisach. Jedna z młodszych kobiet, która usadowiła się ze swoim krzesłem w pierwszym rzędzie i musiałam ją przekonywać, że lepiej będzie jeśli wszyscy usiądą w kole, zaczęła występować w roli „młodej gniewnej". Nosiła t-shirty z napisami w stylu: „kobieta bez mężczyzny jest jak ryba bez roweru", na nogach martensy, odlotowa fryzura; zdecydowana odegrać się na całym świecie, tak jakby ją jakoś osobiście obraził. Może świat rzeczywiście ją obraził...?

– To niedopuszczalne! Nie mają prawa zmuszać kobiet, aby chodziły całkowicie zakryte, jakby to była ich wina, że faceci nie mogą powstrzymać swoich chuci. A w końcu, co to za patriarchalna ciemnota? – mówiła coraz bardziej podniesionym głosem.

– To ich kraj – odpowiedziałam miękko.

Prawie spadła z krzesła, słysząc to.

– Co? To jeżeli podróżujesz do kraju, w którym stosują karę śmierci bez uczciwego procesu, wzruszasz tylko ramionami i mówisz, że mają do tego prawo, bo to ich kraj?

Z drugiego końca sali ktoś rzucił niewinnym głosem:

– Tak, jeśli na przykład podróżujesz do takiego Teksasu.

– No, to gdzie przebiega linia podziału? – zapytała zmieszana.

Głosem na tyle spokojnym, na ile było mnie na to stać w tej chwili, odpowiedziałam:

– Możesz po prostu nie jechać do kraju, którego prawa czy zwyczaje uważasz za obraźliwe lub poniżające. Osobiście uważam, że decydując się na podróż do innego kraju, akceptujesz jego zwyczaje, a przynajmniej przyjmujesz je do wiadomości i nie zamierzasz ich łamać. Nie muszą ci się podobać. I nie musisz tam jechać.

Przypomniałam sobie nagle rok spędzony w szkole we Francji, kiedy to amerykańscy turyści wpadali do mojej ulubionej kafejki i w typowy dla nich hałaśliwy sposób domagali się hamburgerów z ketchupem. Nie mogłam zrozumieć po co w ogóle ruszali się ze swojego Cincinnati czy Denver, czy jakie tam było miejsce ich zamieszkania.

– Mieszkałam dwa lata w Tunezji – podjęłam dalszy ciąg wykładu – zakrywałam głowę w miejscach publicznych i nosiłam obrączkę na serdecznym palcu lewej ręki, i podróżowałam po całym kraju, nie doznając żadnych nieprzyjemności.

Uniosłam dłoń, aby powstrzymać kobietę w martensach, która już miała na języku jakąś ciętą ripostę.

– I oczywiście wcale nie uważam, że przyjemnie jest mieszkać w kraju, w którym musisz udawać, że należysz do jakiegoś mężczyzny, aby czuć się bezpiecznie, ale właśnie dlatego tam nie mieszkam. Gdybym jednak jadąc tam chciała zachować swoje wymagania i sposób życia, zapewne nie spędziłabym czasu tak przyjemnie. Jeżeli podróżując, chcesz, by ludzie podporządkowywali się temu, w co ty wierzysz, twoim potrzebom, stwarzali ci komfort, do jakiego jesteś przyzwyczajona – to taka podróż nie ma żadnego sensu. Lepiej siedzieć w swoim Cambridge, gdzie możesz ubierać się jak chcesz i wnosić sprawy sądowe przeciwko facetom o molestowanie seksualne.

Był to dosyć zimny wywód. Ale jeśli jesteśmy na tyle otwarci, żeby poznawać, szanować i przyjmować cudze wzorce jak Feng Shui, jeść *sushi* lub *hummus*, zakładać ubrania stylizowane według wzorów ludowych, to nasza nietolerancja dla cudzej wiary zakrawa na hipokryzję. Nie chcemy zostać typowymi amerykańskimi turystami, poszukującymi wszędzie swoich hamburgerów. Jaki to miałoby sens?

Sama też muszę o tym pamiętać. Zdałam sobie z tego sprawę kolejny raz, czekając w korytarzu hotelowym aż klient z pokoju 148 otworzy mi drzwi. Chciałam, żeby wszyscy klienci pasowali do moich wyobrażeń o tym, jak się powinni zachowywać; ale w końcu to przecież moje wymagania, preferowane przeze mnie wartości i wyobrażenia. Jestem trochę jak podróżnik, odwiedzający twój świat przez godzinę. Jakie panują tu zwyczaje? Jakich tabu muszę przestrzegać? Jak cię dobrze zrozumieć i zostawić po sobie dobre wspomnienie?

Tego wieczoru nie zgłosiłam się do agencji. Miałam nazajutrz wykład „O śmierci i umieraniu" i musiałam sprawdzić prace na trudny temat dotyczący śmierci i dzieci. Zadaniem studentów było napisanie opowiadania, w którym autor usiłuje wyjaśnić dziecku zjawisko umierania. Czytanie prac, jak zwykle, wprawiło mnie w smutny nastrój. Byłam wyczerpana emocjonalnie. Jedyne, co byłam w stanie zrobić, to założyć pidżamę, zamówić w pobliskiej restauracji hinduskie jedzenie z dostawą do domu i nadrobić zaległości w zabawie ze Scuzzim.

I co się okazało? Peach zadzwoniła, żeby zmienić mój program na ten wieczór. Była zdeterminowana:

– Jen, nie mam nikogo na dzisiejszy wieczór. Dorzucę ci coś ekstra, ale nie mogę pozwolić żeby ten facet odszedł do konkurencji.

– Ile ekstra? – zapytałam z westchnieniem. Co prawda już prawie zapłaciłam zaległe rachunki, ale ciągle jeszcze nie byłam na bieżąco, o czym Peach dobrze wiedziała.

Błyskawiczna kalkulacja po drugiej stronie linii, a za chwilę westchnienie i odpowiedź:

– W porządku, mogę ci dać pięćdziesiąt.

To oczywiście znaczyło, że klient miał zapłacić również za to „ekstra". Peach, bowiem, nigdy nie zdarzyło się oddać ani grosza z pieniędzy, które przypadały jej. Nie wiem, dlaczego tak wzdycha, jakbym ją okradała. W każdym razie dodatkowa pięćdziesiątka przekonała mnie. Sięgnęłam po kartkę i pióro.

– Dobrze, Peach. Wezmę to. Jak ma na imię?

– Dave Harcourt. Stały klient. Mieszka w Needham. Będziesz potrzebowała bieliznę. Masz coś?

– Jasne.

Tyle, że straciłam nadzieję na zwykły wieczór, dżinsy i proste dodatki.

– Świetnie. On sam ci wyjaśni, czego dokładnie chce. Oddzwoń za chwilę.

Dave mnie zaskoczył. Był to jedyny klient, który po tym jak do niego zadzwoniłam nie zapytał mnie natychmiast jak wyglądam. Bardziej interesowała go moja garderoba. A dokładnie szuflada z bielizną.

– Co zabierzesz ze sobą? – zapytał.

Pytanie zabrzmiało dziwnie, ale wiedziałam, że niektórzy klienci są dość podenerwowani.

– A co chciałbyś? Mam...

Przerwał mi.

– Czarne pończochy i pas do pończoch. Kilka różnych biustonoszy. I misia. A! jeszcze jedno: jaki masz rozmiar butów?

– Dziewięć – odparłam niepewnie. To wyglądało jakby organizował pokaz mody a nie wieczór z call-girl. Szkoda, nie będzie to jeden z tych łatwych wieczorów.

– Może być. Przynieś kilka par, czarnych, na wysokich obcasach.

– Wspaniale. Mam też suknię wieczorową, która....

Mój wysiłek okazał się niepotrzebny.

– Nie obchodzi mnie, jak będziesz ubrana. Ile czasu zajmie ci dojazd?

Peach potwierdziła moje domysły.

– Wrzuć to wszystko do torby podróżnej. On nie chce żebyś ty to zakładała. To on się będzie przebierał. I zachowaj dyskrecję, to dzielnica mieszkalna – poradziła.

Jeśli chodzi o wina miał dosyć kiepski gust, jeszcze gorszy w doborze umeblowania, a jedyne, co go niesamowicie interesowało, to zawartość mojej torby z bielizną. Niestety okazało się, że nawet w przybliżeniu nie nosimy tych samych rozmiarów.

Było sporo szamotaniny, wciągania brzucha i przekleństw. Darował misiowi, ale nie spoczął dopóki nie zapiął biustonosza na swojej klatce piersiowej. Stojąc za nim i usiłując dopiąć na nim mój pas do pończoch czułam się jak matrona z epoki wiktoriańskiej, próbująca wcisnąć w gorset dziewczę, które zjadło odrobinę za dużo.

Moje „dziewczę" i ja w końcu dopięliśmy pas, ale teraz przyszła kolej na pończochy i buty, a następnie przybieranie przeróżnych póz przed lustrem, które zajmowało całą ścianę w salonie. Jego podniecenie rosło coraz bardziej a ja mogłam mu się przydać jedynie do tego, by siedzieć tam popijając wino i potwierdzając, że wygląda rewelacyjnie. W końcu odbyliśmy stosunek – dla mnie dość żenujący ze względu na jego przebranie w moją bieliznę, ale z jego punktu widzenia zadowalający. Toteż wreszcie, z pewnym ociąganiem, założył swoje ubranie i oddał mi moje rzeczy. Nigdy ich już nie założyłam. Nie dlatego, że przypominały mi Dave'a, lecz dlatego, że były całkowicie zdeformowane.

Z Dave'em wszystko poszło na tyle dobrze, że od tamtego czasu umawiał się ze mną wielokrotnie. Nawet kupiłam sobie specjalnie na te okazje zestaw bielizny dla niego, w odpowiednio wielkim rozmiarze, której używaliśmy ponad rok.

Zaczęłam doszukiwać się analogii między tym, co cechuje podróżnika, a tym, co stanowi sedno prostytucji i coraz bardziej mnie to intrygowało. Działało w dwie strony: klient otrzymuje smaczek egzotyki, czegoś innego niż zwykle, drogiego i pięknego, czegoś, co na pewno nie jest udziałem jego kolegi z pracy. Jak *Armchair Traveller* Anne Tyler, zwiedza różne kraje za każdym razem, gdy nowa dziewczyna puka do jego drzwi. Callgirls także mają swoją podróż, ale jest ona bardziej niebezpieczna, może przybrać niespodziewany obrót. Dość sensownie to sobie poukładałam.

W ten i w następny weekend wróciłam do książek, które już wcześniej zaczęłam czytać – wtedy gdy dopiero planowałam rozpoczęcie pracy w agencji – do wielu tekstów, opisujących prostytucję, burdele, burdelmamy. Tym razem sięgnęłam do dwóch książek z wypisami, zatytułowanych: *„Reakcja na zjawisko prostytucji w epoce postępu"* i *„Pół akra piekła: życie i legendy dzielnicy czerwonych latarni"*.

W mojej głowie zaczynało świtać, że przepaść pomiędzy tymi dwiema moimi profesjami jest zbyt wielka. Do tego stopnia, że zaczynałam czuć, jakbym miała dwa osobne życia. Łapałam się na tym, że myślałam o jednym w czasie, gdy uczestniczyłam w drugim i choć wywoływało to dyskretny uśmieszek na mojej twarzy, chwilę wewnętrznego rozbawienia, coś jednak zaczynało zgrzytać.

Idąc na pocztę w niedzielę rano, z nieułożonymi włosami, bez makijażu, w poplamionych spodniach od dresu korciło mnie, żeby powiedzieć facetowi w kolejce: Wiesz, dziś wieczorem zarobię dwieście dolców, ktoś będzie chciał mi tyle zapłacić za godzinę mojego towarzystwa. Tak, to naprawdę było zabawne. Nikt nie mógłby domyślić się, że jestem call-girl. Albo, kiedy byłam u klienta, z głową odrzuconą w tył, zamkniętymi oczami, kiedy on zabawiał się moimi piersiami, rozmyślałam, jaki temat pracy pisemnej zadam jutro studentom. Przecież też możesz korzystać ze swojego czasu, mówiłam sobie w duchu. Oczywiście byłoby dużo łatwiej, gdyby można było udawać, że mnie tam nie ma. W końcu podjęłam dwie decyzje, znalazłam dwa sposoby na to, żeby te dwa przeciwległe bieguny jakoś do siebie przybliżyć.

Pierwszą rzeczą, którą zrobiłam, była propozycja wprowadzenia do programu zajęć w następnym roku latem wykładu na temat historii i socjologii prostytucji. Byłam pewna, że co najmniej wymagane minimum studentów będzie zainteresowane tą tematyką. Byłby to sposób na pogodzenie tego, co robię z tym, kim jestem naprawdę. Przyznaję, miał to być rodzaj usprawiedliwienia się przed samą sobą. Wszyscy to przecież robimy.

Drugą rzeczą, którą postanowiłam, było opowiedzenie o wszystkim przyjacielowi.

Rozdział siódmy

Doszłam do wniosku, że muszę się komuś zwierzyć z tego, co robię. Rozumiem, dlaczego mordercy odczuwają nieprzepartą potrzebę wyznania swoich zbrodni, na jakimś etapie każdy ludzki uczynek potrzebuje widza. Nie funkcjonujemy w próżni i zawsze myślimy o sobie w jakimś kontekście.

Prowadziłam absolutnie podwójne życie, nauczając w dzień i umilając czas facetom w nocy. Pomogłoby mi, gdybym miała chociaż jedną osobę, która zna mnie w całości – z obu stron. Kogoś, kto szanuje to, co robię jako naukowiec, wiedząc jednocześnie, że jestem call-girl.

Od razu pomyślałam o Sethcie, którego znałam najdłużej z wszystkich, mimo że kontaktowałam się z nim raz częściej, raz rzadziej. Poznaliśmy się przez internet, zanim jeszcze zrobiło się to modne, wymienialiśmy pocieszające e-maile i składaliśmy sobie czasem wizyty na różnych etapach naszych małżeństw, romansów, wzlotów i upadków. I wiedziałam, że Seth nie będzie mnie oceniał. Jemu naprawdę na mnie zależy.

Pewnego wieczoru między zleceniami wykręciłam jego numer z komórki w moim samochodzie. Seth mieszkał na Manhattanie. A co do diabła: już w końcu stać mnie na to. Powiedziałam mu o wszystkim, a zaraz potem tonem usprawiedliwienia dodałam:

– To tylko na razie. Zanim nie spłacę wszystkich długów.

– Taaak. Ale czy jesteś bezpieczna? – w jego głosie słychać było troskę.

Zachichotałam.

– Bezpieczniejsza być nie mogę, skarbie. Nigdy, przenigdy nie robię tego bez zabezpieczenia.

– Och, przecież wiesz, że nie o to mi chodzi.

– Wiem... I naprawdę wydaje mi się, że będzie w porządku, Seth. Peach przesiewa klientów dosyć dokładnie. Ja spotykam się na razie głównie ze stałymi, z facetami, których ona zna, bo korzystają z agencji od dawna. Upieram się przy tym, bo nie mogę sobie pozwolić na aresztowanie. Będzie dobrze, nie przejmuj się.

– Po prostu troszczę się o ciebie, to wszystko.

– Wiem – poczułam jak ogarnia mnie wzruszenie. Był taki słodki. – Cieszę się, że jesteś dla mnie taki miły. Ale, wiesz, w jakiś dziwny sposób to nowe zajęcie bardzo mi służy.

– Jak to?

– Cóż, pomyśl: po tym jak Peter pieprzony drań mnie wystawił dając mi odczuć, że nie jestem nic warta, przypomnieli mi się także inni dranie, z którymi się umawiałam, a którzy próbowali leczyć przy mnie swoje kompleksy. A teraz wiadomość dnia: w tym mieście żyje wielu facetów, którzy chętnie zapłacą dwieście dolarów za bycie ze mną przez godzinę. Oni myślą, że jestem tego warta i dzięki temu ja też zaczynam tak myśleć. Muszę przyznać, że to świetnie robi mojemu ego.

– Niby tak, ale nie zapominaj, co to za rodzaj facetów.

Zahamowałam i zjechałam na pobocze. Nie można prowadzić samochodu i udzielać reprymendy w tym samym czasie.

– No właśnie, Seth, zapewne chciałbyś wiedzieć, kim są ci mężczyźni? Od czego by tu zacząć...? Na przykład wczoraj byłam ze skrzypkiem Bostońskiej Orkiestry Symfonicznej. A po nim z mężczyzną z Beacon Hill; na ścianie miał Renoira. A teraz jestem w drodze do Instytutu Technologii Stanu Massachusetts. Mówię ci, sami przegrani, Seth. Masz świętą rację. Lepiej było zostać z Peterem – dilerem narkotyków. Jakie to typowe. To z nim powinnam sypiać!

Było już wyraźnie słychać, że jestem zdenerwowana.

– W porządku, uspokój się skarbie. Nie to miałem na myśli. Do diabła, wcale nie to.

Bardzo szybko się wycofał. Po chwili jednak dodał:

– Dobrze, miałem to na myśli, ale może mylę się na temat facetów, którzy sprowadzają sobie dziwki.

Znów poczułam, jak ciśnienie skacze mi w górę.

– Dziwki? Nic do ciebie nie dotarło, prawda? Co ty sobie wyobrażasz? Że włóczę się po ulicy Kneeland w szortach i długich kozakach zaczepiając samochody i oferując seks na tylnym siedzeniu? Jezu! Myślałam, Seth, że umiesz słuchać. Miałam nadzieję, że to rozumiesz!

– Skarbie, to co robisz jest bombowe, nie mam nic przeciwko temu. Tylko boję się, żeby cię ktoś nie skrzywdził.

Ojcowski ton zawsze mnie nieco uspokajał. Miałam ochotę rozłączyć się, zresztą za chwilę to zrobiłam. A przecież Seth i ja byliśmy przyjaciółmi przez wiele, wiele lat...

– Miałam nadzieję, że jesteś jedynym facetem, który (w zdenerwowaniu trudno było mi znaleźć właściwe słowo) nie trzyma się kurczowo stereotypów. Myślałam, że stwierdzisz, że to, co robię ma w sobie trochę klasy, bo ja mam klasę i nie robiłabym niczego, co byłoby dla mnie upokarzające. Rozmawialiśmy na te tematy wiele razy, zwłaszcza po tym jak mnie urządził Peter. Pamiętasz? Przysięgłam sobie, że zrobię wszystko, żeby móc znów spać spokojnie, żeby już nigdy nie czuć się tak okropnie.

– Dobrze już, dobrze. Masz rację. Wygadywałem bzdury.

Nie wiedziałam dlaczego znów się tak szybko wycofuje, ale przyjęłam to za dobrą monetę. Zwłaszcza, że kontynuował:

– Tak, to ty masz rację. Rzeczywiście w takich wypadkach przychodzą do głowy stereotypy, nie fakty. Jestem wytworem kultury, która produkuje stereotypy. No więc nie strzelaj do mnie, tylko mnie naucz. Reaguję jak każdy typowy mężczyzna. Wiesz, że traktuję cię jak siostrę.

– Nie jestem dziwką! – nawet w moich własnych uszach zabrzmiało to kiepsko, nieprzekonywująco. Miałam nadzieję, że można to przypisać złej jakości połączenia międzymiastowego.

– Oczywiście, że nie! Jak to się nazywa? Call-girl? Też będę używał tej nazwy. Brzmi lepiej. Słuchaj, Jen, nie miałem na myśli nic złego...

Jeszcze przez chwilę słuchałam jak się przede mną płaszczy, ale nie mogłam tego przeciągać w nieskończoność, bo zapewne Peach miała już dla mnie informacje o ewentualnym spotkaniu z klientem z Instytutu Technologii.

Rozłączyłam się więc, miałam dosyć tego ślinienia się. Może jednak coś zrozumiał, w końcu starał się być taki przekonywujący. Jego argumenty przypomniały mi się jednak jeszcze tego wieczoru, kiedy leżałam na biurku profesora, obserwując rybki w jego akwarium w czasie, gdy on kochał się ze mną od tyłu. Właściwie to uważam, że ten rodzaj fanaberii jest dość fajny: następnego dnia nudne zajęcia ze studentami i świadomość, że poprzedniego wieczoru na tym samym biurku uprawiało się seks; sama też bym tak chciała.

Wielu moich klientów miało podobne zachcianki: uprawiać ze mną seks w miejscu, które później będzie miało ten frywolny posmaczek: na stole w sali konferencyjnej, na biurku wykładowcy w auli, na biurku w gabinecie lekarskim itp. Ciekawe czy następnego dnia wciąż jeszcze słyszeli tam mój głos.

Słowa Setha zepsuły mi radość z tego, że sprawiam przyjemność profesorowi. Muszę przyznać, że niektórzy klienci są tak mną zachwyceni, że sprawianie im przyjemności staje się zajęciem dość wciągającym. Ten gość miał w sobie radość dziecka w czasie wizyty Świętego Mikołaja; zachwycony moim biustem, moim dotykiem, zrzucający z satysfakcją wszystkie przedmioty z biurka. Orgazm, który przeżył graniczył, jak sądzę, z odczuciem czegoś, co nazywamy zatraceniem się w przyjemności. Jakie to miało znaczenie, że to call-girl doprowadziła go do tego stanu? Do diabła: żadnego! Odczuwanie pełni przyjemności jest tak cenne i niespotykane, że trzeba starać się je dla siebie złapać, przeżywać, cieszyć się nim tak często, jak tylko to się uda. Dała mu to kobieta. To bez znaczenia, kim ona jest, ważne, co on odczuwa.

Ale tego wieczoru nie mogłam przestać myśleć o tym, co mówił Seth. Nigdy nie traktowałam go jako swojego potencjalnego chłopaka, a on zareagował tak, jakby nim się poczuł. Sam powiedział, że myśli „jak typowy facet". Niby miał rację, w końcu jest facetem... Tyle, że dla mnie był pozbawiony cech męskich czy damskich – to był po prostu Seth. Płeć nie miała żadnego znaczenia. Kiedy byłam na etapie, na którym wydawało mi się, że jestem lesbijką, podrywaliśmy te same dziewczyny, ale to była tylko zabawa. Nie chciałam, żeby był taki jak inni. Chciałam, żeby był wyjątkowy. Nie chciałam przechodzić przez te wszystkie damsko-męskie potyczki, które znam od lat.

Od tego wieczoru, kiedy do niego zadzwoniłam i powiedziałam, co robię, zaczął częściej pisywać e-maile i dzwonić do mnie, ciągle upewniając się czy nadal jeszcze jestem call-girl. Kiedy potwierdzałam, prosił o zachowanie ostrożności.

Spodobało mi się to, że wiedział, akceptował, troszczył się o mnie.

Zaraz po Bożym Narodzeniu przysłał mi e-mail, że firma wysyła go do Bostonu i, że zaprasza mnie na służbowe drinki do „Ritza" i kolację do „Morton's".

Odpisałam: Jak myślisz, co ja na to? Oczywiście, nie mogę się doczekać! Ale twoja firma robi się skąpa. W zeszłym roku zarezerwowali ci pokój w „Four Seasons".

Za chwilę moja skrzynka pocztowa znów zabuczała. Seth napisał w odpowiedzi, że nie ma problemu. Jeśli tylko jest Room Service, gazeta „Globe" i śniadanie podane do pokoju, jemu nic więcej nie potrzeba. Zresztą tym razem ma rezerwację w apartamencie. Spotkanie o siódmej wieczorem w czwartek. Szampan będzie się chłodził.

Nie mogłam sobie odmówić odrobiny kokieterii:

– Jaki szampan?

Odpowiedział: Wybierz sama, ja zamówię. Czy kiedykolwiek wybieram coś poniżej tego co najlepsze?

Szybko wystukałam odpowiedź: Cóż..., twoja była żona...

Natychmiast napisał tonem wyrzutu: Oczywiście musiałaś mi to wytknąć! Do zobaczenia w czwartek. Uważaj na siebie.

Tydzień minął. Zrobiłam sobie wolny czwartek. Usiłowałam opracować nowy program wykładu, ale około trzeciej dałam sobie spokój i wybrałam się na szybki spacer wzdłuż rzeki. Było strasznie zimno. Miałam szczerą nadzieję, że Seth zamówi taksówkę z hotelu do restauracji. Od pięciu lat przyjeżdża do Bostonu, od pięciu lat umawiam się z nim na drinka w hotelu, w którym się zatrzymuje, a następnie zawsze lądujemy na kolacji w tej samej restauracji „Morton's". Usiłowałam mu dać do zrozumienia, że są w Bostonie jeszcze inne restauracje, ale on uważa, że nie ma.

Kiedy zapytałam, co by się stało gdybym przeszła na wegetarianizm, biorąc pod uwagę, że w „Morton's" zamiast menu podjeżdżają z wózkiem wypełnionym przeróżnymi daniami mięsnymi i wędlinami (niektóre z nich są surowe!). Wegańskie piekło. Odpowiedział, że wtedy po prostu sobie posiedzę i popatrzę jak on je.

We czwartek założyłam swoją uniwersalną czarną sukienkę koktajlową i perły (jedyną rzecz, którą zachowałam po rozstaniu z Peterem, pieprzonym draniem). Zrobiłam lekki makijaż, co stało się moim zwyczajem od czasu, kiedy zaczęłam pracować dla Peach, założyłam swoje najcieplejsze palto zimowe i pojechałam do hotelu „Ritz". Firma chyba nieźle prosperuje, pomyślałam. Pokoje w „Ritzu" kosztują około trzystu dziewięćdziesięciu pięciu dolarów za dobę.

Zaparkowałam na parkingu miejskim, nie chciałam bowiem, żeby obciążono Setha dodatkowo za parking hotelowy, wzięłam książkę, którą mu kupiłam w prezencie – pierwsze wydanie Swinbourne'a, nie byle co – i udałam się do jego apartamentu.

Właśnie rozmawiał przez telefon.

– W porządku, Dean. Zajmiemy się tym jutro od samego rana. Tak. Tak. Dobrze. Teraz już wychodzę na kolację. Tak, zajmę się tym. Do usłyszenia jutro. Cześć.

Uniosłam brwi ze zdziwienia.

– Błyskotliwa wymiana zdań pomiędzy ludźmi czynu nigdy nie przestanie mnie zadziwiać. Słyszałam, że nawet Bill Gates umie sformułować pełne zdanie, kiedy bardzo się postara.

– Wątpię – odparł – nikt, z wyjątkiem tych, którzy mają wykształcenie filologiczne. Jesteś kochanie ginącym gatunkiem. – Seth uścisnął mnie, a następnie odsunął, żeby mi się przyjrzeć. – Jak, do diabła, się czujesz? Bo wyglądasz wspaniale!

– Zmarzłam – odpowiedziałam – Ale ja nie mam dyplomu z języka angielskiego, jestem po prostu jedną z niewielu osób, które prawidłowo się nim posługują. To woła o pomstę do nieba, żeby poprawne mówienie po angielsku wymagało studiów filologicznych. A niestety wygląda na to, że przypadnie mi w udziale także poinformowanie cię, że ten krawat odpada. Kto wybrał coś takiego?

– Catherine – zrobił dziwną minę. Catherine była jego nową dziewczyną, nie do końca poważną kandydatką na niedawno zwolnione stanowisko żony (już trzeciej).

– Poddaję się – uniosłam obie ręce w górę – nie mam zamiaru podważać autorytetu Catherine, ale należy zauważyć, że jej gust jest jakby nieco dziwny.

Zdjęłam palto, usiadłam. Czułam się wspaniale, zrelaksowana, mimo że widzieliśmy się dość dawno temu.

– Cóż, wygląda na to, że jest pierwszą kobiecą kobietą, z którą się umawiam. Widzę w tym pewien postęp.

Zaśmiałam się.

– Seth, cieszę się, że znów się spotykamy.

– Ja też, Tia Maria. – Użył mojego pseudonimu z dawnych czasów i dziwnie wytrącił mnie tym z mojego błogostanu. – Co się stało?

– Nic takiego – odpowiedziałam, zdejmując niewidzialną nitkę z poduszki – po prostu nikt się już tak do mnie nie zwraca.

Tak... od czasów studenckich, kiedy wolałam chorować nadużywając właśnie Tia Maria niż jakiegoś innego alkoholu. Już wtedy Seth wysyłał mi zabawne e-maile, naśmiewając się z mojej słabej głowy i używając tego przezwiska wtedy, gdy chciał mnie pocieszyć albo zadrwić sobie. Właśnie ze względu na te wspomnienia, wybrałam Tia na mój pseudonim w agencji.

– Wiesz, kiedy musiałam wybrać imię do pracy u Peach, szukałam czegoś, co ma ze mną jakiś związek. Toteż wybrałam imię Tia. A teraz w zupełnie innym kontekście to imię zabrzmiało jakoś dziwnie.

Poczułam, że zaczynam się denerwować. Po jaką cholerę tak się tłumaczę? Zwłaszcza, że to przecież tylko Seth!

Wstał i otworzył butelkę szampana w najbardziej poprawny sposób, tłumiąc dłonią ciśnienie, pod którym wystrzelił korek. Większości moich klientów, kiedy serwują szampana, sprawia przyjemność ten dźwięk, przypominający grzmot i widok korka odbijającego się rykoszetem od ścian. Dosyć dziecinne. Wiem, ale dokąd właściwie zmierzam? Przecież zwykle obsługujemy nuworyszy, a Seth nie zaliczał się do ich grona. Jego nazwisko, zatrzymywane przez jego kolejne dwie żony, brzmiało Seth Niven Bradford III.

– Szampan dla mojej pani?

Podał mi wysoki, wąski kielich. Szampan był lekko schłodzony, miał idealną temperaturę.

– Dziękuję – odparłam lekko drżąc.

Nalał sobie i usiadł z powrotem. Niezręcznie było wznosić jakiś toast, milczeliśmy więc.

– Wróćmy do tego, czym się teraz zajmujesz, dobrze? Naprawdę martwię się o ciebie. Czasem czytam w gazetach takie historie...

– To twoje miasto, Seth – powiedziałam. – W Nowym Jorku jest dużo więcej zboczeńców i dużo więcej gazet. U mnie wszystko w porządku i proszę cię nie rozmawiajmy o pracy.

Przestał. To była jeszcze jedna cecha, którą miał Seth. Umiał przestać. Zwykle, nawet najnudniejszy facet nie może poskromić swojej fascynacji tym tematem. To bardzo ciekawy fenomen. Spróbujcie sami. Następnym razem, kiedy wybierzecie się z kimś na piwo wspomnijcie, że znacie dziewczynę, która pracuje w agencji towarzyskiej albo jest jej właścicielką. Zamęczą was pytaniami. Gwarantuję.

Oczywiście nie będziecie w stanie zmienić tematu, ale co tam! Warto sprawdzić jeśli macie jakiś wolny wieczór, z którym nie wiadomo co robić.

W czasie jednej z degustacji win i serów wspomniałam mimochodem, że znam pewną Madam (a co do diaska, byłam zaledwie wykładowcą, a oni nie mieli dla mnie etatu na uczelni, a na dodatek byłam znudzona i wypiłam już trzy kieliszki kiepskiego porto). Reakcja była natychmiastowa. Zasypali mnie pytaniami. Złapałam się na tym, że wolałabym, aby takie zainteresowanie towarzyszyło rezultatom mojej pracy doktorskiej. Lubieżne zainteresowanie było zamaskowane i ubrane w niemal akademickie pytania.

Nie przystawałam do ich wizerunku prostytutki (chociaż ciągle przecież zależało mi na wywoływaniu ich spojrzeń pełnych pożądania), ale gdybym..., jestem przekonana, że każdy z nich doznałby wzwodu na sam dźwięk słowa „prostytucja". Jest w tym zagadnieniu coś, co zupełnie zniewala mężczyzn.

„A czy to prawda, że prostytutki to w większości nimfomanki, które zaspokajają swoje wybujałe potrzeby seksualne?" Jakbym widziała tych dziadków, śliniących się nad kieliszkiem sherry.

Fascynują się tym tematem zarówno liberałowie, którzy zalegalizowaliby prostytucję, jak i fundamentaliści, którzy ją przeklinają. Ale to wszystko bez znaczenia. W tej właśnie chwili byłam w bezpiecznym miejscu, w oazie, do której nie docierają męskie szowinistyczne opinie. Dziadkowie mogą się zaślinić do pasa, nic mnie to nie obchodzi. Ja mam Setha.

Seth nie chciał wiedzieć z kim, gdzie, ile razy. Nie pytał o orgazmy i o ceny, ani o to czy kobiety przychodzące we dwie to naprawdę lesbijki („Czy to prawda, że...?"). On po prostu chciał się upewnić, czy jestem bezpieczna. Uwielbiałam go.

Piliśmy wspaniałego szampana i nie rozmawialiśmy o mojej pracy. Nie rozmawialiśmy także o jego pracy. Seth zajmował wysokie stanowisko w firmie, która po upadku Microsoftu planuje zająć jego miejsce. Cóż, wszystkie imperia kiedyś się rozlatują. Większość z tego, co robił, klasyfikuje się do kategorii: „Mogę ci o tym powiedzieć, ale potem będę musiał cię zabić".

Po prostu plotkowaliśmy. O wspólnym znajomym, który dostał rolę w jakimś głośnym filmie (jestem chyba jedyną osobą w tym kraju, która czeka na ogłoszenie, że powstaje jakiś niegłośny film, bo na taki z chęcią bym poszła), a który z pełną zazdrości satysfakcją oceniliśmy jako „wydarzenie miesiąca".

– Nie wytrzyma tego – stwierdził Seth, a ja w zadumie przytaknęłam. Byłam właśnie po drugiej lampce szampana.

Mówiliśmy o pracy doktorskiej Catherine, co sprowokowało mnie do wyrażenia opinii, że powinna raczej zająć się jakimś bardziej technicznym tematem, jestem bowiem najlepszym przykładem, do czego może doprowadzić doktorat. Odrobina cynizmu tu i tam nigdy nie zaszkodzi, a ja mogłam mieć poczucie wyższości, bo on ciągle jeszcze szukał swojego Graala, a ja już go znalazłam. Mówiąc o Catherine, poprosiłam, żeby był wobec niej bardziej otwarty, ufał jej, a on na to:

– Co mam zrobić? Pyta mnie, o czym teraz myślę, a ja siedzę i zastanawiam się, o której zaczyna się mecz.

Pokrótce zahaczyliśmy też o temat mojego nieistniejącego życia uczuciowego.

– Dopóki pracuję dla Peach jest to niemożliwe. Pomyśl, jestem zajęta przez większość wieczorów. Jak miałabym to usprawiedliwić?

– Powiedzieć mu prawdę.

– No dobra. Jesteś taki święty i tolerancyjny. Co byś zrobił, gdyby Catherine dwa razy w tygodniu spała z kimś, na kogo właśnie ma ochotę?

Popatrzył na mnie znad okularów.

– Nasz związek jest bardzo otwarty. Catherine może sypiać z kim jej się podoba – odparł.

– Aha – pokiwałam głową – ale już zdążyłeś zauważyć, że ubierając się do pracy wkłada najpiękniejszą bieliznę, taką, której nie wkłada dla ciebie?

Mój głos się załamał. Byłam na studiach doktoranckich, wiem jak czuje się Catherine. Jest zapewne wyczerpana. Otwarty związek? Jestem pewna, że wystarcza jej energii, żeby przespać się z Sethem maksimum raz w tygodniu i nie myśli nawet o nikim innym. Jeśli ją wyrzucą, zaczną się poważne kłopoty, toteż przygotowując się do obrony pracy, zapewne uczy się po dziesięć godzin dziennie, poza tym prowadzi zajęcia, do których też musi się przygotować. Seks w takich warunkach staje się jakby mało ważny.

Toteż wzięłam głęboki oddech, aby dokończyć swój wywód:

– Wyobraź sobie, że czasem wracając do domu opowiada ci o swoich klientach. Wiesz... w ramach opowieści o tym, co zdarzyło się w pracy. Wszyscy tego potrzebujemy, żeby jakoś odreagować. I opowiada ci, że dzisiejszy klient koniecznie chciał ją poniżyć, że wyzywał ją od dziwek, kurew,... A potem pyta cię, czy możecie pójść do łóżka, dotyka cię, a ty myślisz tylko o tym innym facecie, który pieścił piersi, które teraz pieścisz ty... Możesz odczuwać wstręt, możesz odczuwać żal – ale na pewno jakoś zareagujesz.

Seth poczerwieniał.

– No, dobrze. Być może. Ale to ja i Catherine; tak, to byłoby nie do zaakceptowania. Czy to jednak znaczy, że z innymi jest tak samo?

– Jedyni ludzie, którzy tolerują coś takiego w związkach, opartych na uczuciu, to alfonsi i narkomani.

Wiem, że to zabrzmiało w moich ustach okrutnie. Ale taka jest prawda. Nigdy nie rozumiałam, dlaczego tak się dzieje. Przez cały czas kiedy pracowałam w tym biznesie nie słyszałam nigdy o zdrowym związku call-girl z mężczyzną, który wiedziałby o jej pracy. Ale słyszałam o wielu narkomanach i wielu toksycznych związkach.

W końcu było to dosyć dziwne, bo jak się dobrze zastanowić, mogłoby to być możliwe. A nawet powinno być możliwe. Mam na myśli rozważania czysto teoretyczne. Całkowicie oddzieliłam to, co robię dla Peach. To nie był seks z mojego punktu widzenia. Może był z punktu widzenia moich klientów, ale nie dla mnie! Odgrywałam swoją rolę przez godzinę, a potem było po wszystkim, szłam na kawę, wracałam do swojego życia.

Jedna z dziewczyn z agencji powiedziała mi, że kiedyś – zupełnie teoretycznie – wspomniała o tym swojemu chłopakowi, a on powiedział, że to byłaby zdrada. Trochę to podłamało nas obie, bo było przecież bardzo dalekie od prawdy. To tak jakby uznać, że całowanie dziecka, teściowej a potem ukochanego jest tym samym. Fizycznie – tak. Psychicznie – to zupełnie inne przeżycia. Ale z drugiej strony pamiętajmy o tym, że prostytucja istnieje, bo mężczyźni traktują seks zbyt poważnie.

A problemy pojawiają się w momencie, kiedy seks przestaje być abstrakcją. Jestem nauczycielką; bardzo dobrą nauczycielką. Uczę dorosłych, którzy nie patrzą na mnie jak na modelkę, ale jak na źródło potrzebnych im informacji. To, co robię w swoim wolnym czasie, albo to jaką pracę wykonuję dodatkowo nie ma wpływu na moją zdolność nauczania, umiejętność inspirowania studentów, kształtowania ich poglądów. Ale gdyby ktoś z nich dowiedział się, że pracuję jako call-girl, moja kariera ległaby w gruzach. Nawet małe szkółki osiedlowe nie chciałyby mnie zatrudnić. Nikt nie umiałby wytłumaczyć co im tak naprawdę przeszkadza, ale wszyscy byliby pewni, że jednak coś przeszkadza.

„Może nie potrafię zdefiniować pornografii, ale umiem ją rozpoznać, kiedy ją widzę." Taaak. Pewnie.

Albo jeszcze jeden przykład. Beth, jedna z dziewczyn pracująca dla Peach była nauczycielką w siódmej i ósmej klasie. Wiemy doskonale, że po podjęciu pracy w agencji w czasie weekendów nadal była tak samo dobrą nauczycielką jak przedtem. Prawda? Nikt nie mógłby zarzucić jej, że zachęca do uprawiania seksu albo promuje pornografię wśród swoich uczniów (zresztą młodzież w tym wieku nie potrzebuje żadnych dodatkowych informacji na ten temat). Toteż, z wyjątkiem kwestii etycznych (a należy przyznać, że dziewczyny z agencji Peach były pod tym względem naprawdę w porządku), do czego można byłoby się przyczepić? Młodzież ze szkoły średniej nie może sobie pozwolić na ceny obowiązujące w agencji... Nie ma więc powodu, dla którego Beth nie mogłaby wykonywać obu prac. Teoretycznie.

Teoria ma tu zdumiewająco mało wspólnego z praktyką.

Zróbmy więc jeszcze jeden krok do przodu. Masz liberalne poglądy, już widzę, jak wzruszasz ramionami: „Jasne, niech Beth uczy w dni powszednie i pracuje dla Peach w weekendy". Kapitalizm w swojej najlepszej formie, co? No to odpowiedz na takie pytanie: chcesz, żeby twoja jedenastoletnia córka miała za nauczycielkę języka angielskiego prostytutkę?

Powiedz prawdę.

Właśnie wyszło na moje.

Dziewczyny z agencji rozmawiają między sobą o moralności dużo więcej niż jakakolwiek inna grupa zawodowa. Więcej niż księża, ministranci i rabini, bo ci zawsze rozprawiają o religii, co rzuca zupełnie inne światło na zagadnienia moralności. Przypominamy sobie wiele rozmów i przemyśleń... siedząc w samochodzie, czekając na klienta, pijąc drinki w „Jullian's" albo kawę w księgarni „Triton"... wciąż bijąc się z myślami. Martwimy się o żony – jak one to wytrzymują. Opowiadamy sobie o tym, jak to Peach myślała, że jedna z dziewczyn jest jej winna sto dwadzieścia dolarów, ale ta wyprowadziła ją z błędu mówiąc, że ma do oddania sto osiemdziesiąt. Mówimy o tym, jak to boli – ukrywać przed swoim chłopakiem co się naprawdę robi, o tym, jak idąc w sobotę do spowiedzi zastanawiamy się nad tym, czy wspominać o swoim zawodzie. Rozprawiamy o tym, jak często używa się argumentu etyki, aby manipulować ludźmi.

Tak... O etyce rozmawiałyśmy częściej niż o czymkolwiek innym, włącznie z tematem pieniędzy i nie jestem pewna, czy pomogło to którejś z nas poradzić sobie z tym pytaniami. A były one dla nas naprawdę ważne, palące, domagające się odpowiedzi. I to jest jeden z powodów, dla których zawsze zapala mi się w głowie czerwona lampka, kiedy słyszę jak ktoś mówi, że prostytutki nie mają żadnych zasad.

Jeśli już chcesz wiedzieć, nasze poprzeczki ustawione są wyżej niż u przeciętnego zjadacza chleba. I musimy tak trzymać, bo nie potrafimy usprawiedliwić swojego postępowania w taki sposób, w jaki robi to większość z was. Jesteście w stanie wytłumaczyć się z romansów i zdrad małżeńskich. Jesteście w stanie usprawiedliwić oszustwa swoich firm, w których przecież bierzecie czynny udział. W naszym przypadku sprawa jest dużo bardziej złożona i delikatna.

Wyobraź sobie, że siedzisz w salonie klienta, a z fotografii na ścianie uśmiecha się do ciebie szczęśliwa rodzinka. Nie wpływa to na moją pracę, ale zawsze jednak pojawiają się nurtujące pytania. I żadne wytłumaczenia ani usprawiedliwienia, ani kilka kieliszków martini nie sprawią, że te wątpliwości nagle w jakiś magiczny sposób wyparują. Muszę się z nimi zmierzyć. Wszystkie musimy. Być może to jest właśnie przyczyna, dla której tak wiele z nas pije alkohol i bierze kokainę. Czasem musisz znieczulić ten obrazek, który masz przed oczami.

Ale wracając do spotkania z Sethem. Wypiliśmy już dwie trzecie szampana, kiedy spojrzał na zegarek.

– Cóż, wszystko jest świetnie, ale musimy zaczynać – powiedział.

Zdębiałam. Przecież nasza rezerwacja w „Morton's" jest dopiero na ósmą trzydzieści, a Boston nie jest w końcu taką metropolią. Gdybyśmy się nawet spóźnili, to nikt i tak nie zajmie naszego stolika. Poza tym czułam się świetnie, byłam doskonale odprężona.

– Dokończmy najpierw naszego szampana – zaproponowałam.

Wstał, sięgnął do tylnej kieszeni i wyciągnął portfel. Wyjął kilka banknotów, nie wiem dokładnie ile, podszedł do mnie i położył je na stoliku tuż przy moim kieliszku szampana.

– Nie, chciałbym być pewien, że mamy wystarczająco dużo czasu, zanim pójdziemy na kolację.

Czy to szampan chwilowo zaćmił mi rozum, czy też po prostu jestem zwyczajną idiotką? Nie mogłam zrozumieć, o co mu chodzi. Spojrzałam na niego całkowicie zszokowana.

– Wystarczająco dużo czasu na co? – nie tylko wyglądałam głupio, ale nawet mój głos brzmiał głupio.

Nadal nie wiedziałam, do czego to wszystko zmierza. Zapewne ty, drogi czytelniku już dawno byś się zorientował. Ale ja, cynicznie nastawiona do polityki, nie wierząca w interpretacje danych źródłowych, które nam wciskają, dumna ze swojego bezpruderyjnego uczestnictwa w świecie seksu za pieniądze, wciąż jestem – i chyba już zawsze pozostanę najufniejszą i najbardziej łatwowierną kobietą na świecie.

Mój były mąż zapytał mnie kiedyś złośliwie:

– Czy wiesz, że słowo „naiwna" nie figuruje już nawet w nowym słowniku oksfordzkim?

Oczywiście w pierwszym odruchu natychmiast złapałam słownik z półki, żeby to sprawdzić. Dopiero po chwili, kiedy ujrzałam ten szyderczy błysk w jego oku, dotarło do mnie, co miał na myśli.

Powinni mnie zamknąć dla mojego własnego bezpieczeństwa.

Seth podszedł do mojego fotela, postawił swój kieliszek na studolarówkach i bez żadnych ceregieli odpiął swój pasek od spodni.

– Chcę mieć pewność, że będziemy mieć wystarczająco dużo czasu, żebyś mnie obsłużyła – powiedział.

Znasz to uczucie, kiedy uczestniczysz w wypadku drogowym, ostatnie sekundy przed zderzeniem zawsze widzisz w zwolnionym tempie? Pamiętasz idealnie każdy szczegół, masz świadomość, że każdy ułamek sekundy przybliża cię do katastrofy, ale czujesz się jakby poza tym wszystkim, tak jakby to był jakiś film a nie coś, w czym właśnie uczestniczysz. Jedna część twojego mózgu wie, co się zaraz stanie, toteż krzyczysz: „Nie, cholera, niech to szlag!" W tym samym czasie druga część zaprzecza wszystkiemu, mówiąc ci, że to się wcale nie dzieje. To jest prawdziwy balsam dla duszy, do diabła z książkami na ten temat! Dajcie mi codziennie dużą dawkę sceptycyzmu. Oczywiście ta część mózgu milknie w momencie zderzenia. Nawet najdalej posunięty sceptycyzm nie pomoże w zetknięciu z pogniecionym metalem, bólem i kolorem oraz smakiem krwi.

Mówi się, że kiedy następują takie zdarzenia, nagle całe życie staje ci przed oczami. Nie sądzę. Czas po prostu niemal staje w miejscu, aby ci udowodnić jak niewielką masz kontrolę nad swoim życiem.

Jestem pewna, że przydarza się to szczególnie tym, którzy przykładają w swoim życiu niewspółmiernie dużą wagę do kontrolowania wszystkiego wokół.

W każdym razie coś takiego właśnie zdarzyło się u „Ritza" w ten czwartek. Część mojego mózgu ze spokojem i logiką udowadniała mi, że to nieprawda. Po prostu źle odczytuję, to co się dzieje. Nie. Jeśli się dobrze zastanowię, to okaże się, że to pomyłka.

W tym samym czasie druga część mnie już wiedziała w stu procentach, co się właśnie skończyło i jak wielkie szkody poczyni to w mojej psychice. W osłupieniu patrzyłam, jak wszystko wymyka się spod kontroli: Seth, lata naszej przyjaźni, ciepło, które zawsze dla siebie mieliśmy, moja pewność, że mogę na nim polegać, moje wyobrażenie o tym jaki był, moja nadzieja, że ja byłam dla niego...

Poczułam się jak „Alicja po drugiej stronie lustra", oszołomiona tym, że wszystko, co wydawało się realne, jest nierealne. Cóż, jeżeli to się dzieje naprawdę, to znaczy, że wszystko może się zdarzyć. Może jestem Białym Królikiem, a on Jabberwocky. Nasza przeszłość nie ma znaczenia. Nasza przyszłość nie istnieje. A przecież nie wyobrażałam sobie nigdy swojej przyszłości bez mojego przyjaciela Setha.

W końcu udało mi się wziąć się w garść, nie było, co prawda, tym razem pogniecionego metalu, ale i tak musiałam sobie poradzić z katastrofą. Rzeczywistość była taka, że pasek od spodni był już odpięty i właśnie odsuwał się zamek błyskawiczny jego spodni. Za chwilę Seth wystawi swojego penisa, a tego bym już nie zniosła.

Czułam się kompletnie załamana. Miałam wysuszone usta. Popatrzyłam na niego, ale nie mogłam wydobyć słowa. Jedyne, co zdołałam powiedzieć, to:

– Dlaczego?

Ręka odsuwająca zamek u spodni na chwilę się zatrzymała. Tonem pełnym zdziwienia powiedział:

– Przecież jesteś kurwą, prawda?

* * * * *

Nie wiem, co w tym wszystkim jest najgorsze. Czy to, że Seth zmienił o mnie zdanie dlatego, że powiedziałam mu jakiej pracy się podjęłam, czy to, że uznał, iż ja i mój zawód to jedno? Czy może to, że pomimo moich wysiłków, aby wyjaśnić mu swoją decyzję zachował jednak wszystkie swoje powierzchowne sądy o prostytucji? A może to, że znaczył dla mnie tak wiele, a okazało się, że ja dla niego nic?

Albo po prostu najgorsze było to, że straciłam przyjaciela?

W jednej ze swoich ról Barbara Streisand mówi: „To, że jestem prostytutką nie znaczy wcale, że jestem łatwa". Tak właśnie patrzą na te sprawy call-girls: seks w ramach pracy to jedno, a związek uczuciowy i miłość to zupełnie coś innego. Dlatego nasza praca nie niszczy w nas poczucia moralności. Mogę świadczyć usługi seksualne za pieniądze, ale to nie znaczy, że traktuję seks niepoważnie albo rozdaję go za darmo. Nie jestem łatwa.

A jeśli już mielibyśmy się koniecznie czegoś doszukiwać, to wyznam, że byłam dużo bardziej nierozsądna w tych sprawach, zanim zaczęłam pracować dla Peach. Pamiętam sytuację, która ciągle jeszcze nie daje mi spokoju – przespałam się z jednym ze swoich chłopaków tylko dlatego, że było to łatwiejsze niż próbować go wyrzucić z mojego mieszkania. Byłam zmęczona i doszłam do wniosku, że to będzie najszybszy sposób, żeby się go pozbyć. To było strasznie upokarzające. To obrzydliwe traktować siebie w taki sposób, jak śmiecia, dupczyć się z kimś, kogo imienia nawet nie pamiętasz, oddawać mu się tylko dlatego, że nie masz już energii ani sił, żeby zrobić to, co powinnaś. To właśnie było ohydne – poniżyłam się tak w swoich własnych oczach tylko dlatego, że byłam zmęczona.

W tamtych czasach nie przejmowałam się tak bardzo sprawami moralności. Ale oczywiście nie do tego stopnia, żeby ktoś myślał, że może wystawić penisa, a ja zaraz będę chętna. Nie, zawsze byłam grzeczną dziewczynką.

Zaczęłam te sprawy traktować dużo poważniej od momentu rozpoczęcia pracy w agencji. Już nie sypiałam z nieznajomymi tylko po to żeby się odczepili. Zaczęłam myśleć o sobie. Zrozumiałam, że mam pewną zasadę: wymieniam seks tylko na pieniądze albo na miłość. To naprawdę pomogło mi lepiej spać w nocy.

Praca call-girl jest taką samą pracą jak każda inna. Traktuję klientów tak, jak każdy inny przedstawiciel firmy, świadczącej usługi. Niektórych lubię, niektórych nie. Ale traktuję ich tak samo, wszystkich traktuję w sposób uczciwy. Nie próbuję żadnych sztuczek, podstępów, płacą zawsze ustaloną cenę. Niektóre z dziewczyn starają się, żeby facet był zaspokojony jak najszybciej mając nadzieję, że będą mogły wcześniej wyjść. Ja zawsze zostaję całą godzinę, jeśli klient sobie tego życzy. Aby zachować własną godność muszę być pewna, że ja także szanuję godność klienta.

Skąd więc ten głupi pomysł, że ponieważ jest to moja praca, będę dostępna przez dwadzieścia cztery godziny na dobę – najlepiej za darmo – dla każdego, kto ma na to ochotę? Czy to, że podjęłam się takiej pracy, oznacza, że uwielbiam to robić bez przerwy? Naprawdę myślisz, że jesteśmy nienasyconymi nimfomankami?

Za dużo kiepskich filmów, przyjacielu.

Jeszcze inaczej: jak wielu znasz psychologów, którzy pragną analizować ludzkie charaktery poza pracą? Albo chemików, którzy z zapałem uczą tablicy pierwiastków na przyjęciach towarzyskich? Albo projektantów stron internetowych, którzy w sobotę wieczorem, za darmochę stworzą ci świetną stronę tylko dlatego, że kochają pisać programy.

Pora wrócić na ziemię. To po prostu praca.

TO PO PROSTU PRACA. Większość z nas nie może się doczekać, kiedy się skończy i nie myślimy z wyprzedzeniem o tym, jakie będzie następne zamówienie.

To jest praca. Wiemy, że chciałbyś, by snuć przeróżne fantazje. Robimy to dla ciebie i to nieźle, proszę więc, abyś pojął to i wykazał odrobinę wdzięczności za nasz profesjonalizm. Wyszepczemy ci do ucha, dotykając go językiem, że jesteś niezapomniany. Będziemy wydawać dźwięki, które pozwolą ci wierzyć, że przeżyłyśmy orgazm, że bardzo chcemy, żebyś był zachwycony, że jesteś najlepszym kochankiem, jakiego miałyśmy... A to wszystko oznacza, że dobrze wykonujemy naszą pracę.

Kiedyś pracowałam w firmie softwarowej. Programiści przekonali mnie, że to, co w życiu pragną robić, to właśnie tworzyć bazy danych. Przychodzili do pracy za wcześnie, wychodzili za późno. Siadali w kawiarence i omawiali architekturę systemu. Ich dowcipy dotyczyły wyłącznie życia biurowego.

Ale wiesz co? To wszystko oznacza tylko, że naprawdę lubili swoją pracę. Lecz kiedy w końcu wracali do domów, nie myśleli już o bazach danych, w których przechowywane są polisy ubezpieczeniowe. Myśleli o swoich rodzinach, planach, przyjemnościach, książkach do przeczytania i filmach do obejrzenia. Nie myśleli o kodowaniu, o konfiguracjach. Nie mylili swojego życia ze swoją pracą.

Mam prośbę – zrób to dla mnie: pomyśl o mnie, jakbym była jedną z tych pań od programowania. Bo przecież tak jak one, lubię to co robię, ale nigdy nie mylę tego z moim rzeczywistym życiem.

Nigdy.

Rozdział ósmy

Myślałam, że wykład o prostytucji poprowadzę jako fakultet następnego lata. Ale kiedy przedstawiłam propozycję Komisji Programowej, okazało się, że wprowadzili go natychmiast do rozkładu zajęć i już od jesieni mogę zaczynać. Nie byłam pewna, jak rozumieć tę decyzję komisji.... Może ktoś stwierdził, że nie ma wystarczająco dużo wykładów o zabarwieniu feministycznym w programie na jesień; może potrzebne było coś, co obudziłoby studentów między wykładem „Historia świata" a wykładem „Elementy logiki"? A może podeszli komercyjnie – wierząc, że taki wykład przyciągnie studentów, sponsorów i wzbudzi zainteresowanie?

Jakikolwiek był powód – teraz musiałam przygotować się do tych wykładów. Nagle znalazłam się w samym środku zagadnienia prostytucji, zarówno od strony teoretycznej jak i praktycznej. Teoria z praktyką...

Dni spędzałam w bibliotece Uniwersytetu Bostońskiego czytając, robiąc notatki, układając sobie to wszystko w głowie w oczekiwaniu na upragnioną chwilę, gdy wreszcie wiedziałam jak całe zagadnienie przedstawię studentom. Przed wieczorem następowała zmiana. Zwykle przyjeżdżałam do biblioteki ubrana tak, żebym nie musiała jeździć z Commonwealth Avenue z powrotem do Allston, tylko po to, by się przebrać wieczorem do pracy.

Pewnego wieczoru weszłam do studenckiej stołówki, żeby zamówić coś do jedzenia, bo jakoś nie mogłam się skupić na czytanym materiale i zdałam sobie sprawę, że to z głodu. Za moich czasów był to po prostu mały bufecik. Teraz rozrósł się do rozmiarów Food Court w pasażach handlowych. Może to dlatego, żeby stali bywalcy – „szczury centrów handlowych"– czuli się tu jak u siebie, zaspokajali nie tylko głód ale także nostalgię za utraconym rajem nastolatków. Broń Boże zadawać im jakieś trudne pytania.

Wzięłam kanapkę i gazowany napój z lodówki, w której, jak zauważyłam kątem oka, królowały jakieś malutkie, drogie soczki egzotyczne i usiadłam przy stoliku. Po dłuższej chwili poczułam, że gapi się na mnie jakiś młodzieniec z sąsiedniego stolika. Nie od razu zdałam sobie z tego sprawę, bo na czas pracy w bibliotece część mojego mózgu, odpowiadająca za kontakty towarzyskie, flirty itd. była wyłączona. No, może nie wyłączona całkowicie, ale pracowała na bardzo wolnych obrotach. Kiedy dotarło do mnie, że jestem obserwowana, szczerze mówiąc – poczułam się zaskoczona.

Zwykle mam wiele kontaktów ze studentami na zajęciach; jestem też przyzwyczajona do tego, że mężczyźni mnie podrywają. To, co mnie tak zbiło z tropu, to obydwa powyższe przypadki naraz. A na dodatek, jeśli się nie mylę, ten student zamierzał do mnie podejść.

No i podszedł. Zapytał, co czytam. Zwrócił mi uwagę, że moja filiżanka jest już pusta. Zaproponował, że przyniesie mi jeszcze kawy. Nasze małe *têtê–á–têtê* zostało niestety przerwane dzwonkiem mojego telefonu. To była Peach.

– Praca czeka – obwieściła – klient w Chestnut Hill.

Zanotowałam wszystkie informacje, starając się zachować maksimum dyskrecji.

– Muszę już iść – powiedziałam studentowi. Miał długie włosy, zawiązane w koński ogon. Uwielbiam to u mężczyzn.

– A może wypijemy tę kawę później?– zasugerował – Tak przyjemnie się rozmawiało.

– Przepraszam cię. Tak, jest naprawdę miło.

Była to dla mnie bardzo interesująca sytuacja – ani call-girl, ani profesorka. Życie zapukało do mojego dziwnego światka z informacją, że kiedy znów zdecyduję się żyć normalnie, może znajdę dla siebie jakieś miejsce. Ten młodzieniec dał mi do zrozumienia, że jestem atrakcyjna i interesująca bez wcześniejszych pytań o moje wymiary albo o to, czy postawiłabym mu dobry stopień z wykładu.

Odczuwałam jakąś wewnętrzną tkliwość, tęsknotę, myśl nie dającą mi spokoju, że może gdybym..., być może...

To było słodko-gorzkie. Tak, właśnie określenie: „słodko-gorzkie" przyszło mi nagle do głowy. Nie pojmowałam wcześniej znaczenia tego słowa, a nagle zrozumiałam je bardzo dokładnie: coś, czego bardzo pragniesz, ale nie możesz tego mieć.

Wiem, że prawda jest taka: jeśli postawię wszystko na jedną kartę, żeby zdobyć to, czego pragnę, okaże się, że w rzeczywistości to wcale nie jest TO. Może po prostu lubię poczucie, że czegoś pragnę. Może chciałam wierzyć, że w normalnym życiu jest jeszcze ciągle dla mnie jakaś nadzieja, że świat wciąż się kręci i nadal tam będzie, kiedy będę gotowa do niego wrócić.

Kiedy wchodziłam do samochodu, ciągle jeszcze się uśmiechałam. „Mogłam mieć dzisiaj świetną randkę" – poinformowałam swoje odbicie w lusterku wstecznym. Mój głos był pełen triumfu. Nigdy byś nie wpadł na to, że call-girl, która bierze dwieście dolarów za godzinę, może mieć tak mało pewności siebie, prawda? Szok, szok, szok.

Oczywiście ten stan nie trwał długo. Być może był to maleńki prezent dla mnie, chwila marzeń, szczęśliwości i niewinności. Bo spotkanie z klientem, na które właśnie się wybierałam, stało się dla mnie lekcją przeraźliwego smutku. Tego, co się stało, nie wykorzystałabym nigdy w moich notatkach do wykładów. To, czego doświadczyłam, zapadło głęboko i bardzo boleśnie w moje serce. Na zawsze. Moja niefrasobliwość znikła, zastąpiło ją poczucie smutku, którego nie można ukoić, wiecznego smutku.

Klient, do którego wysłała mnie Peach, mieszkał sam we wspaniałym mieszkaniu w Chestnut Hill. Każde duże miasto w Stanach Zjednoczonych ma swoje Chestnut Hill, a jak zauważyłam, wspólną ich cechą są pieniądze. Duże pieniądze. Mieszkanie było wspaniale urządzone: cenne dzieła sztuki, meble – antyki, obrazy, których reprodukcje widziałam w książkach. Może nie te najsławniejsze obrazy, ale pomniejsze dzieła znakomitych mistrzów.

Klient okazał się chudym mężczyzną o skórze tak bladej, że wydawała się w niektórych miejscach aż przezroczysta. Był małomówny, uśmiechał się delikatnie i ze smutkiem. W tle słychać było symfonię Dvořáka. Nalał mi kieliszek sherry i przeszliśmy do sypialni. Tam poprosił, żebym rozebrała się do bielizny, co znaczyło, że mam zostać w staniku, cieniutkiej bluzeczce na ramiączka i w pończochach.

– Czy masz ze sobą jakieś kosmetyki? – zapytał, patrząc na mnie wzrokiem pełnym słodyczy i melancholii. – Jedyne, czego pragnę, to patrzeć jak robisz makijaż.

– Po prostu, mam się malować? – w moim głosie było niedowierzanie.

– Tak. I mów do mnie.

Aha, pomyślałam. No to teraz rozumiem. Mam mówić świństwa, a on będzie patrzył jak coś robię. Nie byłaby to żadna nowość. W poprzedni wtorek też mówiłam różne sprośne rzeczy, jednocześnie dotykając swojego ciała. Nużące, ale klientowi się podobało. Toteż usiadłam na łóżku, wyjęłam potrzebne rekwizyty – mascarę, kredkę do oczu, cienie do powiek, róż.

– O czym chcesz rozmawiać? – zapytałam tak czule, jak tylko umiałam, podczas gdy on sadowił się w fotelu w stylu Ludwika XV, stojącym przy łóżku.

– Powiedz, że wychodzisz z tatą i musisz się przygotować – poprosił, a pogłos jego słów sprawił wrażenie, że dochodziły do moich uszu jakby z daleka. – Powiedz, że zaraz przyjdzie niania, i powiedz gdzie tatuś zabiera cię na kolację.

Na chwilę zamarłam. Myślałam, że wybuchnę płaczem. Oczywiście zrobiłam wszystko, o co poprosił. Jaki miałam wybór? Mówiłam do niego, malując się, starając się patrzeć tylko w lusterko, żeby nie widzieć jak się masturbuje; przecież udawałam jego matkę.

– Kiedy już dotrzemy do restauracji, zadzwonię do ciebie, żeby się upewnić, że wszystko jest w porządku. A zanim wyjdziemy, dam ci specjalnego całuska na pożegnanie... – powstrzymywałam łzy. Z wielkim trudem. Kiedy wychodziłam, dał mi dużo pieniędzy. Dużo za dużo. Siedemdziesiąt dolarów napiwku. Większość dziewczyn byłaby tym zachwycona, traktując to jak łatwiznę, podśmiewając się z tego później. Ja dojechawszy do domu w Allston miałam wrażenie, że coś we mnie pękło. Zastanawiałam się, co zdarzyło się w jego dzieciństwie, co tak strasznie wypaczyło jego seksualność. I dlaczego zdecydował, że będzie koił swój ból za pomocą call-girl, a nie u psychoanalityka?...

Niektóre wizyty u klientów były związane z odgrywaniem jakichś niewinnych ról, o jakich czytali w kolorowych magazynach dla mężczyzn lub widzieli w filmach porno: „Udawajmy, że jestem doktorem, a ty pielęgniarką, która dla mnie pracuje..." albo: „Udawajmy, że jestem nauczycielem, a ty chcesz dostać szóstkę z mojego przedmiotu".

Ale to doświadczenie było zupełnie inne. Czułam je na dnie swojej duszy. A przecież nawet ten obrzydliwy Barry z ulicy Beacon nie był w stanie dotknąć mojej duszy. Ten klient dotknął. Myślę o nim nawet teraz, zastanawiając się, czy nadal dzwoni po dziewczyny z agencji, aby zapewniały go, że mamusia ciągle go kocha. I jakkolwiek dziwnie to zabrzmi, modlę się za niego.

Tego wieczoru nie byłam w stanie skoncentrować się na robieniu bibliografii do nowego cyklu wykładów. Po godzinie i dwóch lampkach czerwonego Côtes du Rhône dałam sobie spokój i zaczęłam surfować po internecie w nadziei, że coś mnie oderwie od ciągłego myślenia o mężczyźnie z Chestnut Hill. Bezskutecznie.

Ostatnio ktoś zapytał mnie o czasy, kiedy pracowałam dla Peach.

– Ale przecież oni wymagają naprawdę zboczonych rzeczy, prawda? – typowe pytanie. Kiedy na nie odpowiadam (jeśli w ogóle decyduję się odpowiedzieć) nigdy nie wspominam o kliencie z Chestnut Hill. Nigdy nie mówię o tym, że przecież ciągle jeszcze odczuwam ogromne współczucie dla jego bólu, dla jego potrzeb.

Jeśli chodzi o innych klientów i ich dziwne potrzeby... cóż, to zależy od definicji słowa „dziwny".

Ja akurat uważam, że co najmniej dziwni są ci, który trzymają w domu broń, co w rezultacie daje kilkaset zabitych dzieci rocznie. W świetle tego nie sądzę, że facet zakładający stanik jest aż tak bardzo dziwny.

Wszyscy mamy swoje własne definicje.

Oczywiście nie można zaprzeczyć, że w tej profesji ma się do czynienia z niezmiernie rozbudowaną skalą gustów i fantazji. Zaledwie kilku partnerów seksualnych przez całe życie raczej nie umożliwi zapoznania się z tym wszystkim, czego można doświadczyć w tej dziedzinie. Poza tym pamiętajmy, że w kontaktach zawodowych (bo przecież nie osobistych) klient czuje się swobodniej i pozwala sobie na wyrażenie pragnień, które nie są uważane za normalne. Z nami jest bezpieczny. Call-girl przecież nie może się obrazić albo zdenerwować dziwnym zachowaniem. Nie wyzwie cię od najgorszych, nie odtrąci cię, nie urazi. Jeśli już jakoś zareaguje, to prawdopodobnie tak, że powie ci jaki jesteś podniecający. Dobre, co? W jej sytuacji nie można zachowywać się „normalnie", poddawać w wątpliwość sens waszego związku. Twoja nowa partnerka słysząc twoją nietypową prośbę mogłaby zareagować słowami: „Ty chcesz żebym TO zrobiła?"

Sądzę, że większość mężczyzn dzwoni do agencji towarzyskich właśnie po to, żeby sobie pozwolić na to, co zabronione, na realizację swoich fantazji, które trzymają w tajemnicy przed kolegami, żonami, przyjaciółkami, sąsiadami. Mogą mieć dobry, domowy seks ze swoją stałą partnerką, a do nas dzwonią, żeby przeżyć coś bardziej ryzykownego, mniej akceptowanego społecznie.

To mi przypomina rozmowę z filmu *Analyze This** między Robertem de Niro, który gra szefa mafii, mającego napady stanów lękowych i Billy Crystalem – jego terapeutą. De Niro wła-

---

* W Polsce wyświetlany pod tytułem *Depresja gangstera* – przyp. red.

śnie wyznał mu, że miał ostatnio problem natury seksualnej ze swoją dziewczyną.

– Masz kłopoty małżeńskie? – pyta Crystal.

– Nie, moje małżeństwo jest w porządku.

– To dlaczego masz dziewczynę?

– Robię z nią to, czego nie mogę robić z żoną.

Crystal wydaje się być naprawdę zaskoczony.

– A co takiego robisz z dziewczyną, czego nie mógłbyś robić z żoną? – pyta.

Teraz mafioso jest zdziwiony.

– Hej, te usta całują moje dzieci na dobranoc, kapujesz?

Właśnie z takimi sytuacjami spotykałam się czasem: mężczyźni, którzy myślą w ten sposób, mężczyźni, którzy chcą trochę poudawać albo czegoś nowego spróbować; bo nie chcieli robić tego ze swoimi partnerkami. A nie chcieli zapewne dlatego, że sami nie mogliby żyć na co dzień z kimś, kto robi takie rzeczy. A call-girl to przecież zdzira. Kolejny odwieczny temat: faceci chcą frywolnych doświadczeń seksualnych, chcą mieć kontakty z wyzywającymi, pełnymi seksu dziewczynami, a z kim się żenią? No właśnie. To zupełnie coś innego. To matka moich dzieci. Ona jest nieskalaną Dziewicą. Przez duże „D".

Nie ma w tym oczywiście logiki, ale tak się dzieje.

Zresztą trzeba przyznać, że większość fetyszyzmów czy zboczeń, z jakimi się spotkałam miało łagodny charakter, były nieszkodliwe. Poza odgrywaniem ról, małymi sztuczkami teatralnymi, zabawkami, było to nawet dosyć zabawne. Kolorowe kondomy o różnych zapachach. Olejki o zmysłowych zapachach i masaże ciała. Wibratory i sztuczne penisy, oglądanie filmów porno na ogromnych ekranach domowego kina.

Zabawne, nieszkodliwe, rozrywkowe i dobrze płatne.

Z wyjątkiem mężczyzny z Chestnut Hill.

Tej nocy po raz pierwszy od czasu jak zaczęłam pracować dla Peach musiałam wziąć tabletkę, żeby zasnąć.

Istnieją pewne koszmary, których nie należy prowokować.

Rozdział dziewiąty

Udało mi się odsunąć natarczywe myśli o kliencie z Chestnut Hill. Miałam dużo innych, praktycznych problemów do rozwiązania. Jeden z nich polegał na tym, że na mój wykład „Historia i socjologia prostytucji" zapisało się osiemnaście osób i czy jestem gotowa, czy nie, wykłady muszą się zacząć we wrześniu.

Ten miesiąc w Bostonie należy do szczególnie pięknych. Zwykle jest jeszcze bardzo gorąco, ale liście już przeczuwają to, co ma nadejść i zaczynają się powoli przygotowywać do zmiany koloru na spektakularną czerwień, a potem do śmierci.

Poranki są już chłodne, tak samo wieczory. Boston i Cambridge są dla studentów jak Mekka. Opustoszałe w czasie miesięcy letnich, wraz z nastaniem jesieni ożywają od napływu studentów. Promenada przed Szkołą Muzyczną Berklee – zwana też Plażą Berklee – z oczywistych powodów zapełnia się młodymi, skąpo odzianymi osobami. Dredy, tatuaże, kolczyki i futerały, w których przynieśli swoje ezoteryczne instrumenty muzyczne.

Kawiarnie, bary, puby stają się nagle wypełnione po brzegi. Stare, wysłużone tramwaje Zielonej Linii są obwieszone młodzieżą, która po raz pierwszy wyjechała daleko ze swoich domów i obwieszcza to całemu światu, siedząc na schodkach tramwajowych, podczas gdy inni pasażerowie próbują wsiadać lub wysiadać. Młodzież zmęczona życiem, arogancka z powodu swoich wcześniejszych doświadczeń wyniesionych ze szkół średnich w Hudson w New Hampshire, Seekonk w Massachusetts czy też Sanborn w Maine.

Tę zmianę wyczuwa się nawet w powietrzu.

Mówi się, że rok rozpoczyna się w styczniu. Tutaj jest inaczej. Trzeci września jest dla nas pierwszym dniem roku, gdy nie ma już sensu żałować tego co minęło, a przed nami tak wiele możliwości. Wszędzie ciężarówki z meblami. Sklepy w Harvardzie pełne dobrze zapowiadających się młodych klientów.

Wszystko się może zdarzyć. Ludzie uśmiechają się do siebie. Przez kilka cudownych tygodni wszyscy wierzą, że oto zaczyna się nowy rozdział ich życia, że każdy może osiągnąć to, czego pragnie.

Nad miastem panuje atmosfera pełna marzeń i oczekiwań. Tak: nowy rok zaczyna się we wrześniu, kiedy zeszyty są jeszcze nietknięte i białe, kiedy podręczniki i programy nauczania wydają się być fascynująco ciekawe, gdy nareszcie znów ktoś zaczyna oglądać filmy zagraniczne.

Tego roku wrzesień był jednak dużo cieplejszy niż zwykle. Pech chciał, że w tym też czasie musiałam oddać swój samochód do naprawy. Zrozumcie mnie: ja kocham moją Hondę Civic. To nie reklama czy coś w tym rodzaju, ale naprawdę – mam na liczniku dwieście tysięcy kilometrów – i wymieniłam jedynie sprzęgło, nic poza tym. A odpala za każdym razem, bez względu na to, jaka jest temperatura.

Nie mogę złościć się na samochód, że tym razem kontrola go nie przepuściła. Naprawdę wcale o niego nie dbałam. Gdybym była lepszą właścicielką, na pewno nie dopuściłabym do tego. Mechanik w warsztacie powiedział, że na poniedziałek samochód będzie gotowy. Tyle że dla mnie sobotnie i niedzielne wieczory są najlepsze z punktu widzenia ilości wizyt u klientów. Na wolne wieczory najbardziej nadawały się piątki. Większość z dziewcząt właśnie wtedy umawiała się na randki ze swoimi stałymi partnerami. Piątkowe wieczory są kiepskie, bo większość potencjalnych klientów otrzymuje swoje tygodniowe wynagrodzenie i ma nadzieję, że jak pójdą do baru, postawią parę drinków, to znajdą dziewczynę na noc za darmo. Zwykle jednak im się nie udaje i już po północy dzwonią do agencji. Dla mnie oczywiście wtedy jest już za późno. Przeważnie o tej porze kładę się spać.

Soboty są dobre, bo stali klienci zwykle wtedy planują sobie wieczór z dziewczyną. Często chcą po spotkaniu z call-girl wyjść jeszcze do klubu albo na prawdziwą randkę, albo zapraszają żony na kolację do restauracji. W ten dzień jest dużo zamówień na wczesne godziny, co mnie osobiście odpowiada najbardziej. Lubię już o dziesiątej trzydzieści być z powrotem w domu i przytulić się do Scuzziego.

Niedziele także są dobre, bo to ostatnia szansa przed poniedziałkiem. Ostatnia szansa, żeby sobie powiedzieć, że weekend był jednak udany.

Zadzwoniłam więc do Peach w piątek i powiedziałam, że jestem bez samochodu przez cały ten weekend. Nie była zachwycona. Jestem w stanie to zrozumieć. Wiem, że co najmniej kilku stałych klientów umawia się ze mną dlatego, że mam swój samochód. To dużo mniej zauważalne niż podjeżdżanie pod dom taksówką z wielkim oświetlonym neonem albo trąbienie szofera pod domem, kiedy upłynie godzina i czas wracać. To także tańsze dla klienta, bo oczywiście pokrycie kosztu dojazdu spada w takich sytuacjach na niego. Generalnie koszt dojazdu rozkłada się na klienta i na call-girl, ale Peach usiłuje negocjować tak, by maksimum opłaty pokrywał klient. Nigdy nie dopłaca ani grosza z własnej prowizji.

Byłam więc po raz pierwszy bez własnego środka transportu, co jednak nie zniechęciło Peach.

– Nie ma problemu. Znajdę ci szofera – zapewniła mnie.

Chyba więcej niż połowa dziewcząt korzystała z szoferów. Najczęściej były to studentki, które mieszkały w akademikach, a pierwszą dobrą radą jaką dostają przyszli studenci wszystkich szkół w Bostonie jest: pozbądź się swojego samochodu. System transportu publicznego jest bardzo dobry i tani, korki w Bostonie są ogromne, władze miasta zatrudniają byłych gestapowców (tego jestem pewna) jako policję parkingową. Kiedyś spotkałam kobietę, której syn – policjant – wystawił mandat za to, że zaparkowała przed jego połową domu (mieszkali w bliźniaku). Naprawdę. A, mówiąc szczerze, sama też zapłaciłam już tyle mandatów za parkowanie, że zasługuję by moim imieniem nazwano jakiś budynek w Bostonie.

Dziewczyny korzystały więc z szoferów. Jednego z nich miałam okazję poznać. Miał na imię Louis i studiował w Szkole Biznesu. Dorabiał sobie u Peach jako szofer. Zanim jeszcze zdobyłam zaufanie Peach – przez pierwszy tydzień pracy w agencji – spotkałam się z nim kilka razy przy Placu Kenmore, żeby przekazać prowizję za wizytę u klienta. Ale wkrótce zaczęłam rozliczać się z Peach raz na jakiś czas, więc widywałam Louisa tylko na nielicznych przyjęciach. Byłam jedną z niewielu dziewcząt z agencji, które spotykały się z Peach także prywatnie; widocznie w jakiś sposób udało mi się zdobyć jej przyjaźń. Znałam Louisa tylko przelotnie i choć byliśmy sobą zainteresowani, jednak oboje wiedzieliśmy, że jest stanowczo za wcześnie, żeby zacząć poznawać się lepiej.

Nie wiem skąd Peach brała swoich szoferów. Wiem, że niektórzy z nich sprawiali czasem problemy, ale nigdy nie wchodziłam w szczegóły.

Tej soboty wzięłam prysznic, nałożyłam szorty i t-shirt (nie było sensu się ubierać, bo nie mogłam przewidzieć, jakie preferencje będzie miał klient) i włączyłam telewizor. Nic ciekawego. No to włożyłam do magnetowidu kasetę ze starymi odcinkami *Frasiera*, usadowiłam się wygodnie, Scuzzy tuż obok mnie i zaczęłam oglądać, jak Niles sprzecza się przez telefon z Maris. I wtedy zadzwonił mój telefon.

To śmieszne, chcesz, żeby telefon dzwonił, bo to oznacza, że zarobisz pieniądze, ale z drugiej strony jesteś wściekła, bo zdajesz sobie sprawę, że kilka następnych godzin będzie raczej dość męczących.

– Jen, mam dla ciebie zlecenie.

Przyciągnęłam do siebie notes, który leżał na drugim końcu stołu, przygotowałam coś do pisania.

– Dyktuj.

– To stały klient – zawsze mi to mówiła, kiedy jeszcze nie miałam do czynienia z facetem, zapewne po to, by zapewnić mnie, że pamięta o moim warunku. – Na imię ma Jake. Jego numer 508–555–5467. On sam powie ci, jak dojechać. Mieszka w Marblehead.

– Dobrze. Co mu powiedziałaś o mnie? – była to informacja o wielkim dla mnie znaczeniu. Dzięki niej wiedziałam, jaką będę grać rolę.

– Powiedziałam, że masz dwadzieścia osiem lat, wymiary 96–68–94, że jesteś nowa w branży. Możesz udawać absolwentkę uczelni. Wie, że przywiezie cię kolega, bo twój samochód jest w warsztacie.

Oznaczało to, że będzie płacił więcej, nie wiedząc nawet dlaczego. Nie było to wcale takie niezwykłe zagranie ze strony Peach: klienci nie lubią raczej wiedzieć, że pod domem czeka szofer, bo to ostatecznie przekreśla mrzonki, że być może dziewczyna przyjechała tu z własnej woli, po to, aby się z nim zobaczyć. Jeżeli ten facet jest z Marblehead, to na pewno będzie go to słono kosztować. Ale mnie to nie obchodzi. Za to płacę Peach. Jedyne co mam pamiętać to, że mój samochód jest chwilowo w naprawie, czyli stosować podstawowe przykazanie wszystkich wytrawnych kłamców: „Jeśli tylko jest to możliwe, zawsze mów prawdę".

– Rozumiem. Świetnie.

– Zadzwoń do Johna na komórkę: 555–3948. On już kiedyś tam był. Zapłacisz mu sześćdziesiąt dolarów w obie strony. Od klienta dostaniesz trzysta dwadzieścia. Powiedz Johnowi jak do ciebie dojechać, zadzwoń do klienta, a potem znów do mnie.

– Dobrze. – Odłożyłam słuchawkę zadowolona, że mam kolejne zlecenie, co oznacza pieniądze, a z drugiej strony marząc, żeby spędzić ten wieczór w domu, oglądając serial, głaszcząc Scuzziego, popijając podwójną kawę z mlekiem.

Scuzzy patrzył na mnie z wyrzutem. Zawsze wyczuwał, że wychodzę czyli, że znów celowo zrujnuję mu wieczór. Westchnęłam i uniosłam słuchawkę.

– Halo, czy mogę mówić z Jake'em?

– Taak.– usłyszałam. Cóż za błyskotliwy rozmówca. Cholernie mi ułatwia nawiązanie kontaktu.

– Oh, cześć Jake. Mówi Tia. Jestem znajomą Peach. Prosiła, żebym się z tobą skontaktowała.

– Uhmm – kontynuował w tym samym stylu.

Zrobiłam głęboki wdech. Ciekawe, co ten dupek sobie myśli?

– Peach powiedziała mi, że chciałbyś, żebym spędziła z tobą trochę czasu dziś wieczorem. Czy mam przyjechać?

– Cóż, to zależy. Opowiedz mi o sobie.

W tym byłam niezła. Kiedy potencjalny klient prosił, żebym mu o sobie opowiedziała, to oczywiście nie interesował go mój ulubiony pisarz ani moje opinie na temat sytuacji politycznej w Jemenie.

– Mam dwadzieścia osiem lat. Metr sześćdziesiąt wzrostu, ważę 56 kilogramów, moje wymiary to 96–69–94, miseczka stanika „C". Mam średniej długości, lekko kręcone, brązowe włosy i zielone oczy. Jestem bardzo atrakcyjna. Nie będziesz czuł się zawiedziony.

Na ekranie mojego telewizora Niles podskakiwał w górę, a ja nie wiedziałam czy to z frustracji czy z radości. Wolałabym włączyć na powrót głos i mieć całą resztę z głowy.

– Uhmm – wycedził. Znów nastąpiła przerwa. Świetnie! To jest na pewno facet, który lubi wisieć na telefonie, zwłaszcza, że to go nic nie kosztuje. Jakiś maniak ? Czy też to po prostu rodzaj gry wstępnej?

– Nnoo, nie wiem, Tia. Co masz na sobie?

Co do diabła wymyślasz? Przecież już wszystko ustaliłeś z Peach. Masz zamiar umówić się ze mną? Co to za idiotyczna gra?

– W tej chwili właśnie wyszłam spod prysznica. Jestem owinięta ręcznikiem. Co mam na siebie założyć?

– Uhmmm – Jake ewidentnie wcale się nie spieszył – a co byś chciała na siebie założyć?

Rozciągnięty sweter, wełniane skarpetki i moje wygodne, rozdeptane pantofle, jeśli chcesz wiedzieć.

– Najlepiej się czuję w czarnej bieliźnie – powiedziałam do słuchawki tak słodko jak tylko mogłam w tych warunkach. Nie mogę zapomnieć, że najpóźniej w następny piątek będę musiała zapłacić za naprawę samochodu. Ten dupek musi dać mi na to pieniądze.

– Koronkowy stanik i majteczki, oczywiście pończochy ze szwami – kontynuowałam. – Nie rozumiem, dlaczego kobiety nie noszą już pończoch. Są takie... podniecające... – lekko zawiesiłam głos, aby dać szansę jego wyobraźni. Albo go mam, albo jest pedałem.

– Uhmm, to brzmi bardzo dobrze.

Idę o zakład, że trzyma swojego fiuta w ręku.

– Mmm, to o której możesz tu być?– zapytał.

No nareszcie przechodzimy do konkretów, mogę się zrelaksować.

– Mam zepsuty samochód, więc poproszę kolegę, żeby mnie podwiózł. Wytłumacz mi, jak do ciebie dojechać. Potem muszę zadzwonić do niego, żeby się umówić. Przyjadę najszybciej, jak tylko się da.

Żeby jakoś wynagrodzić mu fakt, że musi tyle czekać dodałam:

– Chciałabym już tam być. Podoba mi się twój głos. Jest taki... ciepły i podniecający.

– Podoba ci się mój głos?

Później będzie opowiadał kolegom, że oszalałam na jego punkcie od samego początku. Jeśli dodałabym jeszcze jakiś komplement, uznałby, że to ja powinnam zapłacić mu za seks. Chwaliłby się, że byłam na niego tak napalona, że już na sam dźwięk jego głosu w słuchawce byłam bliska orgazmu.

Wyobrażasz to sobie, prawda?

Westchnęłam, patrząc wymownie na Scuzziego (chciałam zachować chociaż jego szacunek dla mnie) i znów odezwałam się namiętnym głosem:

– Tak. Brzmi bardzo miło. Ciepło, delikatnie.

Znów te podniecające tony. Muszę przejść do konkretów:

– Jake, wytłumacz mi, jak do ciebie dojechać.

Dostałam całą listę wskazówek. Powtórzyłam je i powiedziałam, że dojazd zajmie mi około półtorej godziny. Trochę się dąsał, ale miał przecież świadomość, że jadę z Bostonu. Chciał po prostu sobie ponarzekać, żebym przypadkiem nie czuła się zbyt dobrze. Zdumiewająca jest liczba klientów, którzy to robią. Chcą mieć ten rodzaj przewagi, lubią stwarzać nam problemy, chcą mieć pewność, że będziemy dla nich pracować wyjątkowo ciężko, żeby coś im zrekompensować.

Miałam go już po dziurki w nosie. Odłożyłam słuchawkę. Aż dziesięć minut zabrało mi głupie potwierdzenie spotkania!

Zadzwoniłam na komórkę Johna. Odebrał już po drugim dzwonku i ze swoim brytyjskim akcentem powiedział:

– Tu John!

– Tu Jen! – odpowiedziałam lekko speszona – Peach powiedziała, że zawieziesz mnie do Marblehead

– Ależ oczywiście. Gdzie mieszkasz?

– Allston, zaraz za aleją Brighton. Potrzebuję parę minut, żeby się ubrać.

– W takim razie, będę u ciebie za dwadzieścia minut!

Ostatni telefon – do Peach:

– Wszystko ustalone.

– Ależ oczywiście – odpowiedziała spokojnie. Peach zawsze spodziewa się tego, że cały świat będzie się kręcił tak, jak ona zaplanuje. – Zadzwoń do mnie, jak już będziesz na miejscu. Niech John też do mnie zadzwoni. Chcę, żeby kupił mi papierosy, kiedy będziesz z klientem.

Otworzyłam szafę. No, świetnie. Jedna z najgorętszych nocy a ja właśnie zdeklarowałam się, że założę na siebie „kompletny zestaw prostytutki". Co za życie!

W ciągu tych dwudziestu minut, jednym okiem oglądając zakończenie *Frasiera*, zdążyłam nałożyć wspomniany zestaw, letnią sukienkę mini, wyszczotkowałam włosy, zrobiłam makijaż, założyłam kolczyki i bransoletkę, roztarłam na sobie kilka kropel perfum.

Mówiąc szczerze, ta Maris to straszna jędza.

Czekałam niepewnie przed moim domem, aż podjechała Corolla i kierowca, wychyliwszy się zapytał:

– To ty jesteś Jen, prawda?

– Tak.

Usiadłam na przednim siedzeniu, zamknęłam drzwi, dziękując wszystkim świętym, że w samochodzie jest klimatyzacja. Kilka minut czekania na zewnątrz wystarczyło, żebym poczuła jak kropelki potu zaczynają spływać mi po karku i wewnętrznej stronie ud. To przez te pończochy.

– O! Tylko nie on! – powiedział John, kiedy zaczęłam podawać mu wskazówki, jak dojechać do klienta.

– Dlaczego? O co chodzi? – byłam zaskoczona.

– Za każdym razem daje inne wskazówki. Dziewczyny zawsze się przez to spóźniają, a on wykorzystuje to przeciwko nim. Kiedy próbują się usprawiedliwiać, że to jego własne wskazówki, mówi im, że są głupie i źle zanotowały.

Czy to nie wyjątkowy idiota? A ja miałam za zadanie w najbliższej przyszłości dostarczyć mu rozrywek seksualnych! Za to mi płacą niezłe pieniądze.

– Proszę cię, nie mów już nic więcej!

– Nie martw się o nic – John był w doskonałym nastroju, zrobimy go w konia! Byłem tam już kilka razy. Dojedziemy nawet jeszcze przed czasem. Ale się zdziwi!

Uśmiechnęłam się z ulgą.

– John, jesteś wielki. – powiedziałam tonem komplementu.

– Nie ma sprawy – odparł. – Po prostu pamiętaj o tym, kiedy przyjdzie pora na mój napiwek.

Sześćdziesiąt dolarów i jeszcze mam mu dawać napiwek? Z ledwością udało mi się zachować milczenie. Jak dobrze mieć własny samochód, myślałam z wdzięcznością o mojej Hondzie Civic. W tej chwili wspominałam z wielką czułością każdą plamkę rdzy, każde wgniecenie na zderzaku. Ta królewska obsługa była stanowczo nie na moją kieszeń.

Przez całą drogę na północne wybrzeże słuchaliśmy stacji radiowej nadającej alternatywnego rocka, bowiem Johnowi nie przyszło nawet do głowy zapytać, jaką muzykę lubię. I mogę potwierdzić: istnieje zespół o nazwie Butthole Surfers (Surferzy

Dziury w Dupie). Przerażające. Przez dobry kwadrans zastanawiałam się, jak zrobić użytek z tej nowej wiedzy, być może wspomnieć o tym moim studentom, żeby pomyśleli, że jestem „na czasie"? Nie, chyba niemożliwe. Toteż usiadłam wygodnie i słuchałam. Po pewnym czasie doszłam do wniosku, że to ja powinnam dostać napiwek od niego.

Dojechaliśmy do otoczonego kolumnami domu w stylu kolonialnym z widokiem na półwysep (kto powiedział, że bogaci ludzie muszą mieć dobry gust?) zaledwie w ciągu trzydziestu pięciu minut.

– Ten biedak będzie bardzo rozczarowany – powiedział John.

– Pomogę mu ukoić ten ból, nie martw się. Pamiętaj, że masz zadzwonić do Peach. Do zobaczenia za godzinę.

Poczekał, oświetlając mi drogę do wejścia reflektorami, aż Jake otworzył, a ja weszłam do środka. Galant. Albo może to względy praktyczne? Gdyby był jakiś problem, musiałby zaraz zawracać, żeby mnie zabrać z powrotem. A jak ja nie zarobię to i on nie zarobi.

Przywitałam się z Jake'em. Biorąc pod uwagę to, jaki był wymagający przez telefon, ze zdumieniem stwierdziłam, że ma najwyżej metr sześćdziesiąt wzrostu, waży ponad sto kilo i jest chyba najbrzydszym facetem, jakiego w życiu widziałam. Oto potwierdza się po raz kolejny coś, co nazywam drugim prawem prostytucji: Najbrzydsi faceci mają największe wymagania.

I nawet kiedy odgrywałam rolę dziwki przed Jake'em, zastanawiałam się co sobie myśli taki John, kiedy zostawia dziewczynę pod czyimś domem, wiedząc, że będzie uprawiała seks. Najprawdopodobniej nieprzyjemny seks. Co on sobie wyobraża czekając pod domem? Czy myśli o tym, co teraz robimy? Kiedy zabiera dziewczynę z powrotem – czy czuje unoszący się zapach seksu? Czy w ogóle o tym myśli? Czy dziewczyna wydaje mu się bardziej, czy mniej atrakcyjna przez to, co robi?

Niezależnie od odpowiedzi na te pytania – facet ma dziwny zawód.

Wrócił po mnie idealnie na czas. Całe szczęście, bo Jake i ja już po pierwszych pięciu minutach nie wiedzieliśmy, o czym ze sobą rozmawiać.

– Wszystko w porządku? – zapytał John.

– Tak, dziękuję – odpowiedziałam zdumiona, że w ogóle zapytał. To takie miłe z jego strony. Jakby był jednym z tych nielicznych, którzy rozumieją, że dla mnie to był teatr, po prostu tylko praca. Po spędzeniu godziny z Jake'em bardzo tego potrzebowałam. Mądry chłopak, ten John.

– Boże, spróbuj znaleźć fajki w Marblehead o tej porze – powiedział – wszystko pozamykane. Peach powiedziała, że mam odwieźć cię do domu. Jak będzie jakieś zlecenie, to da ci znać.

– W porządku – zrozumiałam, o co tu chodzi. To był sygnał od Peach, że to wszystko na dziś. Szczerze mówiąc, było mi to na rękę. Jake nie miał klimatyzacji w domu, a wieczorna bryza, jakby przycichła kiedy uprawialiśmy gimnastykę na jego łóżku.

– Moja żona w domu swojej matki – powiedział kładąc fotografię płasko na stoliku.– Nie możemy narażać jej na takie widoki, prawda?

Trochę za późno wyrażać troskę o żonę, ty dupku.

– Zadzwonię do Peach zaraz po powrocie do domu – powiedziałam do Johna. Właśnie próbowałam sobie to wszystko jakoś podliczyć, a arytmetyka nigdy nie była moją mocną stroną. Dostałam za wszystko trzysta dwadzieścia: sześćdziesiąt dla Peach, sześćdziesiąt dla Johna. To dawało mi na czysto dwieście dolarów. Znaczyło to, że Jake nie był w stanie zamówić dziewczyny przez żadną inną agencję i dlatego Peach podyktowała (i dostała) cenę, jaką chciała.

Myślałam też o Jake'u, odwracającym zdjęcie swojej żony w tak dramatycznym geście. Zastanawiałam się, dlaczego tak jej nienawidził, że celowo, z pełną premedytacją włączył ją w to, co robiliśmy. Ale szybko odpędziłam tę myśl. Jeśli zacznę myśleć o żonach klientów, nigdy już nie podejmę się tej pracy. Pieniądze były niezłe, John okazał się miły. Dołożyłam mu ekstra dwadzieścia dolarów, zastanawiając się, czy robię z siebie idiotkę.

Nie było więcej zleceń na ten wieczór. Zdjęłam sukienkę, pończochy, pas i te szpileczki w stylu „przeleć mnie", z ulgą nałożyłam postrzępione szorty i bluzę z napisem AIDS Ride.

Związałam włosy gumką, resztę wieczoru spędziłam, oglądając *Fraziera* i jedząc moje ulubione lody. Następnie zadzwoniłam do Peach, aby wypisać się i poszłam spać.

Następnego wieczoru zrozumiałam, dlaczego John był wart dodatkowych dwudziestu dolarów.

Peach zadzwoniła koło siódmej.

– Praca – powiedziała krótko. To wszystko.

Moje życie było o wiele bardziej skomplikowane: spałam, ćwiczyłam w klubie, myślałam o swoim nowym cyklu wykładów. Pierwszy wykład będzie jak zwykle wprowadzeniem; powiem czego będę wymagać na zaliczenie, jakie książki trzeba sobie kupić. Drugi zaś będzie prawdziwym początkiem, sprawdzianem, na ile jestem w stanie zainteresować słuchaczy nowym tematem.

– Co masz dla mnie na dziś wieczór?– zapytałam.

– Mark w Chelsea.

Uśmiechnęłam się błogo. To jeden z moich stałych klientów.

Podstawową zaletą stałych klientów jest to, że już nie musisz stosować tych wszystkich gierek. Właściwie... musisz, bo przecież zawsze to jest rodzaj gry, ale przynajmniej w tym wypadku znasz już zasady. To co jest dla nas najbardziej denerwujące, to brak znajomości zasad i wymagań.

Mark w Chelsea to łatwy kawałek chleba. Mogłam przewidzieć, co będziemy robić z dokładnością, co do minuty. Usiądziemy i napijemy się okropnego wina. Popatrzymy na Boston po drugiej stronie rzeki (oczywiście pochwalimy piękny widok). To potrwa piętnaście minut. W międzyczasie Mark będzie narzekał na swoją pracę, na to, że wszyscy spiskują przeciwko niemu, żeby nie dać mu podwyżki i awansu, na które już od dawna sobie zasłużył. Zapewne nigdy by mu nie przyszło do głowy, że jest po prostu nędzną gnidą, która sprzedałaby własną matkę. Ale to bez znaczenia. Będę jak zwykle składać mu obowiązkowe wyrazy współczucia w odpowiednich fragmentach jego monologu i myśleć o tym, jakie zakupy muszę dzisiaj zrobić, albo czy już czas, żeby zmienić piasek w pudełku Scuzziego.

Potem mnie pocałuje, namiętnie, ale dość niezdarnie i będziemy udawać, że w nagłym porywie nie panujemy już nad sobą, zaczniemy się nawzajem szybko rozbierać w przygaszonym świetle salonu. Będziemy mieć stosunek na dywanie. Jedyne słowa, jakie padną, wypowiem ja, wręczając mu kondom. Będzie się starał wytrzymać jak najdłużej, potem będzie miał wytrysk, podniesiemy się z dywanu, on pójdzie wziąć prysznic. Być może przedwczesny wytrysk jest problemem dla żony lub stałej partnerki, ale, uwierz mi, call-girls uwielbiają takie przypadki. Z drugiej strony, niestety mamy dość wielu także i takich klientów, którzy za nic nie mogą osiągnąć orgazmu.

Zwykle więc kiedy Mark bierze prysznic, ja się ubieram i siadam na balkonie, kończąc swoje wino. Wraca odświeżony.

– Piękny widok, prawda? – pyta.

– Cały wieczór był piękny – odpowiadam, by sprawić mu przyjemność.

– Kiedy już dopijesz swoje wino... – mówi.

– Och, nie powinnam już pić ani kropli więcej – mówię pospiesznie.

Płaci mi. Wychodzę. Trzydzieści pięć minut od początku do końca. Zawsze tak samo. Tak, Mark był zdecydowanie jednym z moich ulubionych klientów.

– Wiesz, że na dzisiaj też potrzebuję szofera?– spytałam Peach w niedzielę.

– Jasne, nie ma sprawy. Przyjedzie po ciebie Ben. Podaj mi jeszcze raz swój adres.

Podałam.

– Świetnie, będzie czekał na ciebie na dole. Zadzwoni, kiedy będzie na miejscu.

– Dobrze, Peach. Ale pamiętaj, że Mark nie zajmuje całej godziny.

– Tak. To żaden problem. Powiedz Benowi, kiedy ma wrócić po ciebie. On bierze trzydzieści pięć dolarów.

Natychmiast sobie to przeliczyłam. Mark płacił sto osiemdziesiąt.

– Peach, to daje mi zaledwie osiemdziesiąt pięć dolarów.

– Och! Może zadzwoń do Marka i powiedz mu, że musisz zapłacić kierowcy, więc będzie to kosztować dodatkowo dwadzieścia pięć dolarów.

Nie, nie i jeszcze raz nie. Dlatego dostajesz sześćdziesiąt dolców za każde zlecenie, bez względu na to ile ja zarabiam, żebym nie musiała ustalać takich rzeczy z klientem. Wiele, jeśli nie większość agencji obciąża klienta za każdy rodzaj usługi osobno, mówiąc oględnie. Przykładowo – sześćdziesiąt dolarów za to, że dziewczyna przyjeżdża, a pozostałe usługi są kwestią negocjacji. Stosunek oralny – pięćdziesiąt dolarów. Normalny stosunek – stówa. I tak dalej poprzez wszystkie „egzotyczne" opcje, które są opłacane według pewnego rodzaju cennika stosowanego przez agencje. Jest rzeczą oczywistą, że efekt końcowy, to orgazm klienta. Jeśli chciałby jeszcze jeden orgazm, może ponegocjować. Nic nie jest sprawą przypadku i nie ma nic za darmo.

Gdybym pracowała w takiej agencji, zapewne umarłabym z głodu. Dla mnie to jakby żywcem wzięte z Rabelais'ego – targowanie się o cenę w twardy i nieustępliwy sposób, a potem rozkładanie nóg dla tego samego faceta. To był właśnie jeden z atutów agencji, prowadzonej przez Peach, że nie musiałam tego robić. Jeśli klient narzekał, że ceny są za wysokie, mogłam zawsze powiedzieć: „Skarbie, to nie ja ustalam ceny. Chętnie bym ci pomogła, ale niestety nie mam na to wpływu. Musisz porozmawiać z Peach". To daje poczucie, że w jakiś sposób jesteśmy po tej samej stronie. To także pomaga zostawić klienta zadowolonego z wizyty.

Może to tylko mój odosobniony przypadek. Przecież przekonałam się, że dla faceta nie jest żadnym problemem żeby uprawiać seks z kobietą, której nienawidzi albo na którą jest zły. Niektórzy nawet to wolą. Jest to kolejna różnica pomiędzy naszymi dwiema płciami, której nigdy, przenigdy nie będę w stanie zrozumieć. W zasadach, na jakich działała agencja Peach, podobało mi się też to, że klient nie płaci za seks, za jakieś konkretne gry lub sposób zachowania. Płaci za godzinę czasu spędzonego z call-girl. Może mieć tyle orgazmów, ile jest w stanie osiągnąć. Może po prostu rozmawiać albo zażyczyć sobie jakiejś specjalnej pozycji, albo po prostu odbyć zwykły stosunek. Może bawić się w teatr, może trwać w przekonaniu, że dziewczyna przyszła do niego, bo jej się spodobał. To bardzo duży atut. Klienci próbują także korzystać z innych agencji – nie łudźmy się, że są lojalni – ale większość z nich wraca do Peach. Ta agencja daje to, czego nie mogą dostać w innych. Marzenia. Fantazje. Złudzenia. Poczucie własnej wartości.

Nie miałam więc zamiaru robić tego, co agencja Peach musiała zrobić dla mnie. Chrząknęłam.

– Nie, Peach. Nie mam czasu do niego dzwonić. Muszę się ubrać i przygotować.

Przeciągłe westchnienie. Miało wywołać we mnie wyrzuty sumienia, że ją na to narażam.

– Dobrze, Jen. Zajmę się tym. Bądź gotowa, kiedy podjedzie Ben.

– Możesz na mnie liczyć, Peach.

Jeszcze jedną wspaniałą cechą Marka z Chelsea było to, że zupełnie nie zwracał uwagi, w co byłam ubrana, byle tylko było łatwo to zdjąć, gdy tarzaliśmy się po dywanie. Jak najmniej guzików, jak największy komfort. Założyłam sandały i letnią sukienkę z zamkiem błyskawicznym z przodu aby ułatwić Markowi zadanie. Pomalowałam rzęsy. Odrobina perfum. I przygotowania były zakończone.

Ben zadzwonił ponad pół godziny później.

– Jestem na dole – obwieścił.

Złapałam klucze i torebkę, której używałam do pracy – żadnych pieniędzy, żadnych dokumentów, kilka chusteczek i trzy-cztery kondomy. Na wszelki wypadek. Ben miał jakiś ogromny, amerykański samochód. Spostrzegłam od razu, że wszystkie okna były pootwierane, a także to, że w samochodzie siedziały już trzy pasażerki. Nie zachwyciło mnie to.

– Wsiadaj, wsiadaj! – Ben był dziwnie podenerwowany.

Nie byłam pewna, gdzie mam usiąść. Otworzyłam więc tylne drzwi i przyłączyłam się do innych dziewcząt. Ben spojrzał na swoją listę.

– Zobaczmy. Tracy pierwsza. Do Brooklynu, zgadza się?

Kobieta o rudych włosach, siedząca przy oknie z drugiej strony samochodu potwierdziła:

– Tak. Przy Coolidge Corner.

Ben wycofał samochód, niemal potrącając przy tym starsze małżeństwo przechodzące po pasach i włączył radio. Rap. Głośny. Przeraźliwy.

Najdziwniejsze jest to, że był czas, kiedy słuchałam rapu. Zapewne z powodu mojej żyłki antropologa. Wtedy wydawało mi się, że to, co rap ma do przekazania jest prawdziwe, bliskie życia, nie zepsute. To było jeszcze zanim zaczęli śpiewać o zapładnianiu wiedźm i wysadzaniu ludzi w powietrze. Były to czasy, kiedy rap był migawką codzienności, przekazywał jakąś wiadomość, opowiadał historie o życiu pełnym biedy i beznadziei. Wtedy gdy po prostu pokazywał życie zamiast ekscytować się ponurą interpretacją tego, co ono przynosi. Nawet przypomniały mi się jakieś teksty z tamtych czasów, musiały wywrzeć na mnie wrażenie, skoro je pamiętam: „Szczury w pokoju, karaluchy w kuchni, nie mogę znieść smrodu, mam dosyć hałasu..." Kto to śpiewał? Jakaś dziwna nazwa... no właśnie: „Grandmaster Flash" i „The Furious Five". Tak, lata osiemdziesiąte. Czasy kiedy raczej chcieliśmy się porozumieć, niż przyjmować pozy, zanim nastał rap gangsterski, upokarzanie kobiet, apoteoza testosteronu. Chyba się starzeję – pomyślałam – bo właśnie chciałam napomknąć o starych dobrych czasach, kiedy świat był niewinny. Moja babcia powtarzała, że świat stracił swoją niewinność podczas pierwszej wojny światowej. Jakże mało w życiu widziała...

Chcąc, nie chcąc musiałam wrócić do rzeczywistości. Nie dała się dłużej ignorować, bo zwykłe oddychanie stało się problemem. *Shalimar* i *Obsession* walczyły o pierwsze miejsce na tylnych siedzeniach. Nie pasowały do siebie i zaczęłam wspominać z wdzięcznością Johna, jego samochód z klimatyzacją i nawet tego alternatywnego rocka.

Zanim Ben dowiózł mnie na miejsce („Tia, wychodzisz, Chelsea"), byliśmy w Brooklynie, potem na ulicy Newbury, nadrabiając nieco drogi, tak żeby blondynka z przedniego siedzenia dotarła pod samą bramę domu przy Beacon Hill. Cały czas widziałam, jak Ben schyla się nad czymś, co leży z przodu i nabrałam podejrzeń, że to jego nieustanne pociąganie nosem nie jest wynikiem kataru. Kiedy wysiadłam, przez otwartą przednią szybę przypomniałam Benowi:

– Wiesz, że będę wracać za trzydzieści pięć minut, prawda?

– Nie da się zrobić, skarbie – powiedział.

Teraz widziałam wszystko dużo dokładniej i byłam pewna, że to nie jakaś paranoja, on cały czas wciągał kokę schowaną w magazynie „People" na przednim siedzeniu. Obok walały się karty kredytowe i zwitki banknotów. Byłam tym zaskoczona. Przecież gdyby zatrzymała nas policja... Żegnaj praco, żegnaj moja przyszłości! Naprawdę się wkurzyłam!

– Co znaczy „nie da się zrobić"? – mój głos był naprawdę ostry.

Znów sobie pociągnął i odparł:

– Mam swój rozkład. Tracy będzie w Brooklynie dwie godziny, ale godzina Tiffany zaraz się kończy, a zaraz po niej muszę odebrać Lisę. Będę tu za godzinę.

Zapalił silnik, żebym zrozumiała jak ważny jest jego rozkład jazdy.

Otworzyłam drzwi samochodu.

– Klient nie zatrzymuje mnie dłużej niż trzydzieści pięć minut. Nie chce, żebym zostawała u niego na całą godzinę. Jest stałym klientem i muszę dbać o to, żeby był zadowolony.

– No, to obciągnij mu druta po raz drugi, to go uszczęśliwi.

Gdyby stał przede mną, moja odpowiedź byłaby natychmiastowa i zwalająca z nóg. W tej sytuacji, jednak, mogłam zdziałać niewiele, ale wpadł mi do głowy pewien świetny pomysł.

– No cóż, masz rację – powiedziałam z uśmieszkiem. – O! Masz „People?" Wspaniale! Poczytam sobie, czekając na ciebie.

Zanim zdołał mrugnąć okiem, złapałam magazyn, odsunęłam się lekko od okna i zaczęłam się nim wachlować. Kto wie, ile kokainy wyleciało ze środka prosto na samochód i na ulicę? Zupełnie mnie to nie obchodziło.

Znam ludzi, którzy twierdzą, że mężczyźni w naszych czasach już nie obrażają kobiet. Wiem lepiej – większość kobiet wie – ale na szczęście w tym wypadku nie musiałam tego słuchać.

Musiałam jednak słono za to zapłacić: Ben nie przyjechał po mnie, a znalezienie taksówki w Chelsea w upalną niedzielną noc graniczy z cudem. Rozumiesz mój ból...

Peach była na mnie wściekła.

– Ben się na mnie obraził. Co się stało? Myślisz, że tak łatwo jest znaleźć kierowcę?

– Chyba nie jest łatwo, ale to nie znaczy, że masz ich szukać w szambie! – wykrzyczałam do słuchawki. Była już pierwsza w nocy. Moje łatwe zlecenie zamieniło się w wędrówkę przez piekło, nie było już szansy na drugie zlecenie, a jej się wydaje, że będzie mnie za to opieprzać!

– No dobrze, powiedział ci, żebyś zrobiła coś ekstra. Jest świnią, ale musisz umieć reagować na to, że ktoś cię obraża. Klienci robią to ciągle.

– Taak. Właśnie dlatego nie mam zamiaru tolerować tego od kogoś, kto pracuje dla mnie. Klienci mi płacą, Peach. Ale nie wchodźmy w ten temat, bo zupełnie nie o to chodzi. Czy zdajesz sobie sprawę, że on cały czas wciąga kokę, którą wozi „na widoku" na przednim siedzeniu?

Zapanowała cisza. Nie wiedziała. Toteż wykorzystując moją przewagę kontynuowałam:

– Wściekł się na mnie, bo mu przez przypadek wywaliłam całą kokę przez okno.

Może to nie było tak zupełnie przez przypadek, ale ona nie musi o tym wiedzieć. A on nie miał szansy przy tak napiętym harmonogramie zdobyć dla siebie nowego zapasu koki.

– Czy zdajesz sobie sprawę z tego, co by się stało, gdyby zatrzymała go policja. A nas razem z nim!

Tak naprawdę to byłam przeciwna żeby jeden szofer obsługiwał kilka dziewcząt w tych samych godzinach, ale wiedziałam, że sprawa ewentualnego ryzyka aresztowania zadziała na Peach dużo silniej. Od samego początku, od kiedy założyła agencję, nigdy żadna z dziewcząt nie miała kłopotów z policją, żadna nie była pobita. Ciągnęłam więc swój wywód dalej:

– Peach, to jest bomba zegarowa. Nie chodzi o to, że wącha, ale o to, że robi to publicznie. Nawet wtedy gdy rozwozi twoje dziewczyny. Będzie z tego kupa kłopotów.

Uwierzyła mi. To jest jedna z dobrych cech Peach: jeśli raz zdecyduje, że jesteś godna zaufania, naprawdę ci ufa. Zwłaszcza, że poznała mnie lepiej przez tych kilka tygodni od czasu naszego spotkania niż większość ludzi, którzy znają mnie od wielu lat. Wiedziała, że nie kłamałabym w takich sprawach.

– Oddzwonię do ciebie – powiedziała zimnym głosem, jak zawsze wtedy, gdy jej mózg pracował na przyspieszonych obrotach.

– Ale już nie dzisiaj! Wypisz mnie. Biorę kąpiel w pianie, wypijam całą butelkę wody. Uwaga, Peach: w Chelsea nie ma żadnych taksówek, a autobusy jeżdżą co godzinę. To była cholerna lekcja dla mnie. Dobranoc!

– Czekaj!

Ale ja już odłożyłam słuchawkę i bardzo mi się ta scenka spodobała. Nieczęsto miało się okazję skończyć rozmowę z Peach. Zwykle to ona kończyła.

Odebrałam swój samochód następnego dnia i pierwsze co zrobiłam, to pocałowałam jego nowe opony.

Patrząc na to wszystko z dzisiejszej perspektywy, dochodzę do wniosku, że Ben relatywnie rzecz biorąc, nie był wcale taki najgorszy.

Niektóre agencje wymagały, żeby dziewczyna używała szofera. Był to rodzaj kontroli. Kazali dziewczynom, zwłaszcza nowym, wykonywać pięć zleceń każdego wieczoru, a kiedy już padały z nóg, szofer oferował bezpłatnie pomoc – trochę kokainy – taki mały „podtrzymywacz".

Ale następnego razu już nie było bezpłatnie, dziewczyna musi obsłużyć sześciu klientów, kierowca zawsze ma coś przy sobie. (Peach preferuje kobiety-kierowców, ale pozostałe agencje zawsze używają facetów). Po pewnym czasie dziewczyny nie są w stanie funkcjonować bez narkotyku, a więc większość zarobionych pieniędzy znika w kieszeni szofera. Jeśli pomyśleć o tym, Ben nie był taki zły.

W tych czasach wszyscy brali kokainę. Ekstazy jeszcze nie wróciła do klubów, heroina straciła swój urok, a kokaina dzięki licznej populacji emigrantów z Ameryki Łacińskiej stała się „specjalnością dnia". Nie można było się na nią nie natknąć, jeśli choć odrobinę czasu spędzało się wieczorami poza domem. Oferowali ją taksówkarze. We wszystkich klubach kolejki do damskich toalet były nie za potrzebą, ale po to, by użyć blatu przy umywalce do uformowania charakterystycznej kreski koki. Większość naszych klientów także brała. Ja też, ale jakby z nieco innych powodów. Brałam, bo No-Doz i espresso już mi nie pomagały.

Nie wzięłam pod uwagę w moim genialnym planie, że tak długo przyjdzie mi palić tę świeczkę z obu stron.

Wykład „O śmierci i umieraniu" był zaplanowany, bardzo dla mnie wygodnie, na późne popołudnie. Większość pielęgniarek, które w nim uczestniczyły, kończyło pracę o 15.30, a wykład zaczynaliśmy o 16.00. Niestety w przypadku „Życia w Azylu" nie było tak przyjemnie. Jako wykładowca z najkrótszym stażem dostałam zajęcia o 8.00 rano. Każdy poniedziałek, środa i piątek. Nienawidzę wstawać tak wcześnie, a wziąwszy pod uwagę moją pracę wieczorami, wydawało mi się, że nie jestem w stanie tak żyć.

Przypuśćmy, że wracam do domu o drugiej nad ranem, ciągle jeszcze pod wrażeniem tego co robiłam. Nikt nie kładzie się spać natychmiast po powrocie z pracy. Piję więc herbatkę ziołową albo lampkę wina, biorę kąpiel, przeglądam gazetę albo włączam TV. Najczęściej jednak czytam. Nocne godziny są świetne na czytanie kryminałów. Mam swoich ulubionych autorów jak Michael Connelly, Kathy Reichs, Tony Hillerman. Potem zasypiam, a zanim zdąży mi się coś przyśnić odzywa się budzik. Jest szósta trzydzieści a za półtorej godziny mam być w doskonałej kondycji, pełna poczucia humoru. Obudzona.

Odwlekam moment wstania z łóżka odrobinę za długo, za co spotyka mnie kara – ekspres do kawy odmawia posłuszeństwa.

Z drugiej strony sprawa wygląda tak samo źle. Ustalam, że mogę wykonać tylko jedno zlecenie o jak najwcześniejszej porze. Idę do klienta na ósmą. Wydawać by się mogło, że to idealne rozwiązanie. Ale klientowi się podoba i przedłuża wizytę o kolejną godzinę, potem o jeszcze jedną. O jedenastej wyczerpuje się już cała moja energia, nie przychodzą mi do głowy żadne nowe dowcipy ani sztuczki. Ale chcę, żeby klient dzwonił po mnie w przyszłości, więc za wszelką cenę muszę odzyskać swoją świeżość utraconą ponad godzinę temu.

Na krótką metę rozwiązanie było dziecinnie proste – trochę koki rano („śniadanie mistrzów", jak to nazwała jedna z dziewczyn), aby wyostrzyć spojrzenie na świat. A w nocy – krótka wyprawa do łazienki klienta, aby zrobić siusiu, a przy okazji znów wciągnąć porcję koki. Wyrastają mi skrzydła, klient jest zadowolony, a ja opuszczam jego mieszkanie z mnóstwem zarobionych pieniędzy.

Logiczne. Łatwe.

Może niezbyt dobre dla zdrowia.

Nawet jeśli wykluczyć pozbawionych skrupułów szoferów zachęcających dziewczyny do brania koki i tak można się spodziewać, że wiele z nich korzystałoby z niej i uzależniło się. Ta praca w sposób nieunikniony łączy się z nadużywaniem alkoholu i narkotyków. Jeśli ktoś jest choć trochę podatny, to tak jakby zapraszał upiora, żeby przyszedł i rozgościł się u niego.

Zresztą, to nie był tylko nasz problem. Wydaje mi się, że przez kilka ładnych lat wszyscy w tym mieście brali kokę. Był to czas zanim kokainiści popełnili kolejny błąd w swoim życiu, przeprowadzili się na przedmieścia, wybudowali domy, pożenili się, mieli dzieci, kupili sobie terenówki i wydali ostatnie grosze na boisko do piłki nożnej oraz drewniany taras wokół domu. I nie mogli już kupować kokainy. Przez to wyglądali cały czas na zmęczonych i pozbawionych chęci życia. Chyba naprawdę mogliby jeszcze trochę pośpać.

Ja miałam szczęście. To wszystko, co mogę powiedzieć. Nie miałam żadnych specjalnych zdolności czy wiedzy, która mogłaby mi pomóc uchronić się przed uzależnieniem od alkoholu lub narkotyków.

Być może moja osobowość jest odporna na uzależnienia, bo mówiąc szczerze przez cały okres pracy w agencji stanowczo przesadzałam z tymi wszystkimi używkami. Czyste, głupie szczęście. Gdyby nie to, w najlepszym wypadku pisałabym tę książkę w zakładzie odwykowym. Jeśli miałabym zupełnego pecha, straciłabym pracę na uczelni, straciłabym swoje życie. Egzystowałabym w jakimś slumsie, uprawiając każdy rodzaj seksu za działkę koki. Wiem, że tak się zdarza.

Wywinęłam się.

Nie wszystkim to się udało.

Rozdział dziesiąty

Pracując jako call-girl poznałam wielu narkomanów.

Jak to w pracy – poznaje się wielu ludzi, najróżniejszych. Tyle, że prostytucja przyciąga skrajności.

Sophie spotkałam po raz pierwszy podczas zlecenia zaaranżowanego przez Peach. Kiedy dojechałam do klienta, Sophie, nie związana wtedy z żadną agencją, już tam była. Klient skontaktował się z nią bezpośrednio, a później zadzwonił do agencji, żeby umówić się z drugą dziewczyną.

To było najwspanialsze zlecenie w całej mojej karierze. Sophie i ja byłyśmy nieprawdopodobnie zsynchronizowane ze sobą. Była przepiękną Chinką, z czarnymi, błyszczącymi włosami i nieziemsko pięknym ciałem. Klient był nami zachwycony, my też czułyśmy się świetnie, śmiałyśmy się i bawiłyśmy, a na koniec – już w korytarzu hotelowym – o jedenastej wieczorem, okazało się, że dostałyśmy mnóstwo pieniędzy.

– Chodźmy do mnie na drinka – zaproponowała Sophie – zróbmy sobie wolne na resztę wieczoru.

Nie trzeba mnie było namawiać. Wypiłyśmy z klientem trzy butelki Mouton–Cadeta i nie byłam zachwycona tym, że mam jechać taki kawał drogi do siebie. Byłyśmy w Framingham, Sophie mieszkała w sąsiednim miasteczku – w Natick. A zresztą naprawdę ją polubiłam. Kiedy byłyśmy w łóżku z klientem, Sophie rzucała cytatami z Pascala. Znała język angielski, mandaryński, kantoński, francuski i trochę – wietnamski.

Mówiła swobodnie, spontanicznie, jej wypowiedzi brzmiały tak czysto, że wydawało się jakby to była poezja lub pieśń, a nie zwykła rozmowa. Zadzwoniłam do Peach, wypisałam się i pojechałam do Sophie. Jej mieszkanie było nieco zwariowane, zapełnione zwierzętami zrobionymi z papier-mâché. Wielka żyrafa pochylała się nade mną gdy siedziałam na krześle, tygrys prężył się przy wielkim oknie balkonowym. Nad głową wisiały różne, bajecznie kolorowe ptaki. Zebra pilnowała wejścia do kuchni; jakieś niezidentyfikowane torbacze usadowiły się w łazience. Zwierząt było pełno wszędzie. Ich jaskrawe kolory kontrastowały z ciężkimi meblami w kolorze ciemnej wiśni, które dopełniały całości wnętrza.

Sophie podała mi butelkę piwa Sam Adams i zadzwoniła do kogoś. W ciągu dwudziestu minut miałyśmy gości – trzech bardzo przystojnych, młodych mężczyzn – jej przyjaciół. Żaden nie był Chińczykiem, co oczywiście nic wtedy dla mnie nie znaczyło.

Przynieśli ze sobą ogromne ilości kokainy. Siedzieliśmy, piliśmy, rozmawialiśmy i podawaliśmy sobie co jakiś czas pudełko od płyty kompaktowej, na którym formowaliśmy kreski koki do wciągnięcia. Sophie co chwila znikała, a kiedy szukając łazienki przez pomyłkę weszłam do kuchni, zobaczyłam, że szykuje kokę w postaci wolnej zasady, żeby można było ją palić.

– Mam nadzieję, że nie masz nic przeciwko temu? – zapytała.

Wzruszyłam ramionami. W końcu to jej dom, a zresztą sama byłam już nieźle naćpana i strasznie mi się spodobał jeden z jej przyjaciół. Jak dla mnie, to mogła sobie nawet dawać w żyłę – co mnie to obchodzi.

Wkrótce jednak okazało się, że powinno mnie to obchodzić. Zaprzyjaźniłam się z Sophie i dostałam twardą nauczkę, taką, jaką dostaje każdy, kto przyjaźni się z narkomanem. Nie wiedziałam wtedy, że jedynym prawdziwym, pierwszoplanowym, wyłącznym związkiem był dla niej związek z narkotykiem. Mimo że usiłowała przekonać ludzi, iż jest inaczej, narkotyk zawsze wysuwał się na pierwsze miejsce. Ludzie – to dodatek, coś wtórnego. Może ich lubiła, może nawet kochała, ale nigdy nie potrzebowała ich tak bardzo jak narkotyku. Zdradziłaby każdego, zrobiłaby wszystko za działkę kokainy. Tak naprawdę, tylko to się liczyło. Oczywiście, kiedy poznałam Sophie, nie miałam o tym pojęcia. Sama też przecież brałam i jakoś radziłam sobie w życiu. Dlaczego w jej przypadku miałoby być inaczej? Myślałam, że większość ludzi radzi sobie dobrze w tych sytuacjach, zresztą Sophie wyglądała tak atrakcyjnie, tak młodo; wydawała się silna, pełna czułości i bardzo mądra.

Upłynęło dużo czasu, zanim zorientowałam się, że jedno nie ma nic wspólnego z drugim, że upiory nie wybierają tylko biedaków, niewykształconych, zdesperowanych. Chętnie zajmą się także kimś w pełni sił życiowych, kimś inteligentnym, obdarzonym wieloma talentami.

Próbowałam ją uratować za wszelką cenę. Drogo mnie to kosztowało. Straciłam poczucie własnej wartości, bo skoro nie umiałam jej pomóc...

Przypomina mi się program dokumentalny w telewizji BBC. Ktoś mówił o heroinie.

– Wiecie co? Jak sobie dacie w żyłę pierwszy raz, możecie iść i wynająć ciężarówkę do przeprowadzek. Podjedźcie pod swój dom, spakujcie wszystko co macie, cały dobytek i waszych bliskich. Po co czekać – i tak to wszystko stracicie. Zróbcie to od razu. Myślicie, że jesteście tacy mądrzy i wam się to nie przydarzy? Bzdura. Nie wywiniecie się, to tylko kwestia czasu.

Wtedy tego nie rozumiałam, ale od czasu kiedy zaczęłam pracować w agencji, dotarł do mnie sens tych słów. I nie dotyczyło to tylko heroiny. Kokaina była tak samo wredna.

W teorii wszystko wydaje się jasne. W praktyce – jeżeli chcesz rozedrzeć swoją duszę na strzępy, zapewnić sobie co najmniej kilka koszmarnych nocy co miesiąc do końca życia – to proszę, spróbuj pomóc narkomance. Twoje życie już nigdy nie będzie takie jak przedtem, daję ci słowo.

Nie bardzo wiem, jak wytłumaczyć moją fascynację Sophie. Uwielbiałam nasze rozmowy, jej głębokie przemyślenia, jej nagłe wybuchy śmiechu z byle powodu. Uwielbiałam sposób, w jaki mówiła, słowa odzwierciedlające charakter jej języka ojczystego, alegorie i symbole, wyrażanie myśli w sposób poetycki, nieprzetłumaczalny na żaden język zachodni. Kiedy coś pisała, brzmiało to jak haiku. Kiedy mówiła, to jakby recytowała wiersze, wydawało się, że słowa, sąsiadujące ze sobą, dziwią się sobie nawzajem.

Jak już wspomniałam, pracowałyśmy razem, kiedy tylko nadarzała się okazja. Starałyśmy się także spędzać ze sobą czas, który pozostawał mi po zajęciach ze studentami i po jej pracy na pół etatu w eleganckim biurze na piątym piętrze biurowca w Chinatown, gdzie tłumaczyła raporty ekonomiczne dla grupy doradców z jakiejś organizacji non–profit. W każdym razie taka była jej praca, kiedy ją poznałam.

Któregoś dnia wybrałyśmy się do Walden Pond w Concord. Spacerowałyśmy ścieżką wokół jeziora. Była już późna jesień, liście zmieniły kolor i opadały, szeleszcząc pod stopami. Nad jeziorem cicho i majestatycznie kołował jastrząb, rozkładając skrzydła, by jak najlepiej wykorzystać prądy powietrzne.

Mówiąc uczciwie – nie zauważyłam go. Byłam zajęta patrzeniem pod nogi, na ścieżkę i nie zdawałam sobie sprawy, że coś tak pięknego dzieje się obok. To Sophie złapała mnie za rękę szepcząc: „Patrz..." Nie mogła oderwać oczu od sylwetki ptaka, który z wdziękiem nie do opisania krążył nad nami. Podążyłam wzrokiem za jej palcem, ale za chwilę odwróciłam się, by popatrzeć na Sophie, na jej zdumienie, na to jak była pochłonięta patrzeniem, na jej zrozumiały, zniewalający zachwyt nad pięknem jastrzębia, dnia, jeziora. Pamiętam, że pozazdrościłam jej głębi odczuwania.

Jako dziecko Sophie była molestowana seksualnie przez wroga, którego nie można się pozbyć – przez własnego ojca. Robił to, dopóki nie osiągnęła wieku dojrzewania, a potem – kiedy już zaczęła wyglądać jak kobieta – brutalnie ją odtrącił. Byłą jedynaczką. Jej rodzice wiernie przestrzegali zasady, wprowadzonej w Chinach, że należy mieć tylko jedno dziecko. Nie miała żadnych braci ani sióstr, którzy wiedzieliby i być może potrafiliby nauczyć ją tego czym jest miłość, rodzina, prawda.

Powinna była to zrobić matka, ale przecież ona także była jako dziecko wychowywana w tradycyjnym chińskim domu i nie miała takiej wewnętrznej siły, która pozwoliłaby jej zwalczyć dogmaty. Nie poddawała nawet w wątpliwość słuszności tego, co robi jej mąż, bo nie wolno jej było w tę słuszność wątpić. Przemykała się więc na paluszkach po korytarzu, zamykając drzwi do swojej sypialni i przesiadywała na łożu małżeńskim czekając... Na co? Na odkupienie? Przebaczenie? Zbawienie? Wyobrażam ją sobie, jak siedzi tak patrząc przed siebie tym niewidzącym spojrzeniem, głucha, nic nie wiedząca, bo posiadanie takiej wiedzy byłoby równoznaczne ze śmiercią. Wyobrażam sobie jej połatany szlafrok, jej beznamiętną twarz. Nie umiem jej wybaczyć. Jestem w stanie przyjąć, że nigdy nie zrozumiem jej desperacji i beznadziei, ale przecież miała dziecko – krew z jej krwi, ciało z jej ciała. Może nawet płakała z bólu, że jej dziecko było gwałcone. Wyobrażam sobie także ojca Sophie, ale nie jestem w stanie myśleć o nim racjonalnie. Rozsadza mnie wściekłość.

To jednak jest dziwne: w czasie swoich studiów, w mojej pracy zaliczeniowej z psychologii, która jak się okazuje nie miała zbyt wiele wspólnego z faktami, przyjęłam tezę, że większość kobiet, uprawiających prostytucję doświadczyło w dzieciństwie kazirodztwa lub innego rodzaju molestowania seksualnego. Wyobrażałam sobie, że w swoich stosunkach ze starszymi klientami będą próbowały desperacko szukać tej miłości i akceptacji, których brakowało im w rodzinie. Myślałam także, że pewien procent kobiet wykorzysta tę sytuację, aby zemścić się, ukarać mężczyzn – jako gatunek – za to czego od nich doznały. Okazało się, że nie miałam racji: albo moje założenia były zupełnie pozbawione podstaw, albo Peach naprawdę potrafiła poradzić sobie z tym problemem w taki sposób, że ból spowodowany przez udręki z dzieciństwa nie pogłębiał się w pracy w jej agencji. Myślę, że to drugie jest bliższe prawdy; Peach miała swoją własną szafę z upiorami, a niektóre z nich były naprawdę krwiożercze. Nie zamierzała dokarmiać cudzych upiorów.

Francuzi mają termin: „podróżnik do wewnątrz siebie" – określający ludzi, którzy uważają, że tym, co najbardziej wzbogaca i daję najgłębsze zadowolenie są podróże, odbywane w poszukiwaniu własnej duszy. Sophie sprawiła, że zrozumiałam znaczenie tego wyrażenia, była jego uosobieniem. Zawsze działała na pograniczu swoich możliwości, jakby chciała dowiedzieć się jak daleko może się posunąć. Nie wiem, jakie książki czytała po chińsku; widziałam jednak literaturę anglojęzyczną, której poświęcała całe godziny. Przedziwne kombinacje, które jeśli się dobrze zastanowić, mają ze sobą coś wspólnego: Jung i Anne Rice, Sartre i Mary Shelley, Françoise Sagan i Dostojewski, Calvino i Hemingway.

Opowiadała o tych książkach, ale w zupełnie inny sposób niż opowiada większość z nas. Zwykle postrzegamy literaturę poprzez zdarzenia wpisane w linijki, charakterystykę postaci, akcję, dialogi. Dla Sophie nie miało to żadnego znaczenia. Podążała ścieżkami, prowadzącymi do wnętrza spraw i znaczeń, szukała ukrytych w nich prawd, nie do końca udzielonych odpowiedzi. Wnikała do wnętrza słów, poszukując drogowskazów do poznania duszy, bezbłędnie wychwytując miejsce, w którym autor nie zrobił już kolejnego kroku w przód, co pozwoliłoby mu dotrzeć do czegoś znacznie większego, ważniejszego, prawdziwszego. Sophie dużo mówiła o tym, że chętnie godzimy się na stabilizację, na zwyczajne życie, bo nie chcemy zaryzykować naszych przekonań, naszych ego i dusz aby zmusić się do pójścia dalej. Być może był to jakiś rodzaj jej obsesji.

Podarowała mi chińskie naczynie ceramiczne w kształcie walca, na którym były chińskie litery.

– To poemat. Przepiękny. – powiedziała – Napisał go wspaniały mężczyzna, który osiągnął sławę zarówno jako polityk, jak i literat, ale naraził się i został uwięziony. Napisał te słowa w więzieniu. Są wizjonerskie, zawierają myśli, które nigdy wcześniej nie przychodziły mu do głowy.

Przypomniały mi się moje własne lektury w czasach, kiedy chodziłam do szkółki parafialnej i u wielkich teologów usiłowałam znaleźć odpowiedzi na nie dające mi spokoju pytania. Nie mogłam się niczego doszukać, prawie już zrezygnowałam, aż wreszcie natknęłam się na Tomasza z Akwinu. W jednym ze swoich listów do uczniów napisał: „Ujrzałem rzeczy, które sprawiły, że wszystkie moje dzieła stały się jak źdźbło trawy".*

Myślę, że Sophie także miała wgląd w takie rzeczy. A jeśli nawet nie miała, to była pewna, że one gdzieś istnieją, co już samo w sobie jest wiedzą bogatszą niż ta, którą większości z nas udaje się zdobyć przez całe życie. Wciąż mam to naczynie. Stoi teraz na moim biurku, wypełnione przedziwną kolekcją piór, ołówków i starych spłowiałych wstążeczek. Patrząc na te pięk-

---

* tłum. – B. J.

nie wykaligrafowane litery, zastanawiam się jaka jest ich moc w uskrzydlaniu słów, jakie marzenia potrafią otwierać, ile swej magii wyszeptały kiedyś do Sophie.

W jej mieszkaniu nie było prawie nic, co wskazywałoby na jej chińskie pochodzenie. Była lampa z papieru ryżowego nad łóżkiem, z delikatnymi motywami pisma, były pałeczki w szufladzie kuchennej, garnek do ryżu, jakieś rekwizyty, które można znaleźć wszędzie. Był wypchany lew z Chin, którego dostała od swojego dawnego ukochanego, przywieziony z regionu, który słynie z takich lwów. Nigdy nie wspominała o tym mężczyźnie. Po tym jak mi opowiedziała o swoim strasznym dzieciństwie, nigdy więcej nie wspomniała już o swojej rodzinie. Nie, pewnego razu, w chwili słabości wyznała, że tęskni za zupą ryżową, którą jadła zwykle na śniadanie w dzieciństwie, za jej zapachem, za widokiem matki mieszającej w garnku, za jej surową i pełną determinacji twarzą.

Myślę, że Sophie celowo odwracała się plecami do wszystkiego, co chińskie, jakby to było nierozdzielną częścią jej zniszczonego dzieciństwa. Mówiła o Chinach tylko wtedy, kiedy ją o coś zapytałam, a jej odpowiedzi były krótkie i zdawkowe.

Po pewnym czasie już nawet nie pytałam.

Pracowałyśmy więc razem, kiedy tylko było to możliwe. Sophie miała swoich prywatnych klientów i często była w stanie ich przekonać, żebym przyłączyła się do nich. Nie mówiłam o tym Peach – to nie byli jej klienci i nie mieli nic wspólnego z jej agencją. To były naprawdę dobre czasy. Mnóstwo śmiechu i szampana, spontaniczne i radosne chichotanie Sophie..., tak, mogę przysiąc, że jej śmiech rozbrzmiewał szczęściem. Może właśnie w tych chwilach, kiedy grała jakąś rolę, wcielała się w jakąś postać, naprawdę czuła się szczęśliwa? Nie wiem.

Wiem tyle, że natychmiast po powrocie do swojego mieszkania zaczynała palić. Często miała u siebie kokainę; kiedy wąchałyśmy ją z klientem zwykle prosiła o trochę koki w prezencie. W innych wypadkach dzwoniła po dostawę. To jak w barach Dining In, myślałam cynicznie, tyle, że ci chłopcy zawsze mają otwarte. Kiedy biznes idzie świetnie, nie ma sensu przestrzegać godzin pracy. Brałam ze sobą swoje piwo, wino czy koktajl i siedziałam z nią w kuchni, kiedy przygotowywała kokę do palenia. Przeważnie sama byłam trochę naćpana po tej porcji, którą brałam u klienta; ostatnią rzeczą, której chcesz w takich chwilach jest siedzenie samej w domu z żyrafą, zaglądającą ci przez ramię. Pragniesz rozmawiać, i tak właśnie plotąc trzy po trzy, udawałyśmy, że to co ona robi jest zupełnie normalne.

Przygotowując kokainę, wypalała w międzyczasie kilka papierosów. Do fajek, w których pali się krak potrzebny jest popiół, żeby można było ciągnąć dym. Mieszała kokę i sodę w probówce, dodawała trochę wody i potrząsała mieszanką, trzymając ją nad palnikiem gazowym. Później siadałyśmy, słuchałyśmy muzyki, gadałyśmy, od czasu do czasu wciągnęłam kreskę koki, a ona z wielką uwagą odmierzała sobie pociągnięcia fajki. Zamykała oczy, odchylała się do tyłu, a na jej twarzy pojawiał się wyraz czystej, erotycznej przyjemności. Nie dawało mi to spokoju: lubiłam działanie kokainy, ale nigdy nie doznałam dzięki niej przyjemności, którą odczuwałabym aż tak mocno.

Sophie, oczywiście, zaczęła podawać mi fajkę i właśnie wtedy dotarło do mnie to, co mówił ten facet w programie telewizji BBC. To była nagła, niespodziewana, pulsująca przyjemność, niepodobna do niczego, co kiedykolwiek przeżyłam. Lekkie dzwonienie w uszach a potem eksplozja... cóż słowo ekstaza być może jest nieco przesadne, ale było to coś bardzo jej bliskiego. Było to lepsze niż seks. Ba! Było lepsze od wszystkiego, czego do tej pory doświadczyłam.

Chciałam zrobić to kolejny raz, a z drugiej strony chciałam wrócić do chwili, kiedy tego jeszcze nie spróbowałam.

Zapewne bardzo dobrze się stało, że po tamtej nocy nasze kontakty się rozluźniły. Na pewno dobrze dla mnie. Polubiłam kokainę w postaci wolnej zasady. Za bardzo polubiłam...

Rozmawiałam z Sophie przez telefon, ale nie spotykałyśmy się przez prawie dwa miesiące. Pewnego wieczoru zadzwoniła, powiedziała, że wypożyczyła film *Fargo* i jeśli chcę to możemy obejrzeć go razem. Próbowałam wypożyczyć ten film już od dwóch tygodni, a poza tym brakowało mi Sophie. Dałam Scuzziemu jeden z drogich przysmaków, żeby nie było mu smutno i pojechałam do Natick.

I dostałam się prosto w kręgi dantejskiego piekła.

Gdybym nie wiedziała, że to mieszkanie Sophie, nie rozpoznałabym kobiety, która otworzyła mi drzwi. Obcięła swoje piękne włosy. Były teraz krótkie i potargane. Miała na sobie ubranie, w którym na pewno spała i to kilka nocy. Usiadłam w salonie patrząc, jak nerwowo porusza się w tę i z powrotem. Włączyła magnetowid, włożyła film, poszła do kuchni po piwo Sam Adams i plastikową butelkę po wodzie, której używała w zastępstwie fajki. Zaciągnęłam się, kiedy mi zaproponowała i natychmiastowy odjazd okazał się znów tak świetny jak poprzednio.

Jeszcze w czasie oglądania napisów początkowych Sophie nacisnęła przycisk „pause" na magnetowidzie i zapytała:

– Czy masz kamerę?

– Nie – odpowiedziałam. – Po co ci? Co chcesz nagrać?

– Nic.

Zapaliła zapalniczkę i zaciągnęła się znów, przeżywając kolejny odjazd, a potem zaczęła wdychać resztki dymu, które pozostały w butelce. Znów nałożyła porcję kokainy, podpaliła, miała kilka kolejnych narkotycznych ekstaz, zanim znów zaproponowała mi zaciągnięcie się. Zauważyłam, że od naszego ostatniego spotkania zwiększyła dawkę. Teraz była już kilkakrotnie wyższa niż moja. Z mojego punktu widzenia nie było w tym nic złego, bo miałam dość ambiwalentne podejście do palenia koki i za każdym razem kiedy przeżywałam odjazd obiecywałam sobie, że to już ostatni raz, no... może przedostatni. Nie miałabym nic przeciwko temu, żeby ktoś kontrolował ilości, które biorę.

To, że Sophie paliła już właściwie przez cały czas, było jednak w końcu bardzo niepokojące.

– No, właściwie... – znów zaczęła mówić, nie patrząc na mnie, starając się udawać, że ta sprawa wcale nie jest taka ważna.

– Właściwie taki jeden powiedział, że zapłaci mi za filmy. Wiesz, pornosy. Ja z chłopakami, ja z dziewczynami, gdybyś miała kamerę, to mogłybyśmy zrobić coś razem, wciągnęłabym cię w to. On mówi, że zapłaci za wszystko... To jakby taka praca, rozumiesz. Nie po prostu raz, ale wiele razy. Tyle filmów, ile chcę. Ale nie przejmuj się, Jen. To nie jest takie ważne.

Wzruszyła ramionami.

Nie wiedziałam, co odpowiedzieć. Vinnie, klient, którego widywałam regularnie w motelu Crisholm też chciał mnie filmować. Mówił patrząc mi prosto w oczy, że nigdy nikomu nie pokaże filmów. Proponował nawet dużo więcej pieniędzy jeśli zgodzę się na sfilmowanie nas razem, sfilmowanie, jak go obsługuję, sfilmowanie jak on mnie bierze. I, z jego punktu widzenia, zapewne to miało jakiś sens, dałoby mu szansę popatrzeć sobie na film pomiędzy wizytami w Crisholm.

Żeby pokazać co warte są jego obietnice, wspomnę, że kilkakrotnie proponował mi pokazanie tego, co już nakręcił z innymi dziewczynami z agencji Peach. Mówił, że uwielbiają być filmowane, że sprawia im przyjemność stosunek przed kamerą. Nie dopytywałam się, czy tym dziewczynom także obiecywał nikomu tych filmów nie pokazywać.

W każdym razie za żadne pieniądze nie zdecydowałabym się zostawić trwałego śladu, dowodu tego, co aktualnie robię.

Popatrzyłam na Sophie z troską. Nie zrobiłabym tego nawet dla niej, ale w tej chwili żałowałam, że nie mam kamery, że nie znam prawidłowych odpowiedzi, że nie wiem, jak usunąć ból z jej twarzy, z jej głosu. Ona zapewne też zarobiłaby na tych filmach dobre pieniądze. Jest wielu starych, zboczonych rasistów, którym podobają się kolorowe kobiety... w łóżku.

Przez jakiś czas oglądałyśmy film w milczeniu, później Sophie napomknęła, że ma problem ze zrozumieniem tego, co mówi France McDormand ze względu na akcent, ja powiedziałam coś o osadnikach ze Skandynawii, którzy osiedlili się w Minnesocie i Południowej Dakocie, i w końcu znowu rozmawiałyśmy tak, jak dawniej. Śnieg, akcent, a nawet dość okropne morderstwa na ekranie nie miały dla nas żadnego znaczenia. Siedziałyśmy pochłonięte sobą, słowa płynęły same, rozmawiałyśmy jak za starych dobrych czasów.

No, może nie całkiem. Ale „wystarczająco dobrze", jak ten pieprzony drań Peter zwykł określać pracę na państwowej posadzie. Dopiero gdy już wychodziłam, zauważyłam, że brakuje niektórych mebli. Pewnie kiedy przyszłam za bardzo byłam zajęta obserwowaniem Sophie. Wzruszyła ramionami:

– Zorganizowałam wyprzedaż. Nie potrzebowałam tych wszystkich rzeczy.

Patrzyłam na ogołocony salon, przedpokój i nie wiedziałam, co odpowiedzieć. I czy w ogóle jakoś odpowiadać. Wiśniowa komoda, ciężki rzeźbiony kredens...

– A co się stało z twoim biurkiem? Nie jest ci potrzebne, kiedy przynosisz pracę do domu? – zapytałam.

I wtedy powiedziała mi, co się stało.

* * * * *

Następnego dnia, po usilnej walce z problemem w czasie bezsennej nocy, pełnej majaków i dramatycznych momentów przebudzenia, zaprosiłam na obiad jednego z moich kolegów wykładowców.

– Chcę być z tobą szczera – powiedziałam mu przez telefon. – Choć to zabrzmi jak rodzaj rasizmu zapraszam cię na obiad dlatego, że jesteś jedynym Chińczykiem jakiego znam, a potrzebuję rady.

Henry nie poczuł się dotknięty. Wyjaśnił mi wszystko uprzejmie i bardzo dokładnie.

– Po pierwsze, w sytuacji opisanej przez ciebie dziewczyna nigdy nie mogłaby wykonać kroku do przodu. Jeśli zostałaby w Chinach, nigdy nie zajęłaby żadnego dobrego stanowiska, nie cieszyłaby się respektem. I nie oczekiwałaby tego nawet. Żyłaby w cieniu hańby, jaką przyniosła swojej rodzinie.

Patrzyłam na niego zupełnie zbita z tropu.

– To ona przyniosła wstyd rodzinie? Ależ Henry, ojciec ją molestował. Oczywiste jest, że to on przyniósł wstyd rodzinie.

Ale rzeczywistość jest przecież taka, że to nie jego wstyd. Nawet w naszym niby to liberalnym kraju, gdzie panuje równouprawnienie, w przypadkach gwałtu, przemocy domowej czy kazirodztwa nazbyt często jeszcze zrzuca się winę na ofiarę. Dlaczego w Chinach miałoby być inaczej?

Henry zagryzł usta, myśląc o czymś bardzo intensywnie.

– Być może byłoby tak, gdybyśmy oceniali ludzi według tego, jak się zachowują. Ale są jeszcze inne, ważniejsze sprawy. Powiedziała o tym ludziom. Może nie o wszystkim, ale wystarczająco dużo, by splamić nazwisko. Odrzuciła zarezerwowane dla niej miejsce na Uniwersytecie Pekińskim. A jest to bardzo prestiżowa uczelnia. Taki nasz Harvard. To obraza dla jej rodziny, dla ważnych ludzi, być może jakichś działaczy partyjnych, którzy chcieli sponsorować jej naukę. To zapewne kosztowało wiele zachodu, wiele przekonywania, żeby tej dziewczynie zaproponowano studia. Musiała być doskonałą uczennicą. Wszyscy uczniowie w Chinach ciężko pracują, a mimo to nieliczni dostają szansę studiowania na Uniwersytecie Pekińskim. To, że była najlepszą z najlepszych jest jedynie częścią sprawy. Nie zapominaj, że byli też sponsorzy, którzy – jak to się mówi – zaryzykowali i postawili na nią. Ktoś to dla niej zrobił, a ona powiedziała: „nie". Powiedzieć „nie", Jen, jest bardzo niebezpiecznie. To obraża szkołę i oczywiście Republikę Ludową.

Próbowałam znaleźć jakieś argumenty. Miałam w głowie obraz Sophie, która mimo że przeszła w dzieciństwie przez piekło, potrafiła stać się „najlepszą z najlepszych". Miałam rację, że jest genialna.

– Dzieciaki w Stanach robią to ciągle – powiedziałam. – Wygląda na to, że wykształcenie nie jest tutaj traktowane tak poważnie jak w Chinach.

Popatrzył na mnie jakby ze współczuciem. Każdy kraj na świecie jest zapóźniony w zakresie szkolnictwa w porównaniu ze Stanami. Potem dodał w zamyśleniu:

– To nie jest tylko sprawa uniwersytetu. Dla nas najważniejsza jest rodzina. Lojalność rodzinna jest najwyższą cnotą. Wymaga się troski o rodziców, kiedy się zestarzeją, bo oni kiedyś troszczyli się o ciebie. I śmiem sądzić, że dla twojej przyjaciółki, nawet tu, z daleka od Chin, bez względu na to jaki sukces osiągnęła w Ameryce, poczucie wstydu i winy jest tym, co nieustannie ściąga ją w dół. Jej obowiązkiem jest być teraz tam, troszczyć się o swoich rodziców, którzy się starzeją. Dla nas sprawą honoru jest troska o tych, którzy dbali o nas, którzy posiedli już tyle mądrości życiowej i doświadczenia. To właśnie jej wpojono, w to właśnie wierzy w głębi swojej duszy, nawet jeśli jej umysł wydaje się wierzyć w co innego.

Odłożyłam swoją kanapkę. Straciłam apetyt i pomyślałam, że to dziwne: siedzieć tak i nerwowo ugniatać palcami kulki z chleba.

– Nie wygląda na to, że ona tak czuje..., cóż, nigdy nie rozmawiałyśmy o tym. Mówiąc szczerze nie wiem, co ona czuje – przyznałam w końcu.

– Ale zaniepokoiło cię to tak bardzo, że chciałaś ze mną o tym porozmawiać.

Jego oczy były łagodne, może nawet posępne.

– Nie jestem w stanie przewidzieć czyjegoś zachowania, a twoja przyjaciółka nie zachowuje się jak typowa Chinka, nie wiem więc, dokąd zmierza. Ale, nie wiem, czy powinienem to mówić...

Popatrzył gdzieś w dal, w końcu znów spojrzał mi prosto w oczy.

– To, o czym chcę powiedzieć, jest odrzucane przez wielu jako nienowoczesne. Wiele osób uważa, że nie powinno mieć miejsca. Ale kiedy ktoś, a zwłaszcza kobieta, robi coś, co jest uznawane za złe, wtedy akceptowany sposób, żeby... – jego głos się załamał.

– Jestem naukowcem – powiedział tonem usprawiedliwienia – nie znam właściwych słów potrzebnych do wyjaśnienia.

– Może to, o co ci chodzi, to akceptowany sposób, żeby uzyskać przebaczenie? – usiłowałam mu pomóc.

Pokręcił głową; to nie o to chodziło.

– Żeby zmazać to, co się stało... – powiedział, ciągle jeszcze niezadowolony z doboru słów.

–...aby zmazać wstyd, oczyścić duszę, zachęca się takiego człowieka do odebrania sobie życia, do popełnienia samobójstwa.

Zawahał się, po czym kontynuował:

– Mówię ci o tym, bo myślę, że jeśli sytuacja jest naprawdę aż tak dramatyczna, że jesteś tym tak przestraszona, to być może ona właśnie obrała taką drogę. Muszę już iść. Mam zajęcia o pierwszej – powiedział grzecznie, z nutą żalu w głosie. Wzruszył ramionami, wytarł usta serwetką, wstał.

– Jeśli będziesz miała jeszcze jakieś pytania, chętnie się z tobą spotkam – dodał.

Pokiwałam głową.

– Dzięki, Henry. Wiem, że nie masz zbyt wiele czasu.

To, czego się dowiedziałam, było dla mnie jeszcze bardziej przygnębiające. Molestowanie w dzieciństwie nauczyło Sophie, że może być atrakcyjna dla mężczyzny tylko wtedy, gdy zachowuje się jak dziecko, jest przestraszona, kiedy mężczyzna mówi jej co ma robić ale za wszelką cenę wykonuje jego polecenia. A potem, nawet jeśli będzie bardzo posłuszna, i tak zostanie odepchnięta, bo przecież miłość jest zależna od wielu czynników, jest niestała, niedobra, ślepa. Czy uciekła do Stanów, bo się zbuntowała i postanowiła, że zadba o siebie, czego jej rodzice nigdy nie robili? Czy był to akt asertywności, siły? Czy po prostu usiłowała uciec, jak to sugerował Henry, od poczucia winy, które towarzyszy jej od wczesnego dzieciństwa, poczucia winy także i za to, że odrzuciła tę cenną propozycję studiów na uniwersytecie? Czy poczuła tutaj, że udało jej się uciec i jest w stanie zacząć życie na nowo, czy też raczej odkryła, że są pewne sprawy w życiu, przed którymi nie da się uciec?

Znałam odpowiedź.

Sophie nie udało się uciec. Otoczyła się bajecznymi stworami i uwielbiającymi ją mężczyznami, książkami i rozmyślaniami, ale ciągle była ścigana. Jak w powieści kryminalnej Conan Doyle'a – uciekała tą niekończącą się aleją, czując tuż za sobą wściekły oddech psa Baskervillów. Zapewne tak właśnie się czuła. Uciekając, tak jak to nam wszystkim zdarza się w najgorszych snach, biegnąc i biegnąc – i nigdy nie mogąc uciec. Czy to takie dziwne, że szukała jakichś innych sposobów ucieczki?

Westchnęłam i dałam znać kelnerowi, że chcę zapłacić. Poznałam odpowiedzi na moje pytania i rozumiałam już jej postępowanie. Fajka i krak nie są tak skuteczne, jak skok z wysokiego budynku albo podcięcie żył, ale w końcu doprowadzają do tego samego. Może nie była tego w pełni świadoma, ale w ten sposób wypełniała to, czego się od niej wymagało. Była przecież dobrą Chinką.

I nagle opanowała mnie złość, tak wielka, że poczułam, jak trzęsą mi się ręce, kiedy próbowałam wyjąć z torby kluczyki do samochodu i portfel. Jeżeli pomogę Sophie, jeżeli podam jej pomocną dłoń, to na pewno uda się jej przezwyciężyć ten ból.

Nie zauważyłam nawet kiedy kelner położył na stoliku rachunek, tak bardzo byłam przejęta myślami o tym, jak pomóc Sophie. Po chwili zdałam sobie sprawę, że gapię się na ten kawałek papieru, zupełnie nie zdając sobie sprawy z tego, co to jest. No tak, rachunek.

A mój portfel, w którym jeszcze wczoraj, przez wizytą u Sophie, było prawie dwieście dolarów, był całkiem pusty.

* * * * *

Nie miało sensu pytać Sophie o te pieniądze. Nie miałam nawet cienia wątpliwości, nie zgubiłam ich – zawsze byłam bardzo uważna, jeśli chodzi o pieniądze. Było tylko jedno miejsce, w którym mogło się to zdarzyć. Sophie miała mnóstwo możliwości. Piłam piwo, więc kilka razy byłam w łazience, siusiając pod czujnym okiem pozostałego tam jakiegoś torbacza.

Siedziałam w restauracji, czułam jak bardzo jestem zraniona, zszokowana i... po prostu – smutna. A mimo to nie zamierzałam się poddać. Chce mnie okradać? W porządku. Nie uda jej się odepchnąć mnie tak łatwo. Udowodnię jej, że pragnie żyć.

Zdecydowałam, że pierwszym krokiem będzie przemilczenie tej kradzieży. Chciałam, żeby zrozumiała, że nie tylko nie mam jej tego za złe, ale również to, że mogę i chcę jej pomóc, że mi na niej zależy.

Gdyby Peach dowiedziała się o tym, zrobiłaby mi awanturę, bo jeszcze tego wieczoru, kiedy spotkałam się z klientem, najsłodszym głosikiem przekonałam go, że tak naprawdę, to on chce dzisiaj „duecik", a ja mam świetną koleżankę. Wmawiałam mu, że my obie wspaniale się ze sobą czujemy, a on będzie zachwycony. Kiedy w końcu się zgodził, zadzwoniłam do Sophie. Peach nie ma nic przeciwko „duetom", ale chce, żeby obie dziewczyny były z jej agencji.

Telefon w mieszkaniu Sophie dzwonił aż osiem razy, a ja w tym czasie masowałam jedną ręką uda klienta, żeby mu poprawić samopoczucie. Już miałam odłożyć słuchawkę, ale Sophie wreszcie odebrała. Nie pozwoliłam jej dojść do słowa:

– Isabelle, tu Tia! Słuchaj, jestem w Weston z moim wspaniałym przyjacielem. Opowiedziałam mu o tobie i zastanawiamy się, czy zechciałabyś przyłączyć się do nas na godzinkę.

– Ile? – zapytała zachrypniętym głosem.

Choć nie było to łatwe, bo jej pytanie dotknęło mnie, spokojnym głosem odpowiedziałam:

– Nie martw się, jak zwykle. Możesz przyjechać? Nie mogę się doczekać, kiedy znowu będziemy razem... – te ostatnie słowa wypowiedziałam zmysłowym głosem, żeby podniecić Andy'ego. W duchu pomyślałam sobie: „No, do roboty, Sophie. Uda ci się".

Przyjechała. Czterdzieści pięć minut spóźnienia, co oczywiście nie zachwyciło klienta, a z mojej strony wymagało wymyślenia jakiegoś zgrabnego kłamstwa dla Peach, kiedy zadzwoniła jak zwykle po godzinie.

Widać było, że naprawdę starała się wypaść profesjonalnie: miała na sobie zwiewną indyjską sukienkę, makijaż, kolczyki. Ale jej twarz mnie przeraziła. Jej policzki jakby się zapadły, a na ich miejscu pojawiły się cienie. Jej oczy były szklane i rozbiegane, co świadczyło o tym, że była mocno naćpana. Co gorsze, wydało mi się, że nie ma jednego zęba. Nawet nie próbowałam tego analizować. Nie mogłam w tym momencie pozwolić sobie na atak nerwicy. Nie było na to czasu – wskazówki zegara były nieubłagane.

Usiłowałam jakoś rozkręcić imprezę. Sophie była pasywna, czyniła jakieś wysiłki żeby mnie pieścić, lizać penisa Andy'ego, wkładać mu palce do odbytu, kiedy tego chciał. Nieomal wychodziłam z siebie, żeby kochać się z obojgiem naraz – sprawiać klientowi przyjemność fizyczną i jednocześnie karmić jego wyobraźnię naszymi lesbijskimi skłonnościami. To był naprawdę ciężki spacer pod górę.

Dlaczego w ogóle do niej zadzwoniłam? Czy po to, żeby przypomnieć jej jak wspaniale było kiedyś? Dla kogo w końcu to zrobiłam? Czy myślałam, że jeśli wszystko będzie wyglądało tak, jak dawniej, to uda się nam uwierzyć, że wszystko znów JEST tak jak dawniej?

W pewnej chwili „Isabelle" powiedziała, że musi napić się wody i wyszła z pokoju mimo że Andy był już bliski orgazmu, wchodził w ostatnią fazę stosunku ze mną, podczas gdy ja wciąż usiłowałam stymulować jego odbyt palcem.

Wyprowadziłam ją stamtąd tak szybko, jak tylko mogłam. Ponieważ przyjechała tu taksówką, poszłyśmy razem do mojej Hondy.

– Hej, Sophie, czy wszystko jest w porządku? Nie byłaś dzisiaj sobą...

Brak odpowiedzi. Była zajęta liczeniem zarobionych pieniędzy.

Pojechałyśmy do Natick, weszłyśmy na trzecie piętro – do jej mieszkania. Teraz wydawała się być ożywiona, pełna energii, jakby wracała do życia. Gdy tylko weszłyśmy do środka – natychmiast zadzwoniła do swojego dilera. Wiedziałam, że to zrobi, ale mimo wszystko byłam zirytowana. Nie lubię, kiedy się mnie ignoruje.

W salonie nie było już żadnych mebli z wyjątkiem materaca. Weszłam do kuchni.

– Sprzedałaś wszystkie swoje meble – powiedziałam podniesionym głosem – i świetnie, kto potrzebuje mebli, komu potrzebny jest telewizor, ale do diabła, co się stało z tymi wszystkimi zwierzakami?

Była zajęta przygotowywaniem probówki, wiedząc, że dostawa jest już w drodze. Wzruszyła ramionami.

– Miałam ich już po dziurki w nosie.

– Wiem, o co w tym wszystkim chodzi – usiłowałam mówić spokojnie, co jednak było prawie niemożliwe, biorąc pod uwagę stan, w jakim znajdowało się jej mieszkanie. – Myślisz, że jesteś śmieciem, czujesz się winna z powodu swojego ojca i tego, że tak naprawdę to ciebie o wszystko obwiniają. Masz wyrzuty sumienia, że ich zostawiłaś. Ale oni nie są ci potrzebni. Masz mnie. Jestem twoją przyjaciółką i bardzo chcę ci pomóc. Wiem jak cierpisz, to nie twoja wina. To cholerna niesprawiedliwość i zdaję sobie z tego sprawę. Rozumiesz? Nie jesteś sama! Oprzyj się na mnie, jestem ci potrzebna i masz mnie. I naprawdę mogę ci pomóc!

Wzięłam głęboki, nierówny oddech.

– Najgorsze w tym wszystkim jest to, że nie ma na świecie tyle alkoholu, facetów czy kokainy, żeby znieczulić twoje wspomnienia – dodałam.

Ktoś zapukał do drzwi i jej wzrok skierował się w tamtą stronę. Nie wytrzymałam – odwróciłam się i wyszłam. Kiedy dochodziłam do drzwi i szarpnęłam je, żeby otworzyć, usłyszałam cichutkie, jakby wypowiedziane przez małe dziecko słowa Sophie:

– Może i nie. Ale przynajmniej przez chwilę działa.

Następnego dnia, kiedy wracałam do domu po wykładzie „O śmierci i umieraniu" (i kto powiedział, że Bóg nie ma makabrycznego poczucia humoru?), zadzwoniła Peach, mówiąc:

– No cóż, straciłyśmy klienta.

– Co się stało, Peach? O czym ty mówisz?

– Mówię o Andy'm Millerze. Twoje ostatnie zlecenie.

Usłyszałam, jak zapala papierosa, zaciąga się. Dym zatrzymany na chwilę w płucach uczynił jej głos napiętym.

– Wygląda na to, że kiedy tam byłaś, został okradziony.

Wypuściła dym, a ja poczułam, jak coś zaczyna ściskać mnie w żołądku.

– Jak tylko wyszłyście zauważył, że brakuje kilku rzeczy. Jedna z nich, to jego zegarek. Był przy łóżku. Z jakiegoś pudełka zniknęły wszystkie pieniądze, nie wiem, gdzie stało, nie mówił. Nie ma także dość porządnej biżuterii skradzionej z pokoju jego córki. Nie mówię tego po to, żeby wywołać w tobie wyrzuty sumienia, Jen. Nie miałaś z tym nic wspólnego. Wiem, że była tam jeszcze jedna dziewczyna, z innej agencji. Powiedział mi o tym. Nie wiem, z jakiej agencji, bo on też nie pamięta, ale mimo wszystko powiedział, że nie będzie już korzystał z naszych usług, bo całe to zajście bardzo go zbrzydziło.

Wciąż nie mogłam uwierzyć, że klient chronił mnie, mówiąc, że to on zadzwonił po Sophie, a nie ja. Zwykle klienci nie są tak wspaniałomyślni.

– Peach, nie wiem, co powiedzieć. Nie miałam pojęcia.

Zupełnie spokojnie odpowiedziała:

– Cóż, oczywiście, że nie. To się dość często zdarza w tym biznesie. Nie martw się, Jen. On wróci do nas. Nie zadzwoni przez kilkanaście tygodni, będzie próbował w innych agencjach, aż w końcu dotrze do niego, że jesteśmy naprawdę niezłe – i znowu zadzwoni. Już tak bywało. Zawsze wracają. Jej optymizm nie był zbyt zaraźliwy. Natychmiast po odłożeniu słuchawki przeszukałam torebkę i znalazłam kawałek kartki, na której zapisałam wczoraj numer telefonu klienta.

– Halo, Andy? Tu Tia. Byliśmy razem wczoraj wieczorem...

Nie wydawał się zaskoczony.

– Tak, o co chodzi?

– Właśnie rozmawiałam z Peach. Powiedziała, że wczoraj zginęło ci kilka rzeczy. Chcę, żebyś wiedział, że jest mi naprawdę bardzo przykro.

Zawahałam się przez chwilę, ale on nie podjął tematu, więc ciągnęłam dalej:

– Peach powiedziała mi, że ty..., że powiedziałeś jej, że to ty zamówiłeś Isabell w jakiejś innej agencji. Chciałam ci za to bardzo podziękować. Gdybyś powiedział prawdę, straciłabym pracę.

– Tak, domyśliłem się, o co chodzi. Słuchaj, Tia, to nie jest moja sprawa, ale i tak powiem ci to. Ty dasz sobie radę, masz wszystko, co jest potrzebne. Ale jesteś o krok od zrobienia straszliwego błędu. Trzymaj się z daleka od tej dziewczyny. Ona tonie i zrobi wszystko, żeby zabrać cię ze sobą na dno.

– Nie wydaje mi się... – odparłam, jak idiotka.

Przerwał mi.

– To wszystko, co mam ci do powiedzenia. Przeżyłem już swoje i wiem coś na ten temat. Mam brata, który po raz piąty przebywa na odwyku. Wiem, co próbujesz dla niej zrobić. Ale to nazywa się współuzależnienie. Znam to, bo sam to robiłem. Usiłujesz pomóc przyjaciółce i to bardzo piękne, ale ona już nie jest twoją przyjaciółką.

Podziękowałam mu i odłożyłam słuchawkę. Miałam do niego żal, że pomógł mi ale potem wykorzystał to, by prawić mi kazania. Mogłam poradzić sobie sama.

Jednak ten ostrzegawczy głos w mojej głowie nie dawał mi spokoju. Przez Sophie mogłam stracić pracę. Sophie okradała mnie. Sophie mnie wykorzystywała. Zachęcała mnie do używania tego samego, co ją niszczyło. Narkomani robią to zawsze, jak dowiedziałam się później. Chcą, żeby ktoś dotrzymał im kroku w ich marszu ku śmierci.

Andy miał rację – ona nie była już moją przyjaciółką.

Ale ja tak bardzo pragnęłam, żeby była. Udawałam, że jest, bo być może te wszystkie koszmary mogłyby dzięki temu nagle zniknąć i znowu byłybyśmy sobie bliskie.

Leżąc w łóżku i obserwując cienie na suficie, zaczynałam rozumieć, że nie mam zamiaru sprawdzać, czy moja teoria jest rzeczywiście słuszna. Nie dzwoniłam już więcej do Sophie ani ona do mnie.

Trzy tygodnie później, na moim wykładzie „O śmierci i umieraniu" poruszyłam temat pogrzebów. Mówiłam o różnych praktykach w różnych kulturach, o tym, co te rytuały dawały ludziom, którzy pozostali przy życiu. I kiedy opowiadałam o buddyjskiej koncepcji Bardo, będącej pośrednim krokiem ku kolejnej reinkarnacji, krokiem, który musi być prawidłowo wykonany przez członków najbliższej rodziny, nagle wyobraziłam sobie Sophie, jak próbuje zrobić to, co do niej należy, wraca do Chin na pogrzeb swojego ojca i zostaje odrzucona.

Dobrze, że zajęcia dobiegały końca, bo na myśl o tym zaczęłam mieć kłopoty ze złapaniem oddechu.

Nawet nie pomyślałam o powrocie do domu. Pojechałam prosto do Natick, waliłam w jej drzwi dopóki mi nie otworzyła, beznamiętnie, z fajką do palenia kraku zrobioną z butelki.

– Hej, Jen. Co się dzieje? Chcesz sobie pociągnąć?

Możesz zachodzić w głowę drogi Czytelniku, co ja tam właściwie miałam do roboty? Jakie naiwne fantazje o ratowaniu jej przychodziły mi do głowy? Próbowałam pomóc Sophie czy sobie?

Mój plan był prosty: Sophie straciła wszystkie swoje meble i popadła w całkowite uzależnienie. Może gdyby znów miała meble, poczułaby się silniejsza, przypomniałaby sobie, że kiedyś było naprawdę dużo lepiej?

Trudno uwierzyć, że mam doktorat. Więcej – trudno uwierzyć, że w ogóle mam jakiś mózg.

Wyciągnęłam ją z domu, niemal zawlokłam do swojego samochodu. Chyba nawet usiłowała protestować, ale nie miało to dla mnie znaczenia. Zaparkowałam przed sklepem przy drodze numer 9. Był to pierwszy sklep z meblami, jaki wpadł mi w oko. To było jak obsesja, jak misja. Kupiłam jej łóżko, stolik i dwa krzesła.

– Musisz wrócić do życia – zasyczałam – oddasz mi za te meble. Masz wobec mnie dług.

Była zdumiona.

– To miło z twojej strony... Wierzysz we mnie, Jen. Wiesz, że cię nie zawiodę, prawda? Oddam ci tak szybko, jak tylko będę mogła. Już nawet z następnej wizyty oddam ci trochę pieniędzy.

– Wiem – odpowiedziałam.

Zawiozłam ją do domu, gdzie znów przygotowała sobie krak i o zgrozo, ja idiotka znów przyłączyłam się do niej. Kiedy skończyłyśmy zaproponowała, że zadzwoni do dilera po więcej, ale ja miałam już dosyć.

Kiedy wróciłam do domu, wzięłam długą kąpiel pod prysznicem aby zmyć słodkawy zapach dymu, pozwolić wodzie wymasować moją skórę i przywrócić normalne funkcjonowanie ciała. Dochodzenie do siebie po odjeździe kokainowym jest bardzo nieprzyjemne. Po kraku to prawie piekło. Nie chciałam do tego wracać ani już więcej myśleć o Sophie. Wzięłam pigułki nasenne, nalałam sobie whisky Oban, którą trzymam dla gości, którzy znają się na tym alkoholu, a następnie położyłam się spać.

Kilka dni później wieczorem przyjechała Sophie. Przywiozła mi kopertę z pierwszą spłatą pożyczki za meble. Chciałam jej ufać, ale mimo to obserwowałam ją. Okazało się, że moja czujność pozostawia wiele do życzenia, bowiem gdy wyszła zauważyłam, że już nie mam zegarka ani diamentowych kolczyków. Po otworzeniu koperty okazało się, że są w niej jedynie kartki papieru, wyrwane z notesu.

Płakałam, płakałam, płakałam.

A kiedy już nie mogłam więcej płakać, zdecydowałam, że Andy miał rację. Nie chcę tak żyć. Nie chcę już ćpać, na co, jak się wydawało Sophie, zgodziłam się bardzo chętnie. Nie chciałam zaprzepaścić mojej kariery, mojego mieszkania, kota, mebli, życia. Nie chciałam, żeby Peach straciła o mnie dobre zdanie. A już na pewno nie chciałam być systematycznie okradana przez przyjaciółkę.

Oczywiście cała ta sprawa nie zakończyła się tylko dlatego, że tak sobie życzyłam.

Z upływem czasu Sophie była w coraz większej potrzebie. Podejrzewam, że stopniowo coraz więcej ludzi odsuwało się od niej. Zaczęła wydzwaniać do mnie o każdej porze dnia i nocy, prosząc o pieniądze albo żeby ją dokądś podwieźć, albo żeby zorganizować wspólne zlecenie u klienta. Chciała też, żebym kupowała jej kokainę, a ona odda mi pieniądze później. Obiecuje. „Tylko ten jeden raz, zrób to dla mnie, Jen".

Zawsze miała jakąś ciekawą historyjkę, gdzie tam! – absolutnie genialną historyjkę. Że to będzie tylko ten jeden raz, że ma plany powrotu do szkoły, że myśli o tym, żeby się zgłosić na odwyk. Ale na razie, jeśli jestem jej przyjaciółką, to muszę jej pomóc, bo ona tak cierpi. Czy nic mnie to nie obchodzi, że ona tak strasznie cierpi? Czy jest mi już wszystko jedno?

Albo miała inne, bardzo wiarygodne powody, dla których potrzebowała mojej pomocy: „Nie chodzi mi wcale o narkotyki, bo nie brałam już nic przez cały tydzień. Czy to nie wspaniałe? Tym razem chodzi o to, że miałaś rację Jen, nie chcę być sama. Proszę cię przyjedź do mnie. Tylko na dzisiejszą noc".

Wszystko to brzmiało przekonywująco. To typowa cecha narkomanów – mają złote usta. Potrafią wmówić ci wszystko. Wtedy też przypomniały mi się słowa jednej z piosenek Roda Stewarta:

„Even though you lied, straight–faced, while I cried/ Still, I'd look to find a reason to believe".*

I, mój Boże, jakże usilnie poszukiwałam powodu, aby uwierzyć Sophie. A ona zdawała sobie z tego sprawę. Na wszystko było wytłumaczenie. Nie miała pieniędzy. Nie jadła od trzech dni. Przywiozłam jej jedzenie, w zamian zrobiła mi piekielną awanturę. Nowe meble były tam, ale na łóżku były już ślady wypalone przez papierosy i fajkę do kraka. Dziwne, że całe mieszkanie do tej pory nie spłonęło.

Znalazłam na wyprzedaży zestaw: telewizor z magnetowidem i kupiłam go dla niej. Zawiozłam jej do Natick razem z torbą pełną kaset video i drugą torbą pełną zakupów. Raz na jakiś

---

* Mimo, że kłamałaś mi prosto w twarz kiedy płakałem, nadal będę próbował ci wierzyć – tłum. B. J.

czas ulegałam jej presji i wiozłam ją do któregoś z sąsiednich miasteczek, zwykle do Lynn albo Revere. Musiała jeździć coraz dalej, żeby zdobyć kokainę. Wszystkim okolicznym dilerom zalegała z pieniędzmi za poprzednie dostawy. Oni, nie to co ja, potrafili powiedzieć „nie" bez zmrużenia oka.

Rzeczywistość była taka, że patrzyłam jak umiera, a ona prosiła mnie, żebym ją dobijała. Tej nocy, kiedy wreszcie to do mnie dotarło, skończyłam z tym. To była najtrudniejsza decyzja w moim życiu.

Nie przestawała mnie nagabywać, dzwoniła co parę minut, domagając się, żebym ją dokądś zawiozła, że mi zapłaci jeśli nie chcę zrobić tego w imię naszej przyjaźni. Te jej słowa...

Jeszcze raz się ugięłam. Zabrałam ją gdzieś w kierunku Lynn. Była jedenasta w nocy, zgubiłyśmy się, a jak się okazało Sophie nie do końca wiedziała, dokąd jedziemy. Powtarzała jedynie, że na pewno rozpozna to miejsce, bo była tu poprzedniego wieczoru. Ja, z kolei, poprzedniego wieczoru do czwartej nad ranem byłam z klientem, a już o ósmej trzydzieści rano musiałam być na wykładzie, toteż nie miałam nastroju do tego typu zagrywek. Dałam Sophie mój telefon komórkowy.

– Zadzwoń do nich i dowiedz się jak dojechać – powiedziałam krótko, bo moja cierpliwość już się kończyła.

– Nie wiem jak się nazywają, ale rozpoznam ten dom. Przejedźmy jeszcze kilka ulic.

Wzięłam głęboki wdech. Wiedziałam, że mogła kupić narkotyki na co najmniej kilku mijanych rogach. Na dodatek wyglądało na to, że znalazłyśmy się w niebezpiecznej dzielnicy tego miasteczka.

– Sophie, mówiłaś, że zajmie nam to tylko pół godziny.

– Cóż, tak mi się wydawało – odparła zniecierpliwiona – Jen, po prostu zrób to, dobrze? Zaraz tam będziemy.

Dałam jej jeszcze dziesięć minut i w końcu postawiłam się.

– Sophie, to nie ma sensu. Wracam do domu.

– Nie możesz mi tego zrobić!

– A ty możesz mi to robić? Wykorzystujesz mnie. Mam tego dosyć. Zostajesz tutaj czy odwieźć cię do domu?

– Gdybyś wjechała w tę uliczkę..., wydaje mi się, że wygląda znajomo...

Gwałtownie skręciłam kierownicą, opony mojego samochodu wydały piekielny pisk. Odwiozłam ją do domu. Nie reagowałam ani na jej prośby, ani na groźby. W milczeniu czekałam, aż wysiądzie pod swoim domem. Wróciłam do siebie i nie podniosłam ani razu słuchawki telefonu, chociaż dzwonił przez całą noc. I niech to trafi szlag: okazało się, że znowu ukradła mi wszystkie pieniądze jakie miałam w portfelu. Nie byłam w stanie kochać jej i nienawidzić jednocześnie.

Kiedy do mnie dzwoniła mówiłam, że nie mogę z nią rozmawiać. Zapłaciłam wszystkie raty za jej meble, co dodatkowo budziło we mnie wściekłość, że musiałam to zrobić, jak i żal, że to nic nie pomogło. Ale nawet wtedy ciągle tkwiła we mnie jakaś maleńka cząstka, jakby wzięta od Piotrusia Pana, to, co nie chce w nas wydorośleć i odmawia brania na siebie odpowiedzialności, ta maleńka cząstka, która zazdrościła Sophie, że może sobie tak siedzieć w swoim mieszkaniu z zasłoniętymi oknami, ignorować rzeczywistość, pociągać słodki dymek zadowolenia i nie przejmować się niczym.

Jedna z dziewcząt Peach powiedziała mi, że próbowała kokainy i uważa, że jest okropna. Po prostu otępia. Działa zarówno na mózg, jak i na serce. Po prostu nic już cię nie obchodzi. Niczego już nie odczuwasz. A to jest właśnie najgorsze – przestać odczuwać.

No, tak. Ale ona była młodziutka, zdrowa, całe życie było jeszcze przed nią. Życie pełne tajemnic, zachwytów, obietnic, nadziei. Wtedy pragnie się odczuwać. Ale miała rację w tym, co mówiła o kokainie.

Ucięłam wszelkie kontakty z Sophie i po jakimś czasie ona też dała za wygraną. Zanim odeszłam z agencji słyszałam, że za działkę lub dwie świadczyła usługi facetom w korytarzach budynków mieszkalnych w Fenway.

Mimo że piszę o tym kilka lat później, ciągle jeszcze myśląc o niej, mam łzy w oczach, sucho w gardle, w żołądku odczuwam silny skurcz. Ciągle wydaje mi się, że ocalałyśmy z wraku tonącego statku i chociaż usiłowałam pomóc jej utrzymać się na powierzchni, ona i tak utonęła. Nie daje mi spokoju myśl, że może jednak mogłam coś wtedy zrobić, żeby nie dać jej spaść na dno, może jakoś mogłam przytrzymać ją w oczekiwaniu na ratunek.

Ale Andy też miał rację mówiąc, że ona nie chciała utonąć sama. Gdyby tylko mogła pociągnęłaby mnie za sobą. Nie dlatego, że mnie nienawidziła. Nie, po prostu byłam jej całkowicie obojętna. Stałam się dla niej jakby pojazdem, który miał ją dowieźć do przepaści. Nie obchodziło jej zupełnie, co stanie się ze mną. Obchodziły ją tylko kolejne działki narkotyku.

Nie jestem przekonana, że mam więcej siły niż Sophie. Na pewno nie jestem od niej lepsza ani mądrzejsza. Być może to, co nas różni, to waga ciężaru, który musimy taszczyć na sobie przez życie. Nie mam w pamięci ojca, który mnie torturował, ani matki, która odwróciła się do mnie plecami. A może po prostu nadal tworzę dla Sophie jakieś wytłumaczenie? Znam pewną dziewczynę, która pracowała dla Peach. W wieku piętnastu lat padła ofiarą zbiorowego gwałtu, przeżyła aborcję, próbowała popełnić samobójstwo, przeszła przez trzy toksyczne związki z mężczyznami. Brała narkotyki, ale udało jej się z tego wyjść. Może więc nie jest to kwestia rozmiaru twojego bagażu, ale raczej rozmiaru twojej odwagi?

Albo po prostu zwykłe, głupie szczęście...

Jeśli tak, ja miałam to szczęście. Sophie – nie.

Myślę o niej, nawet teraz – z perspektywy kilku lat – prawie codziennie. Mam wiele wspomnień z tamtego okresu, ale tylko na myśl o Sophie czuję się rozdarta wewnętrznie, prześladują mnie noce koszmary. Mój mąż już się do nich przyzwyczaił. Po prostu przytula mnie mocno i nie zadaje żadnych pytań.

Kilka lat temu zapisałam się na seminarium, dotyczące nadużywania narkotyków i dowiedziałam się dokładnie, jak powstaje uzależnienie. Mózg produkuje substancję, zwaną dopamina, która daje dobre samopoczucie, pozwala odczuwać szczęście i cieszyć się. Mózg ma swoje sposoby, żeby przydzielać odpowiednią dawkę dopaminy, tak, aby utrzymać człowieka w dobrym samopoczuciu. Kokaina zjawia się nagle, w dużej ilości i daje dużo bardziej intensywny rezultat. Blokuje wydzielanie dopaminy, ale ciało nie ma nic przeciwko temu, bo kokaina jest dużo lepsza. Co znaczy dobre samopoczucie, kiedy można osiągnąć stan wielkiego szczęścia, ekstazy? Tyle, że taki stan nie może trwać wiecznie. A kiedy spada poziom kokainy w organizmie, to szybko pogarsza się samopoczucie.

W tym właśnie jest hak: produkcja dopaminy zostaje przerwana, bo okazuje się zupełnie niepotrzebna w zestawieniu z euforią kokainową. Toteż mózg produkuje coraz mniej dopaminy, aż w końcu zupełnie przestaje. A wtedy czujesz się dużo gorzej niż w chwili, kiedy po raz pierwszy wetknąłeś sobie słomkę w nos. Nie chodzi tylko o to, że kokaina przestała działać, ale o to, że brak dopaminy powoduje załamanie normalnego samopoczucia.

Smutna rzeczywistość jest taka, że biorąc kokainę regularnie, nigdy, przenigdy nie poczujesz się już tak dobrze jak za pierwszym razem. Będziesz mieć nadzieję, że może ci się to uda, jeśli wciągniesz jeszcze jedną i jeszcze jedną kreskę, że jeszcze raz się zaciągniesz i znowu będzie wspaniale... ale to po prostu podejmowanie walki z chemią. Podejmowanie walki z rzeczywistością. Uzależnienie od narkotyku to historia, która zawsze kończy się tak samo.

Czasami czuję przerażenie na myśl o tym, jak daleko się w tym posuwałam.

I rozumiem teraz dokładnie, że nigdy, nic na tym świecie nie byłoby w stanie zaleczyć ran Sophie. Nie ma takich ilości dopaminy, kokainy, alkoholu czy seksu. Nie ma takiej przyjaźni. Nawet wielka miłość nie byłaby wystarczająco silna.

Rozdział jedenasty

Jedną rzeczą, której nieugięcie broniłam przed Sophie w czasie trwania naszej trudnej przyjaźni, była moja praca wykładowcy. Już od samego początku jakiś szósty zmysł podpowiedział mi, że nie wolno mi wtajemniczać jej w tę część mojego życia. Nie miałam jeszcze wystarczająco wyrobionej opinii o niej, ani o tym jak żyje, czułam jednak, że jeśli pozwolę jej dotknąć mojego świata, mojej pracy na uczelniach, skończy się to dla mnie katastrofą. Nawet wtedy, gdy spędzałam z nią popołudnia i wieczory, nawet w czasie mojej krótkiej przygody z braniem kraka, zawsze moim podstawowym założeniem było to, że muszę i będę kontynuować nauczanie.

W tym wypadku też miałam wielkie szczęście. Może ten szósty zmysł był tak naprawdę głosem Marii Magdaleny, którą uznałam za swoją patronkę? Jedno jest pewne – nie ma w tym żadnej mojej świadomej zasługi. Zapewne miałam jednak zostać w jakiś sposób wynagrodzona za moje wysiłki, gdyż okazało się, że wykłady o prostytucji stały się najbardziej interesującymi zajęciami jakie kiedykolwiek prowadziłam. A przecież miałam już za sobą kilka naprawdę ciekawych cykli wykładowych. Byłam przez dwa lata asystentką na Wydziale Humanistycznym i poprawiałam prace studentów uczestniczących w wykładach „Mistycyzm i gnostycyzm w literaturze" a także „Zło jako motyw literacki". Prace te nie miały jakichś konkretnych tematów i zawierały bardzo subiektywne poglądy studentów na dowolny aspekt tych zagadnień. Bardzo trudno to oceniać i od tamtego czasu nigdy nie spotkałam się z podobną swobodą wypowiedzi. Były one z pogranicza takich odkryć, w których błyskotliwość naukowa idzie ręka w rękę z dogłębnym i celowym udowadnianiem jak dziwny jest przedmiot badań.

Ale wykłady o prostytucji zaczynały układać się w jeszcze bardziej fascynujące doświadczenie.

Czasem łatwo dostrzec specyficzny profil słuchaczy, zainteresowanych danym tematem. Na przykład przez kilka pierwszych godzin wykładów na temat „Śmierci i umierania" zwykle byłam przygotowana na to, żeby zniechęcić tych studentów, którzy nie powinni w nich uczestniczyć. Byli to ludzie, którzy właśnie doświadczyli czyjejś śmierci, a więc potrzebowali raczej pomocy terapeutycznej niż dyskusji akademickiej, albo tacy, którzy przychodzili ubrani w czerń i mieli czarne paznokcie.

Wyobrażałam sobie, że będą co najmniej dwie kategorie studentów zainteresowanych wykładem „Historia i socjologia prostytucji." Na pewno będą to feministki, kobiety z misją, chcące albo zlikwidować zjawisko prostytucji, jako potencjalnie niebezpieczne, albo je zalegalizować. Zapewne będzie kilku studentów lubieżników, którzy mają nadzieję na okazję do rozmów o seksie. Będzie co najmniej jeden młody republikanin, zdobywający informację o sprawach, które są na tyle nośne, że mogą stać się punktem wyjściowym do zrobienia kariery politycznej. Miałam także nadzieję, że będzie chociaż kilka osób o naprawdę otwartych umysłach i zdrowym zainteresowaniu tematem. Pierwsze zajęcia zwykle nadają ton całemu cyklowi wykładów, a w tym przypadku chciałam żeby miały charakter swobodny, były komunikatywne i zawierały dużo informacji. Od razu muszę zaznaczyć, że nie uważam za wartościowe wykładów, które polegają głównie na wymianie myśli między uczestnikami. Jeśli chcecie takich zajęć – idźcie do kawiarenki Starbucks. Uczelnia, zatrudniając wykształconych i doświadczonych profesorów, ma w tym jakiś cel, a jeśli mój udział miałby się ograniczać do bycia jedynie mentorem w dyskusji, dla mnie byłoby to zaprzeczeniem moich zdolności i stylu nauczania.

Toteż pierwsze zajęcia poświęciłam na sprawy typowe, pozwoliłam każdemu studentowi na krótką wypowiedź o sobie i wyjaśnienie, dlaczego wybrał akurat ten wykład. Następnie powiedziałam parę słów o mojej dotychczasowej pracy akademickiej, o tym, że gromadzę materiały do napisania książki o prostytucji (ten pomysł wpadł mi do głowy dokładnie w momencie, kiedy wypowiadałam te słowa), dodałam, że nie mam swojego pokoju, więc jeśli będą mieli jakieś pytania, to mogę odpowiadać na nie tuż przed i tuż po zajęciach.

Następnie przedstawiłam tematy poszczególnych wykładów. Wytłumaczyłam, jakie prace i jakie zadania będą do wykonania, jakie książki muszą sobie kupić, co muszą przeczytać. Opisałam też bardziej szczegółowo to, na czym będziemy się koncentrować w najbliższych trzech-czterech miesiącach.

– Mówienie o seksie nie jest już dzisiaj takim tabu, jak to było przed laty. Ale rozmowy o prostytucji są tabu, no chyba, że przyjmują formę wulgarnej uwagi albo sprośnego dowcipu. W tym semestrze zajmiemy się historią prostytucji, tym, jakie przybierała formy w różnych stuleciach, a także tym, jak na to zjawisko reagowało społeczeństwo. Popatrzymy na prostytucję z punktu widzenia antropologii. Dowiemy się, jak to wyglądało w starożytnych cywilizacjach basenu Morza Śródziemnego; przeniesiemy się do Chin, Korei, Ameryki Południowej. Prześledzimy kolejne epoki i zastanowimy się dlaczego w jednych epokach zjawisko to rozkwitało, a w innych było traktowane bardzo restrykcyjnie. Zastanowimy się dlaczego prostytucja istnieje już tak długo, dlaczego jest potrzebna, a z drugiej strony jest piętnowana.

Jeden ze studentów śmiał się po cichu. Spokojnie przeszłam na koniec sali, a następnie stanęłam tuż za jego plecami nie przestając mówić. Uspokoił się natychmiast. Znałam parę sposobów kontrolowania grupy.

– Przyjrzymy się, jakie miejsce w społeczeństwie zajmuje prostytucja i jakie jest jej znaczenie, omówimy wysiłki, zmierzające do jej zalegalizowania, a także te, które zmierzały do jej likwidacji. Porównamy prostytucję będącą wolnym, świadomym wyborem a także taką, która jest po prostu kolejnym przejawem niewolnictwa. Będziemy zadawać sobie trudne pytania i postaramy się stworzyć jasny, nieskażony dotychczasowymi obiegowymi opiniami obraz prostytucji. Na koniec tego semestru chciałabym żeby bazując na zdobytej wiedzy a także swojej własnej, nieokiełznanej wyobraźni, każdy z was umiał zająć stanowisko na ten temat i ująć je w pozbawionej emocji, pisemnej rozprawie naukowej.

Wychodziłam po wykładzie rozpromieniona. Wytworzyła się pozytywna atmosfera. Kilku studentów zostało po zajęciach, żeby zadać pytania lub podzielić się swoimi komentarzami. Było to bardzo dobrą prognozą na przyszłość. Zadawali już teraz właściwe pytania, przynajmniej niektórzy, wykazując swoje zaangażowanie, zainteresowanie i otwartość. A głównym powodem, dla którego uwielbiam prowadzić wykłady jest możliwość doznania wewnętrznej radości, zadowolenia z siebie. I wcale nie chodzi o mój zachwyt nad antropologią – nie zapominajmy, że nadal byłam błąkającym się wykładowcą bez etatu – ale o poczucie związku z grupą ludzi, gdy widzisz, że wszystko przebiega doskonale, o zainteresowanie i zaangażowanie, które pojawiają się na twarzach studentów kiedy wiedza przekazywana przeze mnie przedziera się przez bariery ich dotychczasowego pojmowania spraw.

Jest mnóstwo ludzi, którzy sądzą, że należy nauczać jedynie tego, w czym się specjalizujesz, ale ja uważam, że mogę uczyć – i to z dobrym rezultatem – wszystkiego, co sama dobrze rozumiem. Specjalizacja jest mniej ważna; najważniejszy jest akt nauczania, w którym ogromne znaczenie ma zaangażowanie nauczyciela.

Oczywiście nie chcę przez to powiedzieć, że nie mam swoich ulubionych przedmiotów. Ale nie sadzę, żebym była w stanie wytworzyć atmosferę tak wielkiego zainteresowania tematem, dotyczącym pisania programów komputerowych, bowiem dużo bardziej odpowiadają mi zagadnienia związane z kierunkiem moich wieloletnich studiów. Nie czarujmy się – są tacy, którzy przywiązują nazbyt wielką wagę do siedzenia w jednej tematyce.

Postawmy sprawę jasno. Jeżeli choć trochę podoba ci się szkoła, to dopiero zdobywanie wyższych stopni naukowych ma dla ciebie jakiś sens. W szkole średniej uczysz się tego, co ci każą. College oferuje już nieco większą swobodę, możesz zawęzić zakres nauki do jakiejś jednej dziedziny, którą chcesz zgłębiać, ale ciągle musisz uczestniczyć i w takich zajęciach, które nie tylko cię nie interesują, ale nigdy ci się nie przydadzą. Studia magisterskie dają jeszcze więcej możliwości; na przykład ja mogłam wybrać sobie tylko takie zajęcia, które miały związek z antropologią. Mimo takiej, wydawać by się mogło, doskonałej koncentracji na temacie studiów, chce się jednak specjalizować jeszcze bardziej. Wolałabym więcej uczyć się o ludziach we współczesnych społeczeństwach, a musiałam wziąć trzy semestry archeologii. Nie jest to tak straszne, jak lekcje matematyki w szkole średniej ale przecież także nie do końca to o co chodzi. I dopiero podczas studiów doktoranckich masz ten komfort, że dobierasz przedmioty, które naprawdę cię fascynują, poruszają interesujące cię tematy. Trwa to przez dwa lata, potem są egzaminy i w końcu przychodzi czas na upragnioną specjalizację; rozprawa doktorska.

Masz napisać o czymś, o czym jeszcze nikt przed tobą nie pisał. I piszesz. Osiągasz to, czego pragniesz: stopień naukowy. Używasz go w publikacjach prasowych, w wykładach, których udzielasz, bo jest to warunek konieczny, aby rozwijać się w swojej dziedzinie. Tylko, że to wszystko wcale nie czyni cię dobrym nauczycielem. Przedmiot mojej rozprawy był następujący: „Rola członków najbliższej rodziny w rytuale przejścia". Zapewne rozumiesz, że ten temat nie wszystkim może się wydawać pasjonujący. Nie jest to raczej temat na dyskusję w czasie koktajl-party. Nawet jeśli zostaniesz ekspertem w tej dziedzinie – być może nigdy nie będziesz prowadził wykładów na ten temat. A czego będziesz nauczał? Tych zapomnianych już dawno ogólnych aspektów antropologii, na przykład: „Wstęp do antropologii. Początki rodzaju ludzkiego".

Na wypadek gdyby to zabrzmiało nazbyt altruistycznie, chcę powiedzieć, że lubię prowadzić wykłady z powodu zadowolenia jakie wtedy odczuwam. Nawiązywanie kontaktu ze studentami, zmienianie ich poglądów, nawet jeśli tylko w maleńkim stopniu, pomaganie im w dotarciu do czegoś naprawdę ważnego... to daje uczucie jakbym unosiła się na skrzydłach. Żaden narkotyk nie daje takiej satysfakcji, nawet krak. Dziwne, ale od kiedy spróbowałam palić krak wszystkie piękne doznania porównywałam do niego. Tyle, że krak jest niepewny, przerażający. Ta ekstaza jest całkiem innego rodzaju, pełna siły i pewności, ma związek z czymś, co mogę ofiarować innym, a nie z czymś, co biorę sama.

* * * * *

Miałam spotkanie z jednym z klientów Peach o czwartej, ledwie więc zdążyłam dojechać do domu, wziąć prysznic i zmienić ubranie. On lubił dżinsy i styl sportowy. Mieszkał przy drodze 128 w Needham, jednym z bostońskich przedmieść, gdzie można spotkać tylko białych, przekonanych zapewne, że amerykańskie flagi na ulicach i niewielkie sklepiki spożywcze zatrzymają nieproszonych gości z dala. Nieproszeni goście, to oczywiście wszyscy, z wyjątkiem tych, którzy mają białą skórę, są protestantami i zarabiają minimum osiemdziesiąt tysięcy dolarów rocznie. Nikt im nie powiedział, że Norman Rockwell już wyszedł z mody, a tak naprawdę to nawet za swoich czasów był nieco przestarzały.

Nienawidzę Needham, ale lubię tego klienta. Jest właścicielem butiku przy Alei Great Plain. Zamyka sklep późnym popołudniem, żeby spotkać się z call-girl. I tam właśnie wszystko się odbywa, w pokoju na zapleczu, na sofie.

Mamy wielu klientów z miejscowości takich jak Needham, klientów, którzy uprawiają tę propagandową grę o sukces ale jednocześnie dręczy ich poczucie wewnętrznej pustki i nie wiedzą jak sobie z tym poradzić. Oczywiście, jako mężczyźni najpierw próbują ucieczki w seks. Wprowadzają więc rutynowe sobotnio-niedzielne igraszki aby jakoś urozmaicić swoją ciężką, nudną pracę w wybranych przez siebie zawodach. Uczestniczą w imprezach sportowych organizowanych przez szkołę do której chodzą ich dzieci, pozwalają się zaciągnąć na spotkania komitetu rodzicielskiego, sąsiedzkie przyjęcia, wyprzedaże na rzecz kościoła. Największą ich tragedią jest to, że są wystarczająco mądrzy, by mieć świadomość, że marnują swoje życie, ale nazbyt tchórzliwi, żeby coś zmienić.

Jedynym aktem odwagi na jaki ich stać jest zamówienie call-girl (kiedy już uda im się odłożyć dwieście dolarów, tak żeby żona nie zauważyła). Wydaje się, że w jakiś tam sposób daje im to satysfakcję. Call-girl, a potem dwie lampki martini wieczorem, po powrocie do domu – to pozwala im przetrwać w tym zrutynizowanym życiu, które już zostało zaplanowane aż do ostatniego dnia.

Carl idealnie pasuje do tego profilu. Czasem jest mi go po prostu żal, a czasem myślę, że jest beznadziejny. Ale nawet Carl i jego nędzna egzystencja nie mogły mi dzisiaj popsuć humoru.

Toteż wchodząc do sklepu i udając klientkę nadal jeszcze byłam pełna wrażeń z dzisiejszego dnia. Oglądałam drogie broszki i jakieś dziwaczne durnostojki, zanim Carl zdecydował, że można zamknąć sklep. Kiedy udaliśmy się na zaplecze, zaczęłam mu opowiadać o dzisiejszym wykładzie, o tym jak świetnie się zapowiada.

Muszę wspomnieć, że niezmiernie rzadko rozmawiam z klientami na temat mojej pracy na uczelni. Nie miałoby to nawet sensu, gdyż większość z nich nie chce widzieć we mnie osoby, ale obiekt, pluszową zabawkę.

Jedynie Carl i może jeszcze kilku, przejawiają jakieś zainteresowanie moim prawdziwym życiem. Mam taką teorię, że znajomość szczegółów z życia osobistego call-girl daje im posmak czegoś zakazanego. Oczywiście najczęściej wymyślam różne historyjki. Nie mam ochoty, żeby klienci zaglądali w moje prywatne sprawy, myśląc, że mają do tego prawo i, że mogliby uczestniczyć w moim życiu dłużej niż przez ten czas, który zamówili i opłacili.

Ale dzisiaj nie mogłam się opanować. Powiedziałam do Carla:

– To będzie wspaniała grupa. Już zadają pytania i to naprawdę dociekliwe pytania, nie jakieś tam preteksty po to tylko, żeby pogadać o seksie.

Carl przejechał dłonią po swojej łysinie.

– Ja nigdy nie potrzebuję pretekstów, żeby porozmawiać o seksie – powiedział.

Oczywiście było to zwykłe kłamstwo. Nie mógł rozmawiać na te tematy z żoną, bo gdyby mógł, nie byłoby mnie tutaj. Ale co tam, niech sobie pomarzy.

– Będzie paru studentów, którzy po kilku wykładach zaczną sprawiać kłopoty, ale generalnie wszyscy wydają się być naprawdę zainteresowani tematem, co mogę stwierdzić już po pierwszym, wprowadzającym wykładzie – kontynuowałam.

– To ty uczysz? – zdziwił się Carl, jednocześnie zrzucając buty i zdejmując krawat.

– Tak. Wykładam na kilku wyższych uczelniach – powiedziałam czując jednocześnie, że posunęłam się za daleko w odsłanianiu mojej prywatności.

– Och! To naprawdę seksy. Czy stojąc w sali wykładowej, podnieca cię myśl o tym, że poprzedniego wieczoru uprawiałaś seks?

– Nigdy nie myślę o tych sprawach kiedy prowadzę zajęcia – odpowiedziałam zdawkowo, bo rozmowa niebezpiecznie posuwała się w kierunku, który był dla mnie niewygodny. Zwłaszcza, że od czasu do czasu miałam jednak takie myśli. Przypominały mi się jakieś migawki ze spotkań z klientami i zastanawiałam się nad kontrastem między tym co robię nocą, a tym co robię w dzień. Te chwile nie miały jednak żadnego podtekstu seksualnego. Mogę z ręką na sercu przysiąc, że wszystko to, co robiłam w ramach pracy w agencji, nigdy nie było dla mnie doświadczaniem seksu. To była po prostu praca.

Zresztą nawet sobie nie wyobrażam, jak mogłabym doznać tego typu podniecenia, stojąc pośrodku sali wykładowej. Może inne kobiety mogą. Dla mnie takie zjawisko graniczy z farsą. Jakby wzięte z filmu Woody Allena. Jedyne co odczuwałam myśląc o tym, to jakaś cicha satysfakcja podobna do tej jaką mają dzieci z powodu swoich małych sekretów. Bo przecież sekrety to frajda. Moje drugie życie dostarczało stałych przepływów energii w kierunku mojego prawdziwego życia właśnie z tego powodu, że praca w agencji towarzyskiej była taka zakazana, taka naganna. Tak nielegalna, jak balansowanie na linie. A cóż lepiej wyzwala adrenalinę niż balansowanie na linie?

Carl miał w swojej głowie mniej wzniosłe idee.

– Pomyśl o tym jutro w czasie zajęć – powiedział tonem nakazu, sam doznając coraz większego podniecenia i wprowadzając swoje słowa w czyn – myśl o tym, jak wchodzę w ciebie, obiecaj mi to.

– Obiecuję, skarbie. Obiecuję.

Uwierzył mi. Zawsze wierzą w takie rzeczy.

Następnego dnia po zajęciach, przed salą wykładową czekała na mnie jedna ze studentek.

– Doktor Abbott – zagadnęła nieśmiało – moja mama uważa, że nie powinnam uczestniczyć w zajęciach o prostytucji. Co mam jej powiedzieć?

– Dlaczego twoja mama myśli, że to jest dla ciebie złe? – spytałam.

– Nie wiem. Przecież to nie jest tak, że zaraz sama też zostanę prostytutką czy coś w tym rodzaju.

Nie wiem, ile w takim stwierdzeniu może być prawdy, ale przeciwnicy nauczania o sprawach seksu w szkołach używają właśnie takiego argumentu: jeśli coś wiesz na jakiś temat, to zapewne będziesz chciał tego spróbować. Albo uważają, że geje ciągle szukają młodych chłopców, żeby ich namówić na zmianę orientacji, tak jakby ich życie było tak atrakcyjne, że trzeba chronić innych przed przyłączeniem się do tej grupy.

– Ani twoja mama, ani ty nie musicie się obawiać – odrzekłam zdecydowanie. – Te wykłady będą miały w sobie tyle seksu, ile na przykład ma trygonometria lub pomiary szybkości wiatru. Jesteśmy naukowcami, którzy zajmują się naukową oceną fenomenu społecznego.

Ciągle jeszcze nie wyglądała na przekonaną. Ciągnęłam więc mój wywód dalej:

– Czy mama obawia się, że wyrobisz sobie swoje własne zdanie na ten temat? Zdanie mocno odbiegające od tego, co ona nakazuje ci myśleć?

– Myślę, że o to właśnie chodzi – powiedziała posępnie, kiwając jednocześnie głową.

– Czy to twój pierwszy rok studiów? – zapytałam delikatnie, chociaż znałam odpowiedź.

– Tak.

Wzięłam ją pod rękę i poprowadziłam w kierunku ławki. Usiadłyśmy.

– Twoja mama przeżywa jeden z najtrudniejszych okresów w swoim życiu. Nie jest to niczym nowym. Zaczęło się już kiedy miałaś dwa latka i okazało się, że jesteś kimś innym niż ona. Ten proces trwał cały czas, kiedy poszłaś do szkoły i później wracałaś do domu, kiedy zaczęłaś umawiać się z chłopcami, którzy jej się nie podobali, kiedy mówiłaś o czymś, co wydało jej się prowokujące lub nazbyt ryzykowne.

Muszę przyznać, że blefowałam, ale miałam nadzieję, że jej okres dojrzewania nie był całkowicie odmienny od mojego. Wyglądało na to, że mnie słucha.

– To tak jakbym umawiała się z chłopakiem, który nie podoba się mojej mamie?

Przytaknęłam.

– Rodzice chcą, żeby ich dzieci nauczyły się samodzielnie myśleć. A w każdym razie tak mówią. Zapominają jednak o tym, że ich dzieci, myśląc samodzielnie, podejmą w wielu sytuacjach zupełnie inne decyzje niż te, których życzyliby sobie rodzice. Czasem może będą to wybory zupełnie sprzeczne z tymi, jakich dokonują rodzice. Nikt tego nie lubi. Nie planuję mieć dzieci, ale mimo to czasami myślę na ten temat. I wiesz, co mnie przeraża?

– Co?

– Że wychowywałabym swoje dzieci wpajając im wszystkie najlepsze wartości, co oznacza oczywiście, że byłyby to moje wartości, a one i tak wstąpiłyby do partii republikańskiej wbrew moim przekonaniom.

Roześmiała się. Właśnie taki efekt chciałam uzyskać. Wzruszyła ramionami i podsumowała:

– No to teraz rozumiem, że to wcale nie chodzi o wykłady na temat prostytucji.

– Też tak uważam. Najlepiej byłoby, gdybyś mogła podzielić się z nią swoimi wątpliwościami. W ten sposób przyzwyczaisz ją do tego, że następują w tobie powolne zmiany, że to nie jest jakieś jednorazowe pranie mózgu, ale coś, co starannie przemyślałaś. Dzięki temu będzie mogła czuć, jak bardzo jest z ciebie dumna.

Patrzyłam jak się oddala, ale zamiast podążyć w jej ślady usiadłam na kamiennej ławce. Nie dotarło to do mnie wcześniej, kiedy roztrząsałam sprzeczność moich obu profesji, a teraz, ku mojemu zdziwieniu nareszcie zrozumiałam: jeżeli matka tej dziewczyny miała zastrzeżenia do zatwierdzonego przez uniwersytet cyklu wykładów o prostytucji, to jaka byłaby jej reakcja na wieść o tym, że tych wykładów udziela prostytutka?

W teorii wszystko jest w porządku. Zdobywanie wiedzy jest czymś dobrym. Rozumienie spraw jest jak najbardziej pożądane. Wszystko gra dopóty, dopóki patrzy się na przedmiot studiów z dystansem, tak jakby dotyczył jakichś dalekich, prymitywnych ludów, które nie mają z nami nic wspólnego. Wtedy akademia może ich osądzać, ferować wyroki, nakazywać, potępiać.

Zaczynałam czuć coś w rodzaju współczucia dla tych prymitywnych ludów. Zapewne czuliby się okropnie...

Rozdział dwunasty

Mam wrażenie, że wspominałam już coś na temat pozytywnego wpływu „nowego narybku" przybywającego do Bostonu każdej jesieni. To zastrzyk nowej energii, znacząca część startu „od zera", który celebrujemy tu co roku.

Powyższe słowa to jedyne dobre słowa jakie mogę powiedzieć na temat nowoprzybyłej grupy młodzieży.

Być może okropnie zrzędzę, bo nie jestem ani w odpowiednim wieku, ani odpowiednim typem żeby poczuć się częścią tej grupy; ale uwierzcie mi – są okropni. Nie chodzi mi tylko o te sytuacje kiedy jesteś uwięziona w przedziale metra z pryszczatymi wyrostkami, pewnymi tego, że ich wiedza, postrzeganie świata i reakcje są prawdziwe, właściwe i oczywiste. Rzecz w tym, że to podejście do świata przynoszą ze sobą na zajęcia.

Zadałam pracę do napisania w ramach wykładów o prostytucji. Podałam w jakiej formie należy ją dostarczyć, głownie po to żeby sobie oszczędzić skomplikowanych i zwalających z nóg elaboratów, jakie często powstają, jeśli nie poda się pewnych wskazówek. Prace zostały oddane i w dwóch z nich podany schemat został całkowicie zignorowany. Jedna z nich była wierszykiem na temat, zajmującym całą stronę. Strasznie mi się nie chciało wchodzić w oczywistą dyskusję z autorem wierszyka.

Na marginesie – jeśli ktoś chciałby posłuchać, co sądzę o ogłupiającym wpływie amerykańskich szkół publicznych – będę szczęśliwa rozwijając ten temat.

Oddałam obie prace bez jakiegokolwiek poprawiania i kazałam przygotować je raz jeszcze – ale w formie jakiej wymagam.

– Tym razem będę miła. Nie ukarzę was za to, że zapewne nie zrozumieliście moich wskazówek. Napiszcie jeszcze raz, a ja potraktuję wasze prace tak samo jak te, które zostały złożone na czas.

Żadnemu z autorów obu kiepskich prac nie przyszło do głowy okazać wdzięczność. Byli oburzeni i wyrażali to na głos.

– Nie mogę uwierzyć, że ktoś, kto ma taki ciasny umysł uczy w tym tak zwanym centrum nauczania! – warknął Jesse, nie tracąc czasu na zbędne ogródki. Wszak był poetą. Zapewne właśnie stawiał pierwsze kroki w poezji buntu. Miał pecha, bo ja już to przećwiczyłam, i to na dodatek z kimś o dużo większym talencie.

– Proszę cię jedynie o to... – zaczęłam, ale mi przerwał.

– To co? Pani spojrzenie jest jedynie słuszne? Tak, jakbyśmy nie mieli swoich własnych mózgów? Jakbyśmy nie mogli niczego dodać od siebie? Nie po to chodzimy do szkoły, żeby uczyć się tego co pani chce i jak pani chce – wykrzyczał Bob, odnosząc podwójny sukces: nie tylko przerwał moją wypowiedź ale także mnie obrażał.

Zdałam sobie sprawę, że jeśli zabiję go na miejscu, to zapewne zaszkodzi to mojej karierze naukowej, toteż odpowiedziałam łagodnie:

– Właśnie po to chodzicie do szkoły. W jaki inny sposób dowiecie się z czym się zgadzacie, a z czym nie?

Zawahałam się nie mając pewności, czy to w ogóle do nich dociera, następnie dodałam pospiesznie, zanim któryś znów zdążył wejść mi w słowo:

– Coś wam powiem: dostaniecie dodatkową pracę do zaliczenia. Bardzo proszę, żebyście poprawili to, co uważacie za konieczne w podanym wam schemacie pracy. Zróbcie to na spokojnie, nie teraz kiedy jesteście wzburzeni. Powiecie mi, co wam się w nim nie podoba i dlaczego nie chcecie go używać.

– O, świetnie. To znaczy, że w odpowiedzi każe nam pani wykonywać pracę, która należy do pani?

Takie scenki rozgrywają się każdej jesieni. Niektórzy z nich to najlepsi uczniowie w swoich dotychczasowych szkołach i potrafią wszystko załatwiać tylko w jeden sposób – tak, jak to robili w Pawtucket, Fort Laudedale czy Saint Louis. Są napuszeni i mają pewność, że mają patent na wszystkie mądrości.

Problem polega na tym, że aby mieć własne zdanie, trzeba zapoznać się z różnymi poglądami na dany temat. Nie można analizować Freuda, dopóki się nie postudiuje Freuda. Nie można spierać się na temat, z którym nawet nie zadałeś sobie trudu aby się zapoznać. Ale nikomu się nie chce tego robić i większość szkół średnich pozwala na to, żeby uczniom uszło to na sucho. Zamiast więc mieć nawyk zgłębiania zagadnienia, mają nawyk wyrażania opinii, co jest traktowane na równi z wiedzą i zrozumieniem tematu. I na dodatek dziwimy się, że produkujemy największych nieuków na tej planecie. Nie mogę pojąć, dlaczego nas to wcale nie obchodzi.

– Możecie napisać prace jeszcze raz – powiedziałam tonem, nie znoszącym sprzeciwu – albo dostaniecie za nie jedynki.

Woleli jedynki. Może kiedyś coś przeniknie do tych pustych głów, ale jeszcze nie tym razem. Jestem pewna, że na dodatek teraz będą chodzić i oskarżać mnie o to, że oceny jakie im postawiłam obniżają ich samoocenę. Nagle moja praca nocna wydała mi się przyjemną ucieczką.

Na ten weekend Peach zleciła jednej ze swoich asystentek odbieranie telefonów do agencji i zorganizowała przyjęcie w swoim mieszkaniu w Bay Village. Mówię „przyjęcie", ale tak naprawdę ci, którzy byli zapraszani stanowili jakby „salon" Peach. Byłam zmęczona ale poszłam; oczywiście, że poszłam. Byłam ciągle jeszcze nowa w tej branży, oczarowana osobowością Peach, jej energią, jej pomysłami. Przyznam, że czułam się wyróżniona tym, że Peach stara się zbliżyć do mnie i lepiej mnie poznać. Uwielbiałam wizyty w jej domu. Nie chodzi nawet o to, że spotkałam u niej Louisa. Podobało mi się to, że wszyscy byli tacy zrównoważeni, mieli klasę i wiedzę. Być może popełniam grzech stereotypowego myślenia.

Trzeba wiedzieć, że każdy, kto poznał Peach od razu był nią zachwycony. Nie tylko dlatego, że jako Madam poruszała się w pewnych wpływowych kręgach, co oczywiście nie pozostawało bez znaczenia. Jednak najważniejsza była jej osobowość, wrażliwość, dziecięca ufność. To przyciągało ludzi. Bardzo starannie dobierała sobie towarzystwo. Ja byłam jedyną kobietą, która pracowała dla niej i była zapraszana na przyjęcia. Bywali tu ludzie niezwykle wprost elokwentni, którzy potrafili zabrać głos na każdy temat. To właśnie mam na myśli, nazywając tę grupę ludzi „salonem", ich wspólnym mianownikiem były ogromne możliwości intelektualne, zdolność prowadzenia głębokich i ożywionych rozmów.

Porozmawiajmy o Peach.

Od czego zacząć? Była doskonałym połączeniem troski i bezradności. Chciało się zarówno płakać na jej ramieniu, jak i przepraszać, że naraża się ją na wysłuchiwanie o swoich problemach. Dla Peach można było zrobić rzeczy, których nie zrobiłoby się dla nikogo innego. Dopiero po dłuższym czasie rozszyfrowałam ten fenomen – ona wykreowała tę postać i zachowywała się tak, bo to najlepiej sprawdzało się w jej życiu. Określiła kim chce być i stworzyła taką osobę!

Była Madam, która prowadziła zakazany ale świetnie prosperujący biznes oparty na usługach seksualnych, mogła dyskutować o Faulknerze, miała właściwych znajomych, była ulubienicą w kręgu ludzi, którymi się otaczała. Wiedziałam też, że naprawdę najlepiej czuje się w dresie, że czytuje National Inquirer, że czasami późną nocą pisuje wiersze. Nikomu o tym nie mówiłam. Byłam po prostu oczarowana i wdzięczna, że znalazłam się w tym gronie.

Jej call-girls skoczyłyby za nią w ogień. Na to zresztą liczyła. To miało wielkie znaczenie dla jej agencji i może być jedynie udziałem Madam. Jest bowiem wielka różnica między Madam a alfonsem, taka mniej więcej jak między call-girl a dziwką wystającą na ulicy.

Peach miała licencjat jednego z lepszych college'ów w zakresie telekomunikacji. Znała klasyków lepiej niż ja poznam kiedykolwiek w życiu. Pochłaniała wprost powieści, literaturę popularnonaukową, książki filozoficzne i poezję. Większość ścian w jej mieszkaniu zajmowały półki z książkami. Była wyjątkowo piękna. Włosy otaczały miękko jej twarz, oczy wydawały się rozumieć wszystko. Robiła najlepszą kawę na świecie, nie miała sobie równych w grze w scrabble i była znana z tego, że ciągle coś gubiła.

Pracowała w swoim mieszkaniu, otoczona książkami, dietetyczną Coca Colą i kotami. Miała niesamowitą pamięć do cyfr, dzięki czemu żaden klient nie musiał się obawiać, że komuś wpadnie w ręce czarny notesik z numerami telefonów, bo takiego nie było. Wszystko miała w głowie. Klienci jednorazowi, którzy byli w Bostonie jedynie przejazdem, mieli numery swoich hoteli zapisywane na skrawku czegoś, co akurat było pod ręką. Nawet teraz kiedy pożyczam od Peach jakąś książkę, znajduję czasem numery telefonów niedbale wpisane na marginesie.

Także wszelkie informacje o tym, która z nas była dostępna, która się wypisała na dany wieczór, kogo uda się namówić, jeśli zadzwoni stały klient, kto potrzebuje szofera – przechowywała w głowie. Rozprawiała o wymiarach, wielkości miseczek biustonoszy, akcentach, zajęciach, preferencjach, nigdy niczego nie myląc. Nie mogłam się temu nadziwić. Byłaby doskonałym sprzedawcą.

Jak dobrze to przemyśleć, była sprzedawcą.

Kiedy dla niej pracowałam, opłata dla agencji wynosiła sześćdziesiąt dolarów za godzinę. Zawsze stawiała tę sprawę jasno: rozmawiając z klientem na temat opłaty za godzinę informowała, że w tej cenie zawiera się napiwek i honorarium agencji. Nie wiem, czy klienci mieli pojęcie o czym mówi, ale pewne jest, że my – dziewczyny – wolałybyśmy, żeby jednak nie wspominała o napiwku. Peach zwykła mawiać: „To nie lata osiemdziesiąte. Zapomnij o napiwku". W zasadzie miała rację – niewielu klientom przychodziło to do głowy. Jeśli klient mieszkał bardzo daleko lub jeśli call-girl korzystała z szofera – Peach negocjowała odpowiednio wyższą stawkę z klientem. Nigdy nie uszczknęła nawet centa z jej opłaty. Jedna godzina – sześćdziesiąt dolarów. Dwie godziny – sto dwadzieścia. Nigdy też nie żądała więcej, nawet jeśli były jakieś komplikacje i musiała włożyć dużo więcej niż zwykle pracy, żeby zaaranżować spotkanie. Zapewne myślała, że to wyrównuje rachunki za te zlecenia, które prawie wcale nie wymagają pracy z jej strony.

Oczywiście jej praca nie polegała tylko na tym, żeby zorganizować klientowi dziewczynę. Starałam się pamiętać o tym szczególnie w takie wieczory kiedy lał deszcz, padał śnieg albo panowała straszna duchota, a ja musiałam jechać do klienta, mając przed oczami obraz Peach – siedzącej w domu i czytającej książki. Musiała przecież dokonywać selekcji, kontrolować, czego ja nie byłabym w stanie robić za żadne pieniądze. Podejmowała ryzyko zamieszczania ogłoszeń – podając swoje nazwisko i numer telefonu do gazety.

A poza tym, naprawdę troszczyła się o swoje dziewczyny. Czasem byłam świadkiem niesamowitych zdarzeń. Na przykład pewnego wieczoru, byłam w jej mieszkaniu, kiedy zadzwoniła jedna z nowych dziewcząt – młodziutka, osiemnastoletnia studentka, płacząc, bo klient powiedział jej coś nieprzyjemnego. Peach się wściekła. W ciągu kilku sekund zadzwoniła do klienta, krzycząc do niego:

– Wszystko mi jedno dlaczego tak się stało, ale nie masz prawa jej obrażać. Nie pieprz bzdur, Cory, ona płacze. Jesteś gnojkiem, a ona jest młodziutka i przestraszona. Wiesz, że masz nad nią przewagę. Jest mi wstyd za ciebie! – odwiesiła słuchawkę i przez całe tygodnie nie przyjmowała jego zamówień.

To była jedna z fundamentalnych zasad wyznawanych przez Peach: zrobisz przykrość jednej z moich dziewczyn, przez długi czas nie zobaczysz żadnej z nich. Wydaje mi się, że dla niektórych stałych klientów takie ryzyko było podniecającą częścią całej tej gry, coś jak szkolne dyktando z efektami dodatkowymi – „Mistress Peach" trzymająca symboliczny pejcz i karcącym tonem mówiąca im, że są niegrzecznymi chłopcami.

Jeśli byłeś klientem, a Peach z jakiegoś powodu miała ci coś za złe, po prostu odkładała słuchawkę kiedy dzwoniłeś. Nieważne jak kiepsko szedł biznes. Wymagało to dużo czasu i cierpliwości, żeby znów dostać się do grona klientów. Proces pokuty za grzech był długi. Wiele razy trzeba było zapewnić: „Proszę cię, Peach, to już nigdy się nie powtórzy". Drobne prezenciki także pomagały. Dzięki temu Peach miała zawsze dostęp do darmowych biletów na koncerty, na które już dawno wszystkie bilety wyprzedano, do zaproszeń na specjalne uroczyste kolacje w najmodniejszych restauracjach i barach, całe góry żetonów, nie wiadomo skąd, za każdym razem gdy zjawiała się w Atlantic City.

Lubiła to, cóż w tym dziwnego? Lubiła blask, przywileje, limuzyny. Lubiła odgrywać swoją rolę i wszystko, co się łączyło z tą grą.

Prawdziwe zdarzenie: było Święto Dziękczynienia. Pierwsze od kiedy dla niej pracowałam. Nie miałam żadnych planów na ten dzień. Peach zaprosiła mnie do swojego mieszkania na South End, razem z małą grupką swoich przyjaciół. Byłam zachwycona. Tyle, że na początku tygodnia musiałam polecieć do Luizjany na pogrzeb cioci. Zadzwoniłam do Peach z Nowego Orleanu.

– Czy mam coś ze sobą przynieść – zapytałam automatycznie, jak zwykle w takich sytuacjach.

– Tak. Potrzebuję magnetowid, bo mój się zepsuł – powiedziała Peach. – Możesz kupić jakiś? Zwrócę ci pieniądze. Mam kasetę, którą puszczam w każde Święto Dziękczynienia.

Nie przyszło mi nawet do głowy żeby powiedzieć coś w rodzaju: „Przyjadę do ciebie prosto z lotniska, co znaczy, że muszę go kupić tu, w Luizjanie. Może poproś kogoś, kto jest na miejscu". Oczywiście, że nie! Przecież Peach zaufała mi, powierzyła misję.

– Jasne, w porządku – odpowiedziałam.

Spróbuj lecieć w klasie ekonomicznej z magnetowidem. Dotarłam na lotnisko zbyt późno żeby go nadać na bagaż. Był za duży, żeby włożyć go do schowka nad głową lub umieścić pod fotelem. Usiadłam na miejscu trzymając magnetowid na kolanach. Samolot nie mógł wystartować, bo stewardessy zastanawiały się co z nim zrobić. Inni pasażerowie doskonale zdawali sobie sprawę z tego, że to wszystko przeze mnie. Patrzyli na mnie z wściekłością, za co ich nie winię. Sama też byłabym zła.

W końcu rozwiązano problem w ten sposób, że magnetowid otrzymał swój własny fotel i dotarliśmy na lotnisko Logan niewiele później niż według rozkładu lotów. Padał śnieg, szłam pod wiatr na postój taksówek, niosąc torebkę, walizkę, małą podręczną torbę podróżną i... magnetowid. Zgubiłam rękawiczkę, włosy wchodziły mi w oczy, makijaż rozpłynął się już jakiś czas temu... wyglądałam jak uosobienie wdzięku. Gdybym w tym momencie powiedziała komuś, że jestem prostytutką, pękłby ze śmiechu. Wyglądałam jak klientka po bardzo atrakcyjnej wyprzedaży sprzętu RTV. Ale co było w tym wszystkim najdziwniejsze – nie miałam nic przeciwko temu. Przecież to dla Peach. Nawet kiedy prosi o coś wymagającego naprawdę wiele wysiłku, robi to w taki sposób, że nikt nie protestuje. To jest prawdziwy talent.

Peach zawsze umiała tak ustawiać sprawy aby były dla niej korzystne. Nawet w swoim biznesie, umiała aranżować specjalne warunki z klientami, z pracownikami, z gazetami, które umieszczały jej ogłoszenia. Była niezwykle kompetentna. Zresztą, w końcu to co robiła nie było też niczym aż tak nadzwyczajnie trudnym. Jeśli rozpatrywać sprawy pod kątem finansowym agencja towarzyska to wcale nie jest takie drogie przedsięwzięcie. Oczywiście trzeba się ogłaszać, ale to nie muszą być jakieś ogromne ogłoszenia. Niektóre duże agencje w mieście, takie jak Blue Moon, Temporarily Yours, Midnight Express ogłaszały się na pół strony w książce telefonicznej, co, jak sądzę było bardzo drogie. Mogły sobie na to pozwolić, gdyż dysponowały pracownikami, biurami, budżetem reklamowym. Miały także, niestety, dość przerażające statystyki, jeśli chodzi o ilość aresztowań.

Agencja Avanti zawsze mieściła się „pod radarem". Peach była jedyną osobą administrującą a oprócz tego miała około dwadzieścia dziewcząt. Nazbyt mała skala.

Zamieszczała dwa ogłoszenia w „Phoenix" na początku i na końcu tygodnia. W jednym reklamowano agencję, w drugim ogłaszano nabór kandydatek do pracy. Wtedy był to koszt rzędu trzysta czterdzieści dolarów tygodniowo gotówką. Oczywiście nigdy nie płaciła osobiście. Zwykle prosiła o to mnie, płacąc mi za to dwadzieścia dolarów. Czekała aż przyjmę sześć zleceń, co dawało jej sumę potrzebną na opłacenie ogłoszeń i prosiła, żebym zawiozła pieniądze bezpośrednio do biura ogłoszeń.

Czasem byłam to ja, czasem Louis, czasem jakaś inna call-girl. Ciekawiło mnie, co też myślą sobie ludzie w dziale ogłoszeń „Phoenixa" o tej galerii postaci, wpłacającej pieniądze za ogłoszenia o usługach agencji towarzyskiej. Pojawiałam się tam bez makijażu, z nieułożonymi włosami, czasem prosto po ćwiczeniach na siłowni – w dresie.

Drugie ogłoszenie miało przyciągać kandydatki do pracy.

Nie chcę używać terminu „nabór do pracy", bo przywodzi mi na myśl ciemne typki, wystające pod szkołami albo te wszystkie niesamowite kłamstwa na temat służby wojskowej. Peach nie prowadziła żadnej agitacji (w każdym razie nie wtedy, kiedy ja tam pracowałam). Generalnie ludzie jakoś ją znajdowali. Tak jak ja. Udało mi się ją znaleźć mimo, że jedyne co wiedziałam, to że należy szukać w określonej gazecie, w określonym dziale. Jeśli dobrze się przyjrzeć można znaleźć zdanie typu: „Przyjmuję zgłoszenia" lub „Szukam atrakcyjnych, dyskretnych kobiet".

Nie martw się o to, że być może to nieodpowiednia pora... wszystkie agencje przyjmują zgłoszenia o każdej porze dnia i nocy. Jedno z podstawowych pytań, zadawanych przez stałych klientów to: czy macie jakąś „nową"? Nową w agencji, nową w tej profesji. Nie ma znaczenia jak piękna i uwodzicielska jest kobieta, i tak zawsze przegra z „nową". Nie wiem, czy chodzi im o to, żeby włożyć swoje penisy w jak największą ilość kobiet, czy może o nadzieję, że ta nowa będzie najbardziej seksy, właśnie taka o jakiej marzyli. Bez względu na powody, właśnie takie podejście sprawia, że myślimy dość cynicznie o facetach. Ale ponieważ w tym wszystkim chodzi o spełnianie ich wymagań a nie o badanie ich motywacji – każda agencja zawsze bardzo chętnie przyjmuje nowe dziewczęta. Zatrudnienie właściwie gwarantowane.

Problem, związany z ogłoszeniami prasowymi, z punktu widzenia Peach, polega głównie na tym, że dość duża ilość zgłoszeń musi być umiejętnie sprawdzona. Kobiety dzwonią do niej z bardzo różnych powodów. Ciekawskie, szukające taniej sensacji, takie, które nie rozumieją na czym ta praca polega („chciałabym po prostu zjeść z nim kolację!").

Potrzeba dużo wyczucia aby umiejętnie „odsiać" te zbyt młode, zbyt zdesperowane (to właśnie one najczęściej popełniają błędy i doznają przykrości od klientów) oraz te stanowczo za głupie.

Następnie dziewczęta przechodzą przez inicjację, po której – jeśli się okaże, że to jednak nie jest zajęcie dla nich – Peach jest w stanie wytłumaczyć im, że nic właściwie się nie stało. Nie jest to trudne, bo prawie zawsze wysyła „nowe" do Bruce'a lub jeszcze jednego czy dwóch klientów, których doskonale zna i wie, że może na nich liczyć. Uprzejmi. Przyjemni. Delikatni. Peach stara się żeby było to tak miłe, na ile tylko możliwe, w zamian zyskując stuprocentową lojalność dziewczyn. Ta lojalność pomaga nawet wtedy, kiedy późniejsze zlecenia okazują się okropne, ponieważ call-girls mimo wszystko utożsamiają się z agencją, chcą być jej częścią.

Oceniając nowe dziewczyny, zgłaszające się do pracy w agencji, Peach kierowała się jedynie własną opinią – nie zawsze, niestety, słuszną. Pamiętam, że jedna z dziewczyn ukradła sporo pieniędzy i zniknęła. Dwie inne – bardzo zaufane, wręcz zaprzyjaźnione – pomagając Peach w przyjmowaniu zleceń, nauczyły się jak pracować w tej branży i założyły własną agencję, zabierając kilku klientów. Zdarza się. W takiej sytuacji nie można przecież dochodzić swoich praw w sądzie. Jednak w zdecydowanej większości przypadków jej ocena była prawidłowa, bo Peach znała i rozumiała ludzi. A poza tym umiała okazać, że naprawdę jej na nich zależy. Czasami, gdy dzwoniła, a mój głos nie brzmiał najlepiej – natychmiast pytała, czy wszystko jest w porządku. I miałam pewność, absolutną pewność, że Peach zrobi wszystko żeby mi pomóc.

Na czym polegał jej sekret? Było to bardzo proste, choć wydaje się nie do pomyślenia w tej „nocnej" branży: Peach była życzliwa. Naprawdę zależało jej na nas. I dlatego od czasu do czasu któraś ją oszukała. Ale miała przecież także wspaniałe dziewczyny i naprawdę wielu dobrych klientów.

Ogólnie rzecz biorąc, życie było całkiem w porządku.

Najlepszym sposobem aby uniknąć oszukiwania przez dziewczyny jest polecenie ich przez osoby już pracujące dla niej. Większość call-girls studiowała na wyższych uczelniach i miała rozeznanie, które z ich koleżanek są zainteresowane zdobywaniem pieniędzy w taki sposób. Oczywiście nikt nie rozgłasza takich rzeczy, ale koleżanki mogą to wyczuć. Dziewczęta z czyjegoś polecenia miały tę przewagę, że dokładnie wiedziały o co w tym wszystkim chodzi, jakie są stawki, wymagania, ograniczenia. Ułatwiało to życie Peach i, co ważniejsze, zapewniało bezpieczeństwo. A jak wszyscy wiemy, bezpieczny seks, to najlepszy seks.

* * * * *

Kiedy przeglądasz ogłoszenia agencji towarzyskich w książce telefonicznej lub w gazecie, natykasz się od czasu do czasu na hasło „uczciwość". Mogę zaświadczyć, że to bezczelne kłamstwo. Pamiętam, że już w pierwszym tygodniu pracy pewien klient męczył mnie strasznie przez telefon, dopytując się o szczegóły mojego wyglądu: czy aby na pewno ważę tyle, ile mówię, że ważę, czy na pewno nie kłamię na temat rozmiaru mojego biustu?

Powracał wielokrotnie do tego, co mu powiedziała o mnie Peach i sprawdzał, czy mówię to samo: „możesz powtórzyć jakie są twoje wymiary?"

Pechowo dzwoniłam do niego z parkingu przy centrum handlowym, w którym właśnie spędziłam nieprzyjemną godzinę oglądając swoje ciało w przymierzalni Cacique, gdzie kupowałam bieliznę. Miałam kiepski nastrój, widząc w lustrze wszystkie swoje niedoskonałości. W końcu zgodził się, żebym przyjechała, a ja natychmiast zadzwoniłam do Peach.

– Peach, on po dziesięć razy wypytuje mnie o moje wymiary i inne szczegóły wyglądu. O co tu chodzi?

Wyjaśniła mi natychmiast:

– Och, on po prostu miał niedawno bardzo złe doświadczenie z inną agencją. Powiedzieli mu, że dziewczyna jest piękna, a ona chyba nie miała zęba czy coś w tym rodzaju.

Pojechałam do jego hotelu pełna sprzecznych uczuć ponieważ ja także (zgodnie z wymaganiami Peach) nakłamałam mu na temat swojego wyglądu. W moim wypadku było to raczej kłamstewko strategiczne: dość często chodziłam poćwiczyć do klubu, a jak wiadomo mięśnie ważą więcej niż tłuszcz, toteż ważyłam więcej niż na to wyglądałam, a mówiłam, że ważę mniej, żeby klienci usłyszeli to, co chcą słyszeć. Żaden klient, znając moją prawdziwą wagę nie zgodziłby się na moją wizytę, ale kiedy już tam byłam, żaden nigdy nie narzekał.

Okazało się, że ten wieczór był jednym z przyjemniejszych, jakie mi się zdarzyły w pracy. Facet był miły, paranoja, którą wykazywał w rozmowie telefonicznej zniknęła. Było dużo zabawy i dużo śmiechu. Zresztą stał się jednym z moich stałych klientów, co stanowiło dodatkowy bonus, bo już nigdy nie musieliśmy przechodzić przez to okropne indagowanie telefoniczne.

Sprawa okłamywania klienta jest czymś naturalnym w usługach świadczonych przez agencje towarzyskie.

Zapytałam o to Peach od razu następnego dnia po spotkaniu z tym klientem.

– Dlaczego właściwie agencje kłamią przez telefon na temat swoich dziewcząt? Przecież natychmiast gdy klienci je zobaczą, kłamstwo wychodzi na jaw.

Siedziałyśmy w restauracji „Legal Seafood" i Peach była w tym momencie dużo bardziej zainteresowana przeglądaniem menu niż rozmową.

– Cóż, takie bezczelne kłamstwo. Taaak, tego się nie robi. To idiotyczne. Taki klient już nigdy nie zadzwoni do tej agencji, bo będzie pewny, że go chcą naciągnąć.

Ja już zdecydowałam co chcę zamówić, bo zawsze zamawiam w tej restauracji to samo: małże w aromatycznym sosie z owoców morza.

– Więc...? – nie rezygnowałam.

– Wszyscy kłamiemy, to oczywiste. Ale przecież wiesz doskonale, że klient, kiedy cię zobaczy, stwierdzi, że chętnie spędzi z tobą czas, prawda? Z drugiej strony, zdajesz sobie sprawę, że jeśli powiesz mu ile ważysz albo ile lat masz naprawdę, nawet nie zgodzi się na to, żebyś do niego pojechała. Więc kłamiesz. Nikt na tym nie traci. On dostaje to, czego chce, ty – też.

Zamknęła menu.

– Małże w aromatycznym sosie z owoców morza – powiedziała do kelnera.

– Dla mnie to samo – zamówiłam i czekałam chwilę, aż kelner odejdzie, żeby kontynuować. – Nadal twierdzę, że takie zachowanie nie przysparza nam dobrej reputacji.

Peach spojrzała na mnie krzywo. Nienawidziła rozmów o naszej pracy. Było to może dosyć dziwne, ale rozmawiała o sprawach seksu tylko wtedy, kiedy naprawdę nie mogła uniknąć tego tematu.

– Mężczyźni są jak barany – powiedziała. – Wydaje im się, że wiedzą czego chcą, bo tak mówią im media, przemysł pornograficzny, agencje reklamowe. Tyle, że oni zupełnie nie rozumieją czego szukają. Myślą, że chcą Pamelę Anderson. Myślą też, że doskonale orientują się w jej wymiarach, a ja gwarantuję ci, że w obu wypadkach mylą się. Mężczyźni nie mają zbyt wiele wyobraźni jeśli chodzi o cechy kobiety, która wydaje im się atrakcyjna seksualnie: lubią to, co im powiedziano, że lubią, i przyjmują, że to jest właśnie droga do nirwany seksualnej.

I dlatego Peach kłamała. Mówiła klientom to, co chcieli słyszeć. Wiedziała też, że jej dziewczyny są naprawdę dobre i żaden klient nie będzie poddawał w wątpliwość tego, czy chce spędzić z nimi czas. Tyle, że gdyby opis podany przez telefon odbiegał zanadto od wzorca Pameli Anderson, nigdy nie zdecydowałby się

„zamówić" takiej call-girl. Kłamała, ale klientowi podobała się dziewczyna, którą mu wysłała, wszyscy byli więc zadowoleni.

Lenin powiedział kiedyś, że kłamstwo powtarzane odpowiednio często staje się prawdą.

Każdy z nas codziennie wymyśla siebie na nowo.

Wspomniałam już o „salonie", spotkaniach, które odbywały się u Peach, gdy zamilkły już telefony. Wybrana grupa jej znajomych zbierała się tam, pijąc alkohol, wciągając kokainę, rozprawiając o wszystkim począwszy od polityki a skończywszy na architekturze. Czasami wieczorami graliśmy w różne gry: pictionary, taboo, trivial pursuit i scrabble. Byliśmy tak tym pochłonięci, zajęci sobą i tacy mądrzy, jakby to było w jakimś osiemnastowiecznym salonie ludzi z wyższych sfer. Różnica polegała tylko na tym, że zdawaliśmy sobie z tego sprawę i nawet trochę naigrawaliśmy się z tego.

To wszystko było naprawdę zabawne. Wykonywałam jedno lub dwa zlecenia, a potem, zwykle około pierwszej nad ranem jechałam do Peach, bawiłam się do piątej, jechałam do domu, kładłam się spać. Oczywiście nie codziennie. Przecież prowadziłam wykłady, musiałam się do nich przygotowywać, musiałam sprawdzać prace studentów. Ale bywałam u Peach na tyle często, żeby odczuwać zachwyt i podniecenie moim „drugim" życiem. Wiem, że była to tylko mrzonka ale wtedy sprawiało mi to wiele radości.

Tej nocy graliśmy w scrabble, piliśmy wino i wciągaliśmy kreski kokainy. Postawiłam gdzieś swoją lampkę z winem i nie mogłam jej znaleźć. Siedzący obok mężczyzna podał mi swoje wino. Spojrzałam na niego. Ach! To był Louis, który czasem pracował dla Peach jako szofer, a w ciągu dnia uczęszczał do szkoły biznesu. Wzięłam od niego wino, on patrzył na mnie cały czas, gdy podnosiłam kieliszek do ust.

– Zagrajmy w coś – powiedział kiedy oddałam mu jego wino.

Przez resztę wieczoru piliśmy z jednej lampki. Graliśmy w scrabble i Louis wygrał. Część ludzi powoli wychodziła do swoich domów. Peach ziewnęła i udała się do sypialni. Tylko ja i Louis zostaliśmy w pokoju, rozmawiając ze sobą, jakbyśmy byli zaczarowani, owinięci kocem, przytuleni, dobrani jak w korcu maku. Rozmawialiśmy o jego i o moim dzieciństwie, o etyce biznesu i etyce akademickiej; rozmawialiśmy... och, już sama nie pamiętam o czym. Jedno, co pamiętam, to że się zakochałam.

Stworzyło to ciekawą sytuację: jeśli miłość jest na sprzedaż, jak możesz ją rozdawać?

Rozdział trzynasty

No, to zaangażowałam się uczuciowo. Zakochałam się w Louisie Mendozie.

Z początku nie zauważyłam, żeby poziom moich wykładów uległ pogorszeniu czy obniżeniu. Może inni też tego nie dostrzegli. Na początku. Ale sypiałam coraz mniej, zajęcia mogłam prowadzić tylko dzięki temu, że obecność w sali wykładowej podwyższała mi poziom adrenaliny, uważałam wykłady za pasjonujące zajęcie.

Ale oddawanie prac studentom opóźniało się znacznie, nie byłam w stanie ich czytać i oceniać, a kiedy już nawet siadałam do ich sprawdzania, natychmiast zasypiałam. Cóż, miałam więc trochę opóźnienia. Znalazłam sobie usprawiedliwienie: znałam wielu profesorów, którzy zawsze się z tym spóźniali. Co tam! Opiekun mojej rozprawy doktorskiej zgubił wyniki mojego egzaminu z języka francuskiego i przez sześć miesięcy udawał, że je ma, a w końcu postawił mi pozytywną ocenę, bo nie wiedział co z tym dalej robić. Byłam więc w dość przyzwoitym gronie. Nie martwiłam się zanadto. To tylko chwilowe; kilka spóźnionych prac, kilka niedostatecznie dobrze przygotowanych wykładów. Jakoś to przeżyję.

W tym czasie Louis wypełniał wszystkie moje myśli i nie tylko. Był doskonałym kochankiem. Przysyłał mi kwiaty. Dzwonił tylko po to, żeby usłyszeć mój głos. Stwierdził, że jestem osobą wyjątkowo inteligentną, o dużej wiedzy i świetnym poczuciu humoru, a ja łapałam się na tym, że bardzo chciałam wpasować się w tę ocenę. Nasze życie seksualne było słodkie, przyjemne, romantyczne. Napisał dla mnie wiersz. Po hiszpańsku...

A co najdziwniejsze – moja praca w agencji wydawała się nie mieć najmniejszego wpływu na nasz związek.

Powtórzę to, o czym już wspominałam: przez cały czas kiedy pracowałam dla Peach, nigdy nie myliłam pracy ze swoimi sprawami prywatnymi. Może używałam takich samych słów, może większość gestów była taka sama, ale praca była pracą. Niewiele jest call-girls, które nie potrafią tego rozgraniczyć. A te, które nie potrafią, zwykle nie są w stanie przetrwać.

Myślę, że dla żadnej kobiety nie jest problemem rozróżnienie seksu za pieniądze od seksu z miłości. Mężczyźni jednak rzadko to potrafią. Wydaje im się, że umieją, ale to bzdura. Mąż przyłapany na gorącym uczynku usprawiedliwia się, że to tylko seks, że to nic nie znaczy. Jasne, że nic nie znaczy! Ale wiecie dlaczego? Bo dla nich seks w ogóle mało znaczy bez względu na to z kim go uprawiają.

Z jakichś powodów (a antropolog we mnie już mógłby zacząć wyliczać, chociaż to nie miejsce ani pora) kobiety łączą uczucie (miłość) z aktywnością fizyczną (seks). Mężczyźni w jakimś stopniu musieli się do tego przystosować, bo pozwala im to mieć zawsze przynajmniej tę jedną kobietę w pobliżu i do swojej dyspozycji. Ale tutaj właśnie podnosi łeb stara hydra nierówności społecznej zwana „podwójne standardy". Po mężczyźnie można się spodziewać, że odczuwa potrzebę wyjścia poza swój związek, oparty na „miłości" aby doznać „zupełnie nic nie znaczących" stosunków seksualnych, które przecież „nie mają wpływu na nic". Kobiety nie mają takiej opcji. Dla nich seks może być usprawiedliwiony jedynie miłością. Jeśli kobieta traktuje tę sprawę tak jak mężczyźni, to jest uważana przez nich za szmatę. Grzeczne kobietki tego nie robią.

Facetom wcale nie jest jednak aż tak dobrze. Przede wszystkim zagadnienie prostytucji budzi w nich mieszane uczucia. Ponieważ większość z nich albo już umawiała się z prostytutkami albo ma taki zamiar, wiedzą, że to nie mieści się w kategorii czystego biznesu. Nic nie znaczący seks, jak to próbują tłumaczyć swoim żonom... ale chwileczkę – nie spadł im przecież z nieba jak niespodziewany podarek. Pragnęli tego, dokonali wszystkich niezbędnych formalności aby to zdobyć i cieszyli się tym. Według mnie – nie jest to takie nic nie znaczące.

Dla większości mężczyzn prostytucja nie jest częścią ich życia zawodowego. Jest częścią ich „prawdziwego" życia. Jest to coś, co robią w życiu. Rytuał przejścia do dorosłości dla absolwenta szkoły średniej, ostatni ekscesik przed ślubem, miła odmiana w rutynie codzienności.

Seks z prostytutką jest dla nich wspaniały, bo mogą wybierać to, co naprawdę lubią. Ona jest tylko po to żeby robić wszystko, czego się od niej żąda. Nie musisz się męczyć w oczekiwaniu na jej orgazm albo aranżować przydługie gry wstępne: ona jest po to, żeby spełniać twoje wymagania. Sama nie ma żadnych potrzeb, pragnień, wymagań. Ten cholerny seks zawsze powinien być taki!

Prostytucja urzeczywistnia wszystkie te fantazje. Call-girl zjawia się po to, żeby cię uwodzić, żeby spełniać życzenia, żeby dać godzinę czegoś, co uatrakcyjni rzeczywistość. Piękna kobieta, która nie myśli o niczym innym tylko o seksie. A nawet jeszcze więcej: piękna kobieta, myśląca tylko o seksie i to właśnie z tobą. Jest po to, żebyś doznał przyjemności, żebyś dostał wszystko, czego chcesz. Tylko to się dla niej liczy. Widzisz! Istnieją takie kobiety. Ciekawe dlaczego żadna z twoich dziewczyn, narzeczonych, żon nie jest taka?

Cóż – odpowiedź jest krótka – nie płacisz im za to.

Kiedy dzwonisz do agencji, możesz złożyć konkretne zamówienie. Kiedy call-girl dzwoni do ciebie, żeby potwierdzić spotkanie, możesz jej powiedzieć w co ma się ubrać, jak ma się zachowywać, ba! możesz wymagać nawet, żeby udawała królową Elżbietę, jeśli to cię podnieca. A ona to zrobi. Jeśli jest prawdziwą profesjonalistką, to nie będzie miała problemu nawet z tym, żeby cię przekonać, że twoje fanaberie są także dla niej... takie seksy: „Nigdy nie sądziłam, że bycie królową Elżbietą może być takie podniecające..." kilka szybkich urywanych oddechów,... „to takie cudowne".

A faceci są tacy naiwni, tacy łatwowierni. Jest tyle sposobów, żeby ich zachwycić, pozwolić im poczuć się władcami świata, na przykład teksty w stylu: „ Jesteś najlepszym mężczyzną jakiego do tej pory miałam. Nie przeżywam orgazmów z mężczyznami ale ty dzisiaj dokonałeś tego. Gdybyśmy się spotkali w innych okolicznościach...". I oni w to wszystko wierzą. To właśnie jest najdziwniejsze.

Mężczyźni – tacy pazerni na posiedzeniach rad nadzorczych, tacy wnikliwi, że z łatwością doszukają się nieprawidłowości w księgach rachunkowych, ci sami faceci – uwierzą we wszystko co im mówisz jeśli tylko będzie to pozytywne i jeśli będzie dotyczyło ich wyczynów seksualnych.

Wiele razy, naprawdę WIELE razy klienci chcieli, żebym recytowała im listę komplementów i zachwytów nad nimi. Gdyby to była prawda, to ja zapewne powinnam była zapłacić za wspaniałe doznania z tymi supermenami. Nigdy nie przestanę się dziwić, że inteligentny człowiek może dać się złapać na coś tak żałosnego.

Sposób, w jaki media ukazują pop-kulturę nie pomaga sprostować wizerunku zjawiska prostytucji. Oglądałam program telewizyjny, w którym prostytutka była przedstawiona jako obiekt współczucia. Wykazywano w nim, że nie jest ona tym, co robi dla pieniędzy. Program był nawet dosyć sensowny, aż do chwili kiedy pozwolono tej prostytutce na krótką wypowiedź, a ona palnęła: „Bardzo ciężko pracuję na te pieniądze. No..., w jakiś sposób jest przecież ciężko...". Świetnie! Wspaniale! To przecież nie jest jedynie praca. To także zabawa!

Udając przed mężczyzną, że tak jest, pomagamy spełnić jego wizje, fanaberie, fantazje. Tak, wszystko jest bardzo przyjemne i zabawne. Przecież jeśli ty się świetnie bawisz, to ja zapewne też...?

Dla niej nie jest to więc NAPRAWDĘ praca.

Cóż, jednego jestem pewna, to także NIE JEST NAPRAWDĘ seks.

Zdecydowana większość kobiet uważa, że seks składa się z elementu brania i dawania, że polega na mniej więcej proporcjonalnej wymianie, w której spełniane są wzajemnie potrzeby obojga partnerów. Nie jest to zjawisko jednostronne. W swojej najlepszej odmianie jest wspólnym przeżywaniem. W najgorszym razie opiera się na zasadzie „raz ty, raz ja".

To, co robią prostytutki, nie jest przez nie traktowane jako seks. Jest to całkowite dopasowanie się do wymogów klienta, to ulica z ruchem w jednym tylko kierunku. Przyjemność dla call-girl jest porównywalna do zakupów w supermarkecie. Zdarza mi się układać listę zakupów w czasie kiedy mruczę udając, że klient sprawia mi przyjemność. Dzięki temu czas mija mi szybciej. Zdarzyło mi się więcej udawanych orgazmów niż umiałabym policzyć.

Przepraszam. To po prostu nie jest seks.

To znaczy jest to seks dla klienta. Ale w czasie gdy on doznaje przeżyć seksualnych, ja jestem w pracy.

Jest bardzo mało prawdopodobne, by kobieta pomyliła te dwie sprawy. Mężczyznom zdarza się to nader często.

Kontynuowałam więc moją pracę dla Peach – trzy, cztery zlecenia tygodniowo. Kiedy nie byłam zajęta w agencji – spotykałam się z Louisem. Obie te sprawy oddzielałam bez najmniejszego problemu. Z klientem to praca, z Louisem zaś – seks.

Jedynym minusem w całej tej sytuacji było to, że spotkania z Louisem przeciągały się do późnych godzin nocnych, tak samo jak moje zlecenia z agencji. Nie miało w końcu wielkiego znaczenia, że z Louisem robiłam zupełnie co innego niż z klientem:

graliśmy w scrabble, piliśmy, wciągaliśmy kokę i na koniec wieczoru lądowaliśmy w łóżku. Czas i tak upływał nieubłaganie, tarcza zegara miała dla mnie wtedy zdecydowanie za mało godzin. Odbijało się to negatywnie na mojej pracy na uczelni. Wykłady o prostytucji były czymś zupełnie nowym, niezwykle ciekawym, bezprecedensowym i opinie o nich krążyły daleko poza szkołą. Zadzwonił do mnie nawet ktoś z Alberty prosząc o umieszczenie programu wykładów w internecie. Szkoła, w której prowadziłam te wykłady, zapewniła mnie, że jest to bardzo interesujący temat; fakultety będą zapewne kontynuowane przez wiele kolejnych lat.

Nawet dziekan zaprosił mnie na herbatkę i pogawędkę.

– Doktor Abbott, może chce pani poprowadzić jeszcze jakieś inne zajęcia albo może dodatkowy wykład o prostytucji? Zdajemy sobie sprawę, że aby zatrzymać u nas tak utalentowaną osobę jak pani, musimy dbać o pani interesy. Staramy się troszczyć o profesorów i o studentów. Proponujemy więc pani podwyżkę oraz możliwość objęcia tylu wykładów, ile pani sobie życzy.

Siedziałam tam jak ogłupiała, zastanawiając się cynicznie, gdzie był w zeszłym roku, kiedy nie mogłam zapłacić za mieszkanie i ledwie wystarczało mi na najgorsze jedzenie, co popchnęło mnie do uprawiania prostytucji. Ciekawe dlaczego w zeszłym roku szkoła nie wykazała swojej opiekuńczości i nie była zainteresowana dodatkowym cyklem moich wykładów...?

Otrzymałam wiele zaproszeń do przeróżnych miejsc, z prośbą o wygłoszenie jako gość honorowy, wykładu na temat prostytucji. Czasem była to organizacja absolwentów uczelni, czasem grupy studentów antropologii, socjologii, historii. Starałam się przyjąć tyle zaproszeń, na ile tylko pozwalał mi czas, były to bowiem nie tylko dość dobre pieniądze ale także pozwalało mi to wyrobić sobie nazwisko. A znane nazwisko to w kręgach akademickich najcenniejsza wartość.

Przez cały ten czas byłam w absurdalny sposób zadowolona z siebie. Udawało mi się pogodzić ze sobą tyle różnych spraw, żyłam jak chciałam i nie musiałam z niczego rezygnować ani nikomu niczego odbierać.

Pamiętam jak na początku studiów doktoranckich dziekan wytłumaczył nam jaka jest recepta na osiągnięcie sukcesu na uczelni:

– Panie i panowie, to, co musicie w sobie rozwinąć i to na dodatek jak najszybciej to mentalność pitbulteriera. Nie możecie sobie pozwolić na pomaganie jedno drugiemu. Rozejrzyjcie się dokoła. Połowa z was nie dotrwa do obrony pracy doktorskiej. Jeśli chcecie znaleźć się w tej połowie, która dotrwa, musicie liczyć tylko na siebie. Nie współczujcie tym, których przyjdzie wam po drodze pokonać, bo oni by wam nie współczuli.

Te słowa były dla mnie ohydne. Jestem przekonana, że mój poprzedni brak sukcesów był spowodowany właśnie całkowitym odrzuceniem propozycji udziału w tej brudnej grze. Mimo wszystko – z mojego punktu widzenia – była to słuszna decyzja. Chcę bez obrzydzenia patrzeć w lustro i spać spokojnie po nocach. To, co kazali nam robić, było nieetyczne. Dużo bardziej etyczna była moja – spowodowana odmową udziału w grze – decyzja podjęcia pracy jako call-girl. Ale teraz – jak zaśpiewałby to Steve Winwood – jestem na powrót w *high life*.

Na jeden z wykładów pojechałam do college'u stanowego w Salem i mimo przenikliwego chłodu zrobiłam sobie bardzo długi spacer po nabrzeżu. Louis nie mógł pojechać ze mną, gdyż miał jakieś zajęcia w szkole. Ale sama także czułam się świetnie.

Kiedy wracałam do domu drogą numer jeden z Salem, zadzwoniła Peach:

– Czy przypadkiem jesteś gdzieś niedaleko Chisolm?

– Jakieś dziesięć minut – odpowiedziałam wiedząc, że Peach ocenią odległość w minutach nie w kilometrach.

– Świetnie. Co byś powiedziała o „duecie"? Będziesz musiała trochę z nią poudawać.

– Nie ma sprawy.

W czasie moich studiów na uniwersytecie nie mogłam sobie odpowiedzieć na pytanie, czy jestem heteroseksualna, czy też może jestem lesbijką. Doszłam w końcu do wniosku, że – jeśli już chcesz wiedzieć – zarówno kobiety, jak i mężczyźni są biseksualni i zawężanie swoich wyborów do połowy populacji jest, cóż.... ograniczające. Oczywiście, że mogłam sobie poradzić w „duecie".

Chisolm to motel na północ od Bostonu, który reklamuje swoje jacuzzi i najlepszą telewizję kablową. Nikt cię nie zobaczy, bo podjeżdżasz dokładnie pod pokój, który wynajmujesz. Ściany pokoi są wykonane są z tego samego „sztucznego drewna", z którego robiono przyczepy campingowe, zanim wszyscy przerzucili się na terenówki z napędem na cztery koła.

Klient nazywał się Vinnie. Był grubym Amerykaninem pochodzenia włoskiego, ze złotym krzyżykiem na owłosionej piersi. Był prawie zupełnie pozbawiony jakiegokolwiek wdzięku. Moja partnerka – która, jak mi powiedziała Peach, przyjechała z New Hampshire – siedziała już na jedynym w tym pokoju łóżku, tylko w kwiecistych majteczkach i staniku. Miała pseudonim Stacey, a ponieważ oboje wyglądali na dość znudzonych, postanowiłam przejąć inicjatywę. Powoli rozebrałam się do bielizny, usiadłam obok Stacey i lekko pogłaskałam ją po ramieniu, mówiąc do Vinniego:

– Czyż nie jest piękna?

Wiedziałam doskonale i od dawna, że faceci lubią mieć wrażenie, że dwie kobiety „mają się ku sobie". Tyle, że nagle zdałam sobie sprawę, iż pod wpływem mojego dotyku Stacey zesztywniała i odsunęła się ode mnie. Niech to szlag trafi! Szkoda, że Peach nie zapytała jej, czy lubi czasem poudawać w „duecie". A może Stacey w ogóle nie wiedziała o co w tym chodzi? Jedno było pewne: jeśli nie chciała, żebym dotykała jej ramienia, to na pewno tym bardziej nie będzie chciała w bardziej intymnych miejscach. Jej oczy były wgapione w Vinniego, jakby chciała wyczytać z nich, co on teraz chce robić. Prawdopodobnie w pojedynkę była dość dobra – słodka idiotka, którą faceci lubią, żadnej osobowości, gotowa do usług. Coś zupełnie odwrotnego niż to, co było potrzebne w tej chwili. Naprawdę wpakowałam się w tarapaty.

Lekko zwilżyłam usta językiem i zaproponowałam Vinniemu:

– Może przyłącz się do nas...

Jeśli zamiast tak stać nad naszymi głowami usiądzie koło nas, to być może Stacey trochę się zrelaksuje.

Vinniemu nie trzeba było dwa razy powtarzać. Natychmiast rozebrał się do naga i wygodnie rozłożył na łóżku, wyciągając ręce w naszym kierunku.

– Chodź tu do mnie – powiedział.

Nie byłyśmy pewne, do której z nas były skierowane te słowa, toteż przylgnęłyśmy do niego obie – po obu jego stronach. Trochę lepiej. Stacey zaczęła go całować, ja przesuwałam dłonie po jego piersiach, brzuchu, dotarłam do jego penisa. Zaczął rosnąć i twardnieć pod moim dotykiem. Odsunął od siebie Stacey i poinstruował:

– Teraz obie macie go lizać.

Stacey przesunęła się w moją stronę. Jej głowa była na wysokości mojej. Trzymałam i stymulowałam jego penisa, a ona w tym samym czasie przesuwała język w tę i z powrotem. Przyłączyłam się do niej, liżąc z drugiej strony. W pewnej chwili, udając, że całuję ją w policzek, powiedziałam:

– Zamknij oczy i pocałuj mnie. Tak będzie lepiej, bo szybciej doprowadzimy go do orgazmu.

Odsunęłam się, zajmując się dalej jego penisem, potem odwróciłam twarz w jej stronę i z ulgą dostrzegłam, że jest troszkę mniej spięta. Pocałowałyśmy się. Wspaniale. Co prawda, to ja wykonywałam większość pracy, ale jakoś powinno się udać zaliczenie kolejnej godziny pracy i kolejnego zadowolonego klienta.

Przestałyśmy się obejmować i natychmiast przesunęłam się w górę, żeby całować Vinniego. Szeptałam do niego, że Stacey jest taka gorąca... Kiedy kończyła stosunek oralny, głaskałam ją lekko po głowie i byłam zadowolona, że Vinnie za chwilę stanie się historią. To właśnie było najpiękniejsze – bez względu na to, jak okropnie mają się sprawy, zawsze możesz, patrząc na zegarek, pocieszać się: jeszcze tylko pół godziny i nie muszę widzieć tego faceta nigdy więcej.

Vinnie nie był wcale taki okropny. To w końcu nie jego wina, że Peach dobrała nam kogoś, kto nie nadawał się do „duetu". Stacey musi popracować nad sobą, bo dostajemy w agencji sporo takich zamówień. Nie jest żadną nowością, że mężczyźni uwielbiają fantazjować na temat stosunku seksualnego z dwiema kobietami naraz. Jeśli chcesz dowodów – zajrzyj do listów wysyłanych do Penthouse – większość z nich dotyczy właśnie tego tematu. Kiedyś myślałam, czytając je, że to jakiś rodzaj żartów. Na mnie działały bardzo mocno – lubiłam masturbować się podczas lektury scen pornograficznych. Nie wydawały mi się zbyt prawdopodobne, ale zapewne ich autorzy mieli coś na myśli kiedy je pisali. Na przykład: „Moja żona jest małą blondynką, bardzo apetyczną i seksy. Pewnego dnia leżałem w łóżku chory na grypę, przyszedł ktoś naprawić telewizor. Wstałem z łóżka i przez szczelinę w drzwiach zobaczyłem jak wielkie owłosione chłopisko wciska swojego fiuta w śliczną cipeczkę mojej żony...". Taaak. Na pewno. Albo: dwie koleżanki wynajmujące mieszkanie razem z jego dziewczyną całujące się w kuchni i prezentujące do czego jeszcze mogą służyć warzywa i owoce. Albo: powiedzmy, że jesteś dość przeciętnym mężczyzną. Jakaś część ciebie naprawdę robi się strasznie napalona kiedy wyobrażasz sobie dwie piękne kobiety, które nawzajem się podniecają, a ty jesteś wśród nich i masz świadomość, że tylko ty możesz je naprawdę zaspokoić.

Uwielbienie, które wykazuje w stosunku do ciebie call-girl może zostać zdwojone kiedy dziewczyny są we dwie. Możesz sobie wyobrazić, że to dwie lesbijki, a ty – jako prawdziwy mężczyzna – dasz im nareszcie odczuć co znaczy prawdziwa przyjemność w stosunkach hetero. Możesz myśleć, że jesteś taki męski, że jedna kobieta, to dla ciebie za mało, albo że lubisz dużo pieszczot. Możesz sobie pomyśleć, że one rywalizują o ciebie albo dzielą się tobą, że kochają się albo, że to ty pomogłeś im poczuć do siebie miłość. Prawdę powiedziawszy, to co sobie myślisz w tym czasie jest twoją prywatną sprawą. Ważne, że to cię podnieca, że czujesz się w centrum uwagi. Nie ma konkurencji ze strony innych facetów, nie ma innych penisów niż twój, a te dwie wspaniałe kobiety prześcigają się w jego lizaniu, dotykaniu, pieszczeniu, wkładaniu go w siebie. Jeśli miałeś jakieś kompleksy, byłeś nieśmiały – wszystko zniknęło. Jesteś buhajem i masz się na kim wyżyć. Dwa języki, jeden penis. Tyle piersi... nawet nie wiesz od czego zacząć. Jesteś jak dziecko w sklepie z zabawkami: usta, dłonie, cipki, dupeczki – wszystko dla ciebie.

Jeśli mi nie wierzysz,... cóż – jeśli naprawdę mi nie wierzysz, to znaczy, że... jesteś kobietą, bo każdy czytający to mężczyzna właśnie dostał gęsiej skórki na myśl o takiej scence i doskonale wie o czym mówię. Ale, drogie panie, jeśli mi nie wierzycie, zapytajcie o to jakiegoś heteroseksualnego mężczyznę, którego znacie – swojego partnera, brata, przyjaciela, kolegę z pracy. Odpowiedzą, że są przekonani, że to zupełnie normalne: myśleć o „trójkąciku". Tak jak zupełnie normalne jest oglądanie meczu w telewizji. To wszystko są elementy życia „prawdziwego" mężczyzny. Kiedy zaczniesz dopytywać się o szczegóły (a należy się spodziewać, że podadzą ich więcej niż byś się spodziewała), powiedzą ci nawet, kogo sobie wyobrażają w tym „trójkąciku". Mężczyźni nie wyobrażają sobie jakichś mglistych partnerek seksualnych. Myślą o konkretnych kobietach, które znają, które widują w sklepie, w klubie sportowym, w biurze.

Niektórym z nas wyda się to dość paskudne. Jeśli wyobrażasz sobie, że uprawiasz ze mną seks, bez mojej wiedzy i uczestnictwa, to jest to chyba jednak w jakimś stopniu naruszenie mojej prywatności?

Jeśli wyobrażasz sobie współżycie seksualne ze mną, jeśli masturbujesz się, myśląc o mnie uprawiającej z tobą seks, to czy aż tak bardzo daleko od tego odbiega rzeczywiste molestowanie i zmuszanie do odbycia stosunku?

Nieważne, jedno jest pewne: kobiety są bardzo dalekie od marzeń o „trójkątach". Są nauczone tego, że jeśli w okolicy pojawia się jeszcze jedna kobieta, to jest to potencjalne zagrożenie, zdrada, wróg. Trudno im sobie nawet wyobrazić, że dzielą się mężczyzną z inną kobietą. Taka myśl natychmiast powoduje poczucie braku bezpieczeństwa: co, jeśli ona jest lepsza ode mnie? Co, jeśli bardziej mu się podoba? A jeżeli już nie będzie chciał seksu tylko ze mną? Czy nie jestem w stanie sama go zaspokoić?

Facet się męczy i poci, żeby nie mieć przedwczesnego wytrysku, a ona ma już gotowe papiery rozwodowe, swoją przyszłość ma już zmarnowaną – jest przecież seksualną nieudaczniczką, ciężar bycia porzuconą zdążył się już wpisać w jej psychikę. A on patrzy na nią i mówi: „Hej, poliż jej cipkę, wykaż trochę zaangażowania!"

„Trójkąty", które moim zdaniem są nieudolną amatorszczyzną, organizują sobie ludzie, którzy już dobrze się znają, bo myślą, że uda im się później przejść nad tym wszystkim do porządku dziennego. Też kiedyś próbowałam, a jestem naprawdę dobra w oddzielaniu seksu od miłości, obsesji od zabawy. Nie udało mi się, toteż myślę, że nie udaje się to większości kobiet. Może właśnie dlatego jest takie zapotrzebowanie na „trójkąty" w wykonaniu call-girls, że wśród znajomych są one prawie niemożliwe? I jeszcze jedno – są naprawdę niebezpieczne. Zwykle ktoś czuje się bardzo mocno zraniony. Dobrze wam radzę, nie próbujcie tego w domu. Wasze fantazje wymagają dobrze przeszkolonych profesjonalistek (chociaż zapewne zupełnie nie zdajecie sobie z tego sprawy).

My po prostu wiemy jak to zagrać, żeby wydawało się łatwe.

Zorganizowaliśmy sobie seks we trójkę z pieprzonym draniem Peterem i kobietą, która wtedy była moją najlepszą przyjaciółką. Może niepotrzebnie mówiłam jej, że trudno byłoby mi go rzucić, bo jest naprawdę świetny w łóżku, albo może stało się coś, czego nie rozumiem...? Nie było tego w planach. Chciałam to powstrzymać kiedy już się zaczęło. Było to okropne – siedziałam cała we łzach na jej łóżku podczas gdy on pieprzył ją namiętnie i z całej siły. Kiedy próbowałam się włączyć odepchnęła mnie mówiąc: „Pokażę ci, co potrafi prawdziwa kobieta".

Trzeba wiele czasu, żeby poradzić sobie z takim wspomnieniem.

Call-girls robią „duety", czyli „dwie dziewczyny jeden klient", bardzo często. W zasadzie może wydawać się to dziwne, ale śmiem twierdzić, że call-girls naprawdę to lubią. Ale oczywiście nie ma w tym nic nadzwyczajnego. Klient płaci podwójnie – pełną stawkę dla każdej z nich, czyli na pewno ma dużo kasy. Jeśli odpowiednio dobrze zagrać – jest duża szansa, że przedłuży o kolejną godzinę. To dużo lepiej niż wyjść, udać się na następne spotkanie. Nie o to chodzi, że mamy coś przeciwko kolejnemu stosunkowi. Rzecz w tym, że znów trzeba przechodzić przez te telefoniczne egzaminy, przekonywać klienta, że chce właśnie ciebie, znaleźć jego dom, domyślać się co on lubi. Wszystko to powoduje dodatkowy stres. Nawet jeśli klient jest miły, to czas, który tracisz, żeby wszystko dobrze zorganizować jest nieprzyjemny. A jeśli jesteście we dwie, to łatwiej jest zachęcić klienta do następnej godziny, jeśli tylko zagra się odpowiednio dobrze: możesz wzdychać, możesz pieścić, możesz mówić komplementy, możesz urzeczywistniać wszystkie jego fantazje, z których już przecież zdążył ci się zwierzyć. A jeśli jakimś cudem nie osiągnął orgazmu lub chce mieć jeszcze jeden – przedłużenie spotkania wydaje się oczywiste (słodki, prawie dziecinny głosik: „ale przecież dopiero co zaczęliśmy...", „jest jeszcze tyle rzeczy, które chciałabym ci zrobić...", „tak mnie podniecasz...").

Tylko jeśli miał jakieś plany lub za mało pieniędzy – nie byłam w stanie namówić klienta na drugą godzinę „duetu". Mam swoje techniki, znam odpowiednie słowa, cały repertuar. I naprawdę to uwielbiałam, bo mogłam podpatrywać interakcje innych dziewcząt z klientem, obserwować ich chwyty, poznać ich repertuar, po to, by pewne nowe pomysły wykorzystać w przyszłości.

A poza tym „duety" to przecież dużo mniej pracy. Jeśli klient ma problemy z dojściem do orgazmu, można się wymieniać. Jeśli już miałaś tego wieczoru dwa, trzy spotkania i czujesz się trochę obolała, ta druga może ci pomóc. Jeśli któraś nie znosi całować się z klientem, druga zawsze może to nadrobić. To nie jest konkurencja, to praca w poczuciu solidarności, współodpowiedzialność za efekt końcowy.

Coś jak sztama między aktorami i odprężająca ulga, kiedy przedstawienie poszło dobrze. To bardzo osobliwy rodzaj porozumienia – w końcu są to kobiety, które znam jedynie dzięki temu, że zajmujemy się jednocześnie tym samym facetem – ale jest ono mocne i prawdziwe. Jeśli klient jest nadmiernie wymagający – nie jesteś sama. Kontakt wzrokowy z tą drugą, porozumiewawcze znaki. Kiedyś, gdy „ta druga" udawała orgazm kiedy klient całował jej cipkę pomagałam jej, łaskocząc ją. Oczywiście na wypadek gdyby spojrzał na nas, trzymałam jedną rękę na jej piersi. To naprawdę przyjemne spotkania. Czasami prawda o tym, jak zarabiasz na życie jest tak przerażająca, że jedyne co może pomóc, to pośmiać się nad jej absurdalnością.

Pewnej nocy Peach zadzwoniła do mnie ze zleceniem „duetu", a gdy już dojechałam do klienta okazało się, że właśnie zaczęła mi się miesiączka. Nikomu nie było na rękę odwoływać spotkanie: ani mnie, ani Peach, a tym bardziej tej drugiej dziewczynie. Mogło się zdarzyć, że klient nie będzie chciał już dłużej czekać i odwoła zamówienie zanim Peach zdoła zorganizować kogoś w moim zastępstwie.

Objęłam moją partnerkę (którą spotkałam po raz pierwszy w życiu), pocałowałam ją w policzek, mrucząc namiętnie, dotykając jej brody językiem, tak by klient to widział. Następnie przesunęłam się w kierunku jej ucha i wyszeptałam: „Właśnie dostałam miesiączkę. Pomożesz mi to jakoś rozegrać?"

Odsunęła się na chwilę, spojrzała na mnie porozumiewawczo, a potem pocałowała mnie. Powiedziała klientowi: „Ona niesamowicie całuje...! Masz świetny gust i szczęście, że udało ci się znaleźć taką dziewczynę. To będzie dla nas wielka frajda. Ciebie też nieźle podkręci patrzenie, jak wpijam się w jej cipkę." Mówiła to wszystko jednocześnie masując wewnętrzne części ud klienta. I rzeczywiście wszystko poszło wspaniale. Udając, że mocno i spontaniczne mnie pożąda, stworzyła sytuację, w której to ona była jedyną osobą, zajmującą się mną. Udawała, że uprawia ze mną seks oralny podczas gdy epatowała klienta swoim tyłeczkiem, pieściła moje piersi wydając dźwięki pełne ekscytacji. A gdy próbował odbyć stosunek ze mną, udawała zazdrosną mówiąc: „Nie, ona jest moja. Przecież tego właśnie chcesz, ona tak mnie podnieca." Robiła wszystko, żeby interesował się wyłącznie nią. „Chodź, nie mogę już dłużej czekać. Oną tak mnie podnieciła. Och, włóż go jak najprędzej..."

Żeby się odwzajemnić, wzięłam na siebie najbardziej żmudną część pracy – koncentrowałam się na jego członku, żeby klient nie był zanadto zazdrosny. Prawiłam komplementy jemu, a ona – mnie. On ugniatał moje piersi i pieścił brodawki podczas gdy ja całowałam i lizałam jego jądra i penisa, czując jak się powiększa, przeciągając ustami w górę i w dół. Przestał dotykać moje piersi i patrzył jak to robię oraz jak moja partnerka pieści mój tyłeczek, podniecając go różnymi stwierdzeniami, o tym jak dobrze jest kochać się z drugą kobietą. Ja, oczywiście mruczałam jak podniecona kotka.

To było jedno z nielicznych spotkań, kiedy nie chciałam żeby klient przedłużył je o jeszcze jedną godzinę. Czułam się źle, chciałam jak najszybciej wrócić do domu, położyć się do łóżka obok Scuzziego, z gorącym termoforem i oglądać jakiś głupi serial. Zjeżdżałyśmy windą w milczeniu. W końcu zapytałam:

– Podwieźć cię dokądś?

– Nie – odpowiedziała – mam swój samochód. Czy zbierasz pieniądze dla Peach albo coś w tym rodzaju?

– Jeśli chcesz, mogę wziąć, bo będę u niej we wtorek.

Podała mi zwitek banknotów, już oddzielony od jej należności. Nie dostałyśmy napiwku ale nie ma sprawy. I tak była to udana wizyta. Nie byłyśmy zanadto zmęczone. Klient był zadowolony. Okazało się, że jakiś czas później komplementował

Peach, że prowadzi jedyną agencję, która zatrudnia prawdziwe lesbijki, lubiące także seks z mężczyzną. Miał świadomość, że wieczór wart był każdego dolara, który zapłacił.

Przeszłyśmy przez hall w milczeniu. Tylko jedna osoba w recepcji. To był jeden z tych anonimowych hoteli przy zjeździe Winter/Wyman w mieście Waldham, hoteli, które wyrosły przy drodze 128, aby zapewnić noclegi mądralom przylatującym z Cupertino, Seattle czy Japonii do firm zajmujących się głównie technologią komputerową, tych istniejących od dawna gigantów oraz tych rosnących ostatnio jak grzyby po deszczu nowych „czarodziejów techniki". Ale oczywiście ci mądrale nie wchodzili w zakres naszych zainteresowań. Oni mogli sobie najwyżej popatrzeć na kobietę a potem masturbować się, myśląc o niej w zaciszu swojego pokoju.

Przy drzwiach, z pewnym wahaniem odezwałam się do niej:

– Dzięki, że przyjęłaś to tak spokojnie. Nie wiedziałam, aż do momentu kiedy już byłam w drodze do klienta.

Wzruszyła ramionami, jakby już dawno przestała o tym myśleć, a jedyne co jeszcze było ważne to ciąg dalszy tego wieczoru.

– Nie ma sprawy. Do zobaczenia innym razem – odpowiedziała niedbale.

I ta sama kobieta, która jeszcze dwadzieścia minut temu całowała mnie głęboko i z pasją, której język dotykał moich zębów, której palec wskazujący stymulował mój odbyt tak żeby klient mógł to widzieć i podniecać się, kobieta, która lizała moje brodawki, teraz po prostu oddalała się sprężystym krokiem z kluczykami do samochodu w ręku, nacisnęła przycisk pilota zwalniający alarm i otwierający drzwi samochodu, zanim nawet zdążyłam sobie przypomnieć, gdzie do diabła zaparkowałam swój. Ta kobieta sprawiła, że wykonanie zlecenia było w ogóle możliwe. Ja nie zrobiłam prawie nic, po prostu podporządkowałam się jej. Nie przejęła się zanadto wiadomością o mojej miesiączce. Przyjęła to z wdziękiem i profesjonalnie, mając na uwadze jedynie, by kurtyna odsłoniła się we właściwym czasie, żeby aktorzy zagrali swoje role a widownia była zadowolona. Nawet nie bardzo wiedziałam, jak podziękować komuś, kogo zupełnie nie znałam, za zrobienie czegoś tak wyjątkowego. I w końcu właściwie nie podziękowałam. Ona po prostu już o tym nie myślała. Wszystko zostało za drzwiami pokoju hotelowego, a tutaj, na parkingu hotelu dla biznesmenów w Waldham – nie było już o czym mówić. Wszystko czego dowiedziała się o mnie to: jaki jest kształt mojego ciała, smak moich ust, moja umiejętność zsynchronizowania się z nią w wymyślnym tańcu erotycznym wykonanym dla jednego mężczyzny. Nie myślała już o przedstawieniu jakie przed chwilą odegrała; już przecież się skończyło. A przed nią było następne. Prawdziwa profesjonalistka, zasługująca na ogromny szacunek.

Rozdział czternasty

Semestr zakończył się, rozdałam prace zaliczeniowe, dostałam pieniądze. Czeki zdeponowałam w banku, na zupełnie nowym koncie oszczędnościowym. Na razie ich nie potrzebowałam, bo za wszystko płaciłam z oczywistych względów gotówką.

Pomimo tego, że stałam się osobą znaną i lubianą w kręgach wykładowców, że miałam zagwarantowane cztery cykle wykładów na semestr wiosenny, nie czułam się najlepiej. Nie tak jak jesienią. Może to dlatego, że wszystko wydawało się jakby brudne, brunatny śnieg zgarnięty na brzeg jezdni przez pługi śnieżne, na chodnikach roztopy, martwy sezon, jak nazywamy zimę.

Ale być może czułam się źle z powodu nadmiaru narkotyków. Louis w tym wypadku był wyjątkowo mało pomocny. Miał przyjaciół z Kolumbii, którzy dawali mu bardzo korzystną cenę, toteż miał kokainę zawsze przy sobie i używaliśmy jej za każdym razem gdy się spotykaliśmy. Zwykle było to naprawdę zabawne – kochaliśmy się, popijając wino, Louis formował kreski koki na moich piersiach, bardzo nas to śmieszyło, wydawało się, że można tak w nieskończoność.

Ale rzeczywistość była taka, że miałam już trzydzieści pięć lat i nie mogłam prowadzić takiego stylu życia. Brałam kokainę regularnie co rano, bo przecież „nie szkodzi wciągnąć jedną kreskę, żeby się rozbudzić". „Śniadanie mistrzów"... mówiłam sobie machinalnie, tak, jakby to zapożyczone od jednej z call-girls określenie stało się jakimś usprawiedliwieniem, a następnie pochylałam się nad pudełkiem od płyty kompaktowej i wciągałam kokę nosem. Potem jedna, dwie, czasem trzy kawy – i na wykład. Nie wyobrażałam sobie zmiany tej rutyny. Wszystkie jej elementy były mi potrzebne. Nie zdawałam sobie sprawy z tego jak bardzo to było chore.

Potem, późnym wieczorem – jeszcze parę kresek – z Louisem albo z klientem, żeby utrzymać się w dobrej formie, żeby nie zasnąć. Po dotarciu do domu byłam już tak wyczerpana, że nie mogłam zasnąć. Zaczęłam więc brać środki nasenne. Całe szczęście, że między semestrami była krótka przerwa, bo miałam dzięki temu nadzieję, że uda mi się odrobinę zwolnić tempo i nie odczuwać tej okropnej presji czasu. Tak, przerwa międzysemestralna powinna mi pomóc – będę znów chodzić do klubu, żeby poćwiczyć, będę spacerować na świeżym powietrzu, nareszcie się wyśpię, zmniejszę ilości kokainy. Wszystkie te zmiany były absolutnie konieczne, bo w końcu stycznia czekały na mnie cztery grupy wykładowe. Zanim zacznie się szkoła, muszę doprowadzić się do porządku. Muszę być w jak najlepszym stanie. Poza tym, obiecałam sobie, że wezmę jak najwięcej zleceń w okresie przerwy, żebym mogła zwolnić tempo gdy zajęcia na uczelni znów się zaczną. Powiedziałam więc Peach, że przez te parę tygodni będę pracowała częściej. Tak jak się spodziewałam – była zachwycona. To właśnie wtedy udało mi się w końcu pojechać do Mario – klienta, o którym słyszałam już dawno, ale nie miałam jeszcze okazji u niego być.

Dowiedziałam się o Mario jeszcze w listopadzie, od Lori, z którą pracowałyśmy w „duecie" dla klienta hotelu „Ritz". Zlecenie wypadło wspaniale, przytulałyśmy się do siebie, pieściłyśmy, ona zajęła się dolną częścią ciała klienta, ja go całowałam. Orgazm miał szybko, co wcale nie było dziwne, bo przez cały czas kiedy na nas patrzył, masturbował się. Ale to nie było dla niego problemem. Zapłacił astronomiczną sumę wynegocjowaną przez agencję (sto osiemdziesiąt dolarów dla każdej z nas plus sześćdziesiąt dolarów dla Peach) i był pełen radości i zachwytu, kiedy wychodziłyśmy. Zwierzył nam się, że byłyśmy pierwszymi białymi kobietami z jakimi uprawiał seks. Ciekawe na czyją korzyść wypadło porównanie?

W windzie odezwałam się do Lori:

– To było naprawdę świetne zlecenie. I taki miły facet.

Naprawdę tak myślałam – w tym zawodzie lubi się ludzi, którzy traktują cię dobrze. Wcale nie jest ich tak wielu. Winda zatrzymała się i przeszłyśmy w milczeniu przez hall. Szwajcar otworzył nam drzwi z twarzą pozbawioną wyrazu. Zawsze mnie zastanawiało to, czy oni wiedzą. Raczej tak; chyba nawet w większości hoteli to właśnie szwajcarzy zajmują się „specjalnymi zamówieniami" klientów.

– Całkowicie. Mam absolutnie odjazdowy tydzień – odpowiedziała Lori, kiedy odeszłyśmy już dostatecznie daleko.

Zrozumiałam, że jej stwierdzenie ma wydźwięk pozytywny. Ale czasem angielskie sformułowania używane przez Lori były naprawdę trudne do odgadnięcia.

– Gdzie zaparkowałaś, Tia?

– W Alei Commonwealth.

– Ja też.

Przeszłyśmy na drugą stronę ulicy, żeby ominąć park. To jakby automatycznie włączana decyzja – jesteś kobietą – unikaj parków nocą. Lori kontynuowała:

– Lubię to, byłam z Mario już dwa razy w tym jednym tygodniu, czy masz pojęcie? Myślałam, że będzie gówniany tydzień, a tu Mario i ten dupek, jakby się zmówili, bombowo, co?

– Kto to jest Mario? – zapytałam raczej z grzeczności niż z ciekawości.

Stanęła na środku chodnika.

– Nie mów, że nie wiesz, Tia. To niemożliwe. Ty nie wiesz kto to jest Mario? O Boże! O Boże! Nie byłaś jeszcze u Mario? O mój Boże! – Lori nadrabiała braki elokwencji nadmierną ekspresją. Na szczęście znów zaczęła iść. Było stanowczo za zimno, żeby wystawać na chodnikach. Nie byłam jeszcze nigdy w Chicago, ale jestem pewna, że kiedy narzekają na swój mroźny silny wiatr, to na pewno poczuliby się raźniej wiedząc, jak silnie zamiata bostońskie bulwary i aleje.

– Słuchaj, niech Peach wyśle cię do Mario. O Boże, on jest najlepszy. Znaczy, wiesz, chodzi o to, że jest z nim bardzo łatwo. Rozumiesz?

Nie byłam pewna, czy zrozumiałam, ale pokiwałam przytakująco głową.

– Ale dlaczego mi o nim mówisz? – zapytałam, bo zwykle nie rozmawiałyśmy o klientach, żeby nie musieć się nimi dzielić.

Lori nie zastanawiała się nawet przez chwilę:

– Tak, jakby mnie to obchodziło. Jasne, że mi nie zależy. Nawet sobie nie myśl. To taka bzdura. Ten gościu ma dziewczynę co noc, a czasem to nawet po kilka. Wystarczy dla wszystkich. On jest jakąś grubą rybą w mafii, wiesz, ale sam chyba nie rozwala ludzi.

Udało mi się zachować powagę, słysząc tę jej hollywoodzką wersję opisu organizacji przestępczej, a nawet byłam w stanie zadać całkiem poważnym tonem pytanie:

– Cóż, wydaje mi się, że nie każdy w mafii musi to robić. Ale co to za typ faceta, oprócz tego, że jest w mafii?

Chodziło mi o jego preferencje seksualne – w końcu taka właśnie jest nasza praca i tym powinnyśmy się interesować w pierwszym rzędzie, ale Lori chyba nie zrozumiała, bo zaczęła trajkotać:

– No, to on ma ten swój sklep, rozumiesz, jego własny, ze skórą: kurtki, torebki, marynarki i takie tam. Przy ulicy Newbury. Raz tam poszłam coś kupić i dał mi dużą zniżkę na spódnicę; tak jakbym była kimś specjalnym, jego dziewczyną albo coś takiego. Nie jestem w jego wieku ani nic w tym rodzaju. Ten facio jest taki stary, ale każdy w sklepie się uśmiechał i był dla mnie bardzo grzeczny. I żebyś widziała tę spódnicę, Tia! Ona się tak kołysze, jakby tańczyła. Jak szłam do niego następny raz, to ją założyłam, wiesz, żeby podziękować.

Podeszła do swojego samochodu, a ja zapomniałam o tej rozmowie, aż do pewnego styczniowego wieczoru, kiedy Peach zaczęła narzekać jak mały jest ruch w interesie. Żeby podtrzymać konwersację zapytałam:

– Peach, a tak na marginesie, kto to jest Mario i dlaczego jeszcze do tej pory mnie do niego nie wysłałaś?

Peach wzruszyła ramionami. Musiała wysyłać dziewczyny razem, gdy klient zamawiał „duet" albo gdy musiały jechać z tym samym szoferem, ale nie lubiła kiedy wymieniały między sobą informacje. Miała wielki talent do trzymania wszystkiego silną ręką. Zrobiłaby wielką karierę w Związku Radzieckim. Zapewne miała nawet swój własny „plan pięcioletni" dla agencji. Mówiła ludziom to, co jej zdaniem powinni wiedzieć i była wściekła kiedy dowiedzieli się czegoś na własną rękę.

– To stały klient – odparła – a nie wysyłam cię do niego, bo on lubi naprawdę młodziutkie dziewczyny, studentki, które wyglądają na siedemnaście, osiemnaście lat.

Dodałam sobie w myślach, że zapewne preferuje też ten zepsuty język angielski, którym się posługują. Problem mojego wieku pojawiał się od czasu do czasu, ale właściwie bardzo rzadko dyskwalifikował mnie u klienta. W tym czasie miałam trzydzieści pięć lat, ale dzięki dobrym genom i ćwiczeniom w klubie sportowym wyglądałam na co najmniej dziesięć lat mniej. Nie dałoby się oczywiście naginać tego w nieskończoność. Zwykle przedstawiano mnie jako osobę około dwudziestu pięciu lat, absolwentkę uniwersytetu raczej niż studentkę. W tym samym czasie Peach zapewne również o czymś rozmyślała, bo powiedziała:

– Wiesz, Jen, to może wcale nie jest taki głupi pomysł. Jeśli przełknie jakoś sprawę wieku, to być może spodobasz mu się. Masz samochód, co jest plusem, bo on mieszka w Weston, dokąd linia T już nie dochodzi. A taksówka dużo kosztuje. Zobaczę co się da zrobić.

Dwa tygodnie później, jak grom z jasnego nieba, zadzwoniła mówiąc:

– Praca. Ale musisz go trochę ponamawiać – powiedziała, jak zwykle oszczędzając każde słowo.

– Och, Peach, nie...– powiedziałam zniechęcona. Doskonale wiedziała, że nie jestem dobrym negocjatorem.

– Nie, nie. To żaden problem. Jak cię usłyszy, to się na pewno zgodzi. Powiedz mu jaka jesteś seksy. To jest Mario w Weston. Jeśli uda ci się, będziesz zadowolona. Gwarantuję.

– To ten, którego ulubionym fetyszem jest młodość?

– Tak, to właśnie on. Powiedziałam mu, że masz dwadzieścia pięć lat, ale jesteś słodka, masz seks we krwi i niedawno zaczęłaś tę pracę. Poradziłam mu, żeby przestał być taki nudny i spróbował czegoś nowego. Prawie go przekonałam.

– No, to świetnie. Kolejny klient, który będzie ze mną pertraktował pół godziny przez telefon! Daj mi jego numer.

Podniósł słuchawkę po drugim dzwonku.

– Słucham.

– Cześć, czy to Mario?

– Tak, kto dzwoni?

– Mam na imię Tia. Jestem przyjaciółką Peach...

Wszedł mi w słowo:

– O, tak. Już wiem. Nosisz ładną bieliznę?

– Tak, oczywiście – odpowiedziałam, z ulgą stwierdzając, że chyba będzie łatwiej niż myślałam.

– Dobrze. Załóż coś ładnego, żeby nie wyglądało za tanio, wiesz o co mi chodzi? Żadne tam pasy do pończoch i inne tego typu byle co. Coś, w czym kobieta wygląda ładnie. Jakich perfum używasz?

– Chanel 5, ale jeśli ci się nie podobają, to mam także....

– Nie, są dobre – przerwał mi – Peach mówiła, że jesteś mądra i wykształcona. Kituje, prawda? Wal śmiało. Nie będę jej miał tego za złe.

– Peach mówi prawdę. – Mam licencjat z psychologii na Harvardzie i tytuł magistra antropologii społecznej na...

– Tak, tak. Powiedziała też, że napisałaś książkę – dodał, przerywając mi po raz kolejny, do czego już się zdążyłam przyzwyczaić.

– Opublikowałam cztery książki i kilkanaście monografii. Jestem także współautorką...

– Dobrze, dobrze. Chcesz przyjechać?

– Tak. Wygląda na to, że mamy dużo...

– Świetnie – znów nie dosłuchał mnie do końca – na podjeździe nie ma miejsca, stoją moje samochody, ale nie parkuj na trawniku. Wszystkie dziewczyny parkują na trawniku i prawie zupełnie zniszczyły mi trawę. Zaparkuj z przodu domu na ulicy. Sprzed mojego domu nie wywożą samochodów, więc się nie obawiaj, tylko pamiętaj, żeby kołami nie stać na trawie. Rozumiesz?

– Jasne.

– Doskonale. Skąd będziesz jechać? Allston? No, to jedź tak....

Założyłam koronkowe białe majteczki i stanik do kompletu. Na to luźną bluzeczkę na ramiączka, której używam w gorące noce jako pidżamę. Zakrywała mi pupę ale była naprawdę krótka i doskonale podkreślała kształt biustu. A ponieważ była z jedwabiu, to oczywiście przyjemnie się jej dotykało. Założyłam maleńki, szary kostiumik dopasowany w talii, taki, że mogłabym ubrać się w niego nawet na wykład. Jeśli klient docenia moje wykształcenie, to pewnie będzie też lubił taki styl. Nałożyłam czarne rajstopy z leciutkim połyskiem (dzięki dodatkowi lycry), buty na średnio-wysokim obcasie (zapewne moje „przeleć mnie" szpileczki uznałby za tanie), dołożyłam do tego kolczyki, bransoletkę i cienki łańcuszek z krzyżykiem. Jeśli był mafioso, to był też katolikiem. Niemal zapomniałam o Chanel. Pokropiłam się dość mocno, próbując jednocześnie pocałować Scuzziego na dobranoc i wyszłam.

Dom Mario w Weston znajdował się w dość dobrej dzielnicy (jak na Weston). Otaczały go rezydencje w stylu Tudor, uwielbiane przez nuworyszy, kamienice zdobione sztukateriami, ulubione przez dziedziców fortun i ogromne, luksusowe wille. W porównaniu z sąsiadami, Mario nie sprawiał wrażenia osoby, o jakichś wyjątkowych możliwościach finansowych, bo mieszkał w domu, przypominającym ranczo, rozprzestrzeniającym się w kilku kierunkach, zbudowanym z kilku różnego rodzaju materiałów. Łagodnie oceniając można powiedzieć, że był to styl eklektyczny. Mnie wydał się zupełnie bez gustu.

To jeszcze nic w porównaniu z tym, co miało nastąpić.

Mario otworzył drzwi. Wyglądał na około pięćdziesiąt lat, miał lekko zarysowany brzuszek i był owłosiony dosłownie wszędzie. Miał na sobie szlafrok i bokserki. Te wychylające się spod szlafroka włosy po prostu mnie zaszokowały. Jeżeli już gdzieś widziałam podobne, to chyba tylko w National Geographic, ale nie jestem pewna.

– Świetnie, że już jesteś – powiedział zamykając drzwi i obejmując mnie ramieniem. Przeszliśmy do salonu, w którym górowała replika posągu Dawida, wisiały ogromne lustra w czarnozłotych ramach a na podłodze leżał włochaty dywan. Naprawdę. Nie wiedziałam, że jeszcze w końcu lat dziewięćdziesiątych można coś takiego zobaczyć.

Naszym kolejnym przystankiem była kuchnia, gdzie zaopatrzyliśmy się w dwie butelki szampana, a następnie udaliśmy się do sypialni. Po drodze wskazał na drzwi, mówiąc:

– To twoja łazienka.

– Dobrze – odpowiedziałam. To miłe mieć własną łazienkę. Jeśli mieszkał sam, to za nic w świecie nie chciałabym używać jego łazienki. Pracując dla Peach miałam okazję widzieć sporo takich przybytków i z niesmakiem wspominam fakt, że z niektórych musiałam korzystać.

– To wspaniały dom – powiedziałam, usiłując wymyślić jakiś dobry argument, potwierdzający to kłamstewko – bo.... wszystko jest tu pod ręką.

– Taak. Przerabiałem go kilka razy, żeby wszystko było jak należy – potwierdził.

W to akurat mogłam z łatwością uwierzyć. Zamknęliśmy za sobą drzwi do sypialni.

W rogu zamontowany był ogromny ekran telewizyjny. Nadawali transmisję z meczu koszykówki, dźwięk jednak był wyłączony. Większość pokoju zajmowało wielkie łóżko z materacem wodnym. Rama łóżka od strony głowy była wymyślnie rzeźbiona i składała się z wielu szufladek i półeczek na wszelkiego rodzaju duperele. Za nią wisiało lustro. W porównaniu z łóżkiem ekran telewizora nie wydawał się już taki ogromny.

– Masz na sobie coś wygodnego? – zapytał Mario i nie zwlekając postanowił sam to sprawdzić. – Zdejmij wszystko, co chcesz zdjąć, tak, żebyś poczuła się naprawdę swobodnie. Ja przez ten czas naleję szampana.

Nikt nie dyskutowałby z takim programem wieczoru, zwłaszcza, że już widziałam etykietki na szampanie. Mario nie miał zbyt dobrego gustu jeśli chodzi o dom, ale wybór szampana był doskonały. Będziemy pić Crystal.

Zsunęłam pantofle, bluzkę i kostium. Jeszcze na chwilę zostawiłam rajstopy – wyglądały dobrze z bielizną, a zwłaszcza z tą maleńką jedwabną koszulką na ramiączka w kolorze czerni i purpury. Usiadłam na brzegu łóżka (co nie było takie łatwe z powodu falowania wodnego materaca) i czekałam, co będzie dalej.

Mario nalał szampana i podał mi kieliszek. Podnosząc swój, powiedział coś szybko i niezrozumiale po włosku. Ja także uniosłam swój kieliszek i kokieteryjnym głosem wzniosłam toast:

– Twoje zdrowie!

Wypiliśmy. Szampan był naprawdę wyśmienity.

Przez chwilę patrzyliśmy na mecz, bo, jak Mario wyjaśnił, włożył sporo pieniędzy w zakłady. Kibicowałam razem z nim jego drużynie, co bardzo go ucieszyło. Wypiliśmy jeszcze trochę szampana. Przyniósł przepiękną emaliowaną tacę, na którą nasypał dużo białego proszku z przeogromnej plastikowej torby. Uformował kreski, wyjął wąską metalową rureczkę, która wyglądała na złotą i podał mi.

Oczywiście nie odmówiłam. Nie tylko call-girls używały narkotyków. Większość klientów po pięćdziesiątce używało kokainy w celu odprężenia się i często robili to właśnie w towarzystwie prostytutek. Peach zawsze miała to na uwadze, wysyłając dziewczyny do takich klientów, ponieważ niektóre z nich nie brały narkotyków. Ale jednak duża część z nas brała.

Czasem proponowano nam inne narkotyki. Jeden z klientów wziął kilka różnych pigułek i nalegał, żeby dziewczyna także je wzięła. Ostrzegano mnie przed nim, bo jedna z call-girls omal nie przypłaciła życiem tego jego koktajlu *à la maison*, toteż kiedy do niego pojechałam – jedynie udawałam, że połknęłam tabletki, a potem zachowywałam się tak, jakbym je połknęła.

Nigdy jednak nie odmawiałam kokainy – bardzo ją lubiłam, a tego wieczoru z Mario była mi po prostu niezbędna, żeby przeciwdziałać trzem wypitym już lampkom szampana. Wciągnęłam kilka razy, wypiłam jeszcze trochę szampana, Mario opowiadał o jakiejś nierozpoznanej chorobie, która mu dokuczała. Nie słuchałam zbyt uważnie, próbując raczej odgadnąć co mogłoby go najbardziej zadowolić, a w końcu zdecydowałam, że już czas na trochę bliskości. Podczołgałam się do niego i zaczęłam masować mu plecy, co za chwilę zmieniło się w masaż brzucha, a za chwilę zajęłam się jego penisem, nie wiedząc jak zareaguje. Częstym efektem ubocznym po kokainie, podkreślam: częstym, jest brak możliwości utrzymania, a nawet uzyskania erekcji. Mario miał erekcję, następowała ona powoli, ale jednak udało mi się, dzięki odpowiedniej stymulacji dłońmi i ustami, założyć mu kondom. Zaczął niepewnym tonem:

– Nie sądzę, że mogę...

I właśnie w tej samej chwili miał orgazm. Doskonale. Poszliśmy się odświeżyć do naszych łazienek i znów spotkaliśmy na kolejną porcję szampana i koki. Teraz rozgadał się na dobre. Mówił o swojej rodzinie, o biznesie i o jakichś wspólnikach w Miami, z którymi miał problemy. Zamierzał tam pojechać, żeby im pokazać z kim mają do czynienia. Spojrzał na mnie badawczo i zapytał:

– Może chcesz wybrać się na wakacje? Na pewno zabiorę ze sobą jedną z dziewcząt od Peach.

Stwierdziłam, że to doskonały pomysł, ale wziął w końcu kogoś innego. Tak naprawdę to i tak nie wiedziałabym, jak wytłumaczyć te nagłe wakacje dwóm szkołom wyższym. Jestem pewna, że którakolwiek z call-girls pojechała tam z Mario, na pewno spędziła ten czas wspaniale.

W pewnej chwili zadzwonił telefon. To była Peach.

– Hej, Jen. Mario pyta, czy możesz zostać jeszcze godzinę.

– Oczywiście – nie mogłam uwierzyć, że minęła już cała godzina. Zwykle odliczam każdą minutę do końca. Mario wziął słuchawkę i powiedział do Peach:

– Mam zamiar zatrzymać ją jeszcze dwie godziny. Dobra. Już ją daję – znów podał mi słuchawkę.

– Tak, Peach. O co chodzi?

– Jen. Jesteś pewna, że chcesz zostać? Wszystko jest w porządku?

– Oczywiście, Peach. On jest bardzo miły. Świetnie się bawimy.

– Dobrze. Zadzwonię do ciebie później.

Mario kontynuował swoją opowieść, od czasu do czasu pytając mnie o zdanie w różnych sprawach, począwszy od powstania systemu słonecznego, a skończywszy na powodach, dla których ludzie się rozwodzą. Setki pytań na najprzeróżniejsze tematy. Mówił o polityce i o etyce, o zmianach, zachodzących w społeczeństwie. Wszystko to na poziomie, który dla mnie był nowy – opinie człowieka niewykształconego i nie myślącego abstrakcyjnie.

Opinie, które powstały pod wpływem codziennego życia. Byłam zafascynowana, bo przecież mimo wszystko, Mario odniósł sukces finansowy i doszedł do takiego punktu w swoim życiu, kiedy zrozumiał, że potrzeba mu czegoś więcej. Próbował zaangażować się w działalność kościoła, co niedziela chodził na msze, ale to nie dało mu odpowiedzi na nurtujące go pytania. Znów wciągnęliśmy trochę kokainy, powiedział mi nieśmiało, że jestem piękna. Nagle dotarło do mnie, że przecież nie rozebrałam się z bielizny.

Przedłużył mój pobyt o kolejne dwie godziny. Wyszłam od niego o czwartej nad ranem z torebką pełną banknotów, pięknie zapakowanym prezencikiem, dodatkową setką wciśniętą mi do kieszeni przed samym wyjściem (żeby „kupić więcej takich ciuszków jakie miałam na sobie dzisiaj").

W paczuszce były dwie buteleczki Chanel 5. Najwyższa klasa perfum. Spędziłam fascynujący wieczór, piłam cudownego szampana (chociaż ze względu na to, że przyjechałam samochodem musiałam się ograniczać) i jeszcze zarobiłam ponad tysiąc dolarów. Byłam co prawda dość mocno „pod wpływem", ale to przejdzie.

Dwie noce później Mario znów zażyczył sobie mojej wizyty. Nowa bluzeczka, te same rajstopy. Przyjechałam punktualnie, przeszliśmy do sypialni. Ten sam szampan. Tym razem Mario miał mi coś do powiedzenia.

– Nikt cię nie uprzedził, jak sądzę, ale, wiesz, byłaś jak czarodziejka. Widzisz, ja nie mam wzwodu, a nawet jeśli już się zdarzy, to nie dochodzę do orgazmu. Nigdy z nikim, ale z tobą – tak. I dlatego jesteś dla mnie specjalną dziewczyną..., nnno – damą.

Miał rację – udało się dlatego, że nic nie wiedziałam i byłam czuła, pełna entuzjazmu i pewna sukcesu. Teraz, kiedy się o tym dowiedziałam, może to się okazać niewykonalne. Na szczęście Mario przerwał moje obawy:

– Chodzi o to, że nie musi ci się to zawsze udawać, bo ten jeden raz wystarczy mi na długo. To jakby ktoś zdjął ze mnie klątwę.

Była, a teraz jej już nie ma. Jestem już dość stary by cieszyć się tym, co osiągnąłem i nie ścigać się po więcej. Może po prostu co jakiś czas możesz mnie czule podotykać, bardzo to lubię, ale nie martw się jeśli nic się nie dzieje. To jest tak od czasu jak byłem chory, pamiętasz mówiłem ci. Od tamtego czasu nie mogłem...

Nie uważałam kiedy mówił mi o tej chorobie (z jakimiś obrazowymi przykładami, jak teraz usiłuję sobie przypomnieć mimo, że nie słuchałam go wtedy) i zdecydowałam, że muszę zapytać o to Peach.

– Bardzo cię lubię – odpowiedziałam zgodnie z prawdą – a czasem to bardzo dużo daje. Dwoje ludzi powinno czuć się ze sobą swobodnie.

– Nie, to coś, co masz w sobie – Mario był pewien swojej opinii. – Jesteś błogosławieństwem. To jakby cud. Nigdy nie zapomnę co dla mnie zrobiłaś.

Potem rozmawialiśmy jeszcze o stawianiu na konie i na psy oraz o problemach związanych z tymi biznesami. Okazało się, że większość swoich pieniędzy Mario zdobył na hazardzie.

– Nie jestem jakimś mydłkiem. Nie chodzę do kasyna, bo to dla turystów. Stawiam na mecze, na walki a od czasu do czasu robię zakłady o to, jak głupie są władze naszego miasta. Ten zakład zawsze wygrywam. Te dupki jeszcze nigdy mnie nie zawiodły. A z czasem robią się coraz głupsi.

Mówił o swojej matce, ani słowa o ojcu. Jego brat był rybakiem w Gloucester – wszyscy pochodzili z Sycylii, ale powoli biznes zamierał i nie mieli tam już żadnej przyszłości.

– Wszyscy pobrali kredyty na domy, na łodzie, bo myśleli, że będą łowić zawsze. A potem przyszli federalni i zakazali połowów. Po prostu tak. Nigdy nie pokończyli szkół. Wszystko, na czym się znają, to ryby. No, to co taki facet z łódką rybacką ma teraz do roboty? Jak myślisz? Powiem ci. Przywozi do portu inne produkty.

– Jakie produkty? – zapytałam z prawdziwym zainteresowa niem w głosie. Moja koleżanka Irena pisała doktorat o zasadach doboru załóg rybackich, więc przy okazji dowiedziałam się także trochę o samym przemyśle rybackim. – Czym rybacy zastępują dorsze?

Patrzył przez dłuższą chwilę na „przyciszony" mecz koszykówki, a kiedy w końcu to powiedział, nie patrzył na mnie, tylko gdzieś w sufit:

– Heroina. Przywożą heroinę, bo to się opłaca. Ale w Gloucester... – tam już nic nie ma. Nie ma fabryk przerabiających ryby, ludzie wciąż się tam kręcą, ale dlatego, że nie mają co ze sobą zrobić, nie mają przyszłości. No to jak przypływa transport, pierwsi klienci to Sycylijczycy. Widzisz ich wszędzie przed Crow's Nest i przed klubem Saint Peter's jak sobie tak siedzą na haju, nic nie robią, czekają na zmiłowanie. Joey,... już go próbowałem ściągnąć tutaj, załatwiłbym mu robotę, o tak...! – pstryknął palcami w powietrzu żeby mnie przekonać, ale i tak mu wierzyłam.

– Do cholery, nawet dałbym mu kasę, spłacił mu te pożyczki, to dla mnie pryszcz. Ale ta jego przeklęta duma! Nic ode mnie nie chce. I nie umie zostawić tego Gloucester. Jest paru takich co to nie przejdą nawet na drugą stronę po moście, bo każde miejsce, które nie jest Gloucester to nie ich dom. Wzruszył ramionami i kontynuował:

– Joey..., on szanuje stare święte zasady. A są one takie same teraz jak i dawniej. Nie zaczynaj z narkotykami. To nie dla nas. My jesteśmy lepsi. Ma tę swoją łódkę i rodzinę, i żadnych ryb, i jest taki dumny, że nie weźmie tego, co brat mu chce dać.

– To jak udaje mu się związać koniec z końcem?– zapytałam, czując się wciągnięta w tę osobistą, tragiczną opowieść. Antropolodzy zwykle trzymają się na dystans. W tym jednak przypadku było to coś zupełnie innego niż „przedmiot studiów".

– Wcale mu się nie udaje. Wynosi rzeczy z domu na sprzedaż – popatrzył na mnie, wzruszył ramionami, jakby podjął jakąś decyzję i wydusił z siebie tę okropną prawdę:

– Broń. Broń dla Północnej Irlandii. Wszystkie te chłoptasie w Bostonie zbierają szmal, żeby kupić broń i to co jeszcze jest potrzebne, i dostarczyć do swojego kraju. Kupują broń, pakują na ciężarówki i wiozą na Półwysep Magnolia, a kiedy nikt nie widzi ładują to wszystko na łódź Joey'a i on płynie. Nie ma go – tak samo jak za dawnych lat, kiedy pływał za rybą – a kiedy wraca to pije cały czas, aż znowu trzeba popłynąć z następnym transportem.

Chwilę milczał. Potem jakby eksplodował:

– Na rany Chrystusa, to nie jest w porządku! Dlatego, że on kocha swój dom. I nie ma nikogo, kto mógłby coś zrobić. Co ten pieprzony rząd wie o łowieniu ryb? Co ich obchodzi mój brat?

Objęłam go ramieniem. Cokolwiek bym teraz powiedziała, byłoby bez sensu, bez znaczenia, wręcz obraźliwe. Klęczałam za nim, bujając go leciutko.

Zaczęłam się z nim spotykać, co najmniej raz w tygodniu. Wiem, że umawiał się też z innymi dziewczynami. Lori zapewne miała rację – miał dziewczynę każdego wieczoru. Z wyjątkiem sobót, kiedy jechał do miasta na spotkanie z innymi Sycylijczykami.

Pomyślałam, że jestem chyba jedyną osobą, która rozumiała dlaczego był on stałym klientem. Tylko ja dotarłam do jego wnętrza, do tej straszliwej pustki, do tej bolesnej miłości do brata i bezradności, bo nie umiał mu pomóc, do tego nieskończonego smutku, który usiłował zabić zapełniając swój dom i swoje życie dziewczynami, szampanem, hazardem, narkotykami. Rozumiałam to, ale nigdy już do tego nie wracałam. On też nie mówił już nic więcej o swoim bracie.

Ciekawe, ale żadna z nas nie była zazdrosna o inną, która także widywała się z Mario. Wystarczało go dla nas wszystkich. Każda popijała z nim szampana i zażywała kokainę, słuchając jego opowieści; każda z nas naprawdę go lubiła. Ale tylko ja byłam tą, którą pytał o radę.

Pewnej nocy obudził mnie telefon. Za każdym razem kiedy włączała się automatyczna sekretarka, ktoś po drugiej stronie odkładał słuchawkę i za chwilę dzwonił ponownie. To było straszne – mieszkałam w niewielkim studio i dźwięk telefonu nocą był wręcz ogłuszający. Przeklinając na czym świat stoi, próbowałam odłączyć kabel ale przez pomyłkę podniosłam słuchawkę. To była Peach. Zawsze kończyła pracę o drugiej nad ranem (miała swoje negatywne zdanie o desperacji i beznadziejności facetów, którzy dzwonią po drugiej), a tym razem zegar wskazywał trzecią trzydzieści.

– Peach, co się stało? Wszystko w porządku?

Pamiętałam, że Peach miała za sobą kilka prób samobójstwa. Obawiałam się, czy to nie jest sytuacja, która mogłaby doprowadzić do następnej.

– U mnie w porządku. Ale czy jest jakaś szansa, żebyś pojechała do Mario?

– Teraz?

– Tak. On nie chce być sam. Jest w depresji. Proszę cię, jedź do niego. Wyświadczysz mi przysługę. Zrewanżuję ci się. Tylko jedź. On naprawdę kogoś teraz potrzebuje.

Zdałam sobie sprawę, że mam rozładowany akumulator.

– Peach, pamiętasz, mówiłam ci wieczorem, że mam zepsuty samochód.

– Weź taksówkę. On zapłaci. Proszę cię, Jen.

Pojechałam. Oczywiście, że pojechałam. Taksówkarz nie mógł się nadziwić dokąd się o tej porze wybieram, aż wreszcie opowiedziałam mu bajeczkę, że jadę czuwać przy kimś, kto ma AIDS. To go uspokoiło, sam pochodził z Haiti. Moje białe kłamstewko przydało się także dlatego, że wybiło mu z głowy propozycję szybkiego „numerka", składaną o tej porze przez większość bostońskich taksówkarzy.

Mario był bardzo szczęśliwy, że przyjechałam i powtarzał to wielokrotnie. Ta wizyta nie różniła się od wszystkich innych – przeszliśmy do sypialni, rozmawialiśmy na różne tematy, wymieniliśmy kilkanaście pocałunków i pieszczot, trochę kokainy, trochę szampana. Wyszłam o siódmej; Mario powiedział, że potrzebuje trochę snu. Nigdy nie powiedział mi dlaczego właśnie tej nocy tak bardzo potrzebował towarzystwa. Nigdy też nie pytałam.

Życie toczyło się dalej. Od czasu do czasu Mario prosił o przysłanie dwóch dziewcząt naraz. Ale jego zwyczaje zawsze były takie same: było przyjemnie, systematycznie i bardzo opłacalnie.

Wrzesień – początek roku akademickiego – jak zwykle w agencji Peach pojawiło się kilka nowych studentek. Tej jesieni zaczęła pracować Zoe. Mario umawiał się z nią każdego wieczoru, jeśli tylko miała czas i chciała do niego pojechać. Nie wiadomo dlaczego, ale nagle chciał się spotykać tylko z nią, akceptował inną dziewczynę tylko wtedy, gdy Zoe nie mogła. Nie chodziło o to, że miał coś przeciwko którejkolwiek z nas; po prostu zdecydował, że pragnie tylko Zoe. Oczywiście nie byłyśmy z tego powodu szczęśliwe. Stracić Mario jako klienta znaczyło dla każdej z nas pracować o wiele więcej, w dużo trudniejszych warunkach i za mniej pieniędzy.

Peach zwykła mawiać: „To jest loteria. Czasem ci się poszczęści, czasem nie".

Kilka tygodni później, ku mojemu wielkiemu zadowoleniu, dowiedziałam się, że Mario chce się ze mną spotkać wieczorem. Zwykle sytuacja wyglądała tak, że na wieczory, kiedy Zoe nie mogła do niego pojechać, tworzyła się kolejka oczekujących call-girls. Tym razem Mario zażyczył sobie konkretnie mnie. Miałam tego wieczoru na uczelni przyjęcie z rodzaju tych, których się nie opuszcza, jeśli leży ci na sercu własna kariera, ale jakże mogłabym odmówić Mario? Myślę, że jemu nikt nie odmawia...

Przyjechałam do jego domu i zastałam tam... Zoe. Okazało się, że Mario zaprosił przyjaciela i to jego miałam zabawiać. Mario uważał, że to jest jakaś forma komplementu dla mnie. Starałam się podejść do sprawy filozoficznie: przyjaciel Mario jest także moim przyjacielem.

Poszłam więc z tym przyjacielem do innej sypialni. Nie wiem czego się właściwie spodziewałam, ale nie był nawet w przybliżeniu taki jak Mario. Spędziłam dwie godziny ciężko harując – naćpał się kokainy przed moim przyjazdem – i nie chciał przyjąć do wiadomości, że ma naprawdę mocno ograniczoną zdolność erekcji. Poganiał mnie, ciągle mówiąc: „nie przestawaj, jeszcze trochę", więc prawie bez przerwy, przez dwie godziny moje ręce robiły co mogły, żeby przywrócić jego sprawność seksualną. Usiłowałam go przekonać, że potrzebuje innego rodzaju pieszczot, żeby się zrelaksować, zaproponowałam dziesięciominutowy masaż pleców olejkiem, który znalazłam w łazience, ale natychmiast po masażu znów zażyczył sobie, żebym zajęła się jego zwiotczałym członkiem. Oczywiście kolejne porcje kokainy, które zażywał, nie pomagały mi w tym. To była naprawdę trudna praca. Chciał, żebym została dłużej, mówiąc, że za chwilę będzie miał erekcję, ale odmówiłam. Pięć czy też dziesięć minut dalszej stymulacji nic by nie zmieniło. Był wściekły, głównie dlatego, że miał call-girl, a nie mógł mieć stosunku.

W końcu poszłam pod prysznic, mówiąc mu, że muszę wstać wcześnie rano i przedłużenie mojej wizyty o kolejne dwie godziny nie wchodzi w grę. W milczeniu przeszłam obok zamkniętych drzwi do sypialni Mario, myśląc z nutą nostalgii i odrobiną zazdrości o tym, co się tam dzieje. Zwłaszcza po tych dwóch bezowocnych i nieprzyjemnych godzinach, które właśnie spędziłam w jego domu.

Już więcej do niego nie pojechałam. Nie było warto. Miałam w końcu swoich regularnych klientów. Za tak ciężką pracę nie chciałam dodatkowego nieprzyjemnego odczucia, które towarzyszyło mi gdy mijałam zamknięte drzwi jego sypialni, nie chciałam myśleć o atrakcjach, które mnie omijały i mojej szczerej sympatii do Mario.

Kilka lat później dowiedziałam się, że Mario nie żyje. Było dawno po pogrzebie ale udało mi się pojechać do Cape Ann, gdzie był jego grób. Kiedy tam dotarłam, okazało się, że są dwa groby obok siebie – Mario i jego brat Joseph zmarli tego samego dnia. Wokół jego śmierci było sporo spekulacji. Jedna z dziewcząt powiedziała, że Mario został zastrzelony, bo jakiś inny mafioso wydał na niego wyrok. Postanowiłam nikomu nie mówić o tym, czego się od niego dowiedziałam. Zastanawiałam się, czy nie było tak, że po prostu pewnego dnia, tej pustki, którą czuł w sobie, nie mogła już wypełnić kolejna dziewczyna, alkohol, kokaina. Zastanawiałam się także, czy przypadkiem nie było tak, że pojechał w końcu przeciwstawić się bratu i być może „pracodawcy" brata...? Wydawało mi się bardzo prawdopodobne, iż tak właśnie było. Nie mogłam o tym z nikim rozmawiać. Ale – ostatecznie – przecież wypełnił tę pustkę miłością, która nie zna granic, w imię której możesz oddać wszystko, nawet własne życie.

To naprawdę niezłe epitafium.

Rozdział piętnasty

Spędziłam Wigilię, kłócąc się z klientem.

– Przestań, laleczko – powtarzał uparcie Freddy – po prostu daj mi swój numer telefonu. Nie będę cię niepokoił. Zadzwonię, żeby ci złożyć życzenia świąteczne. Jesteś mi to winna.

– Ja, jestem ci coś winna? – Byłam zaskoczona. Peach prosiła, żebym do niego zadzwoniła, bo chciał się umówić w drugi dzień świąt. Agencja była zamknięta w Wigilię i pierwszy dzień Bożego Narodzenia. Telefon od Freddy'ego był ostatni jaki Peach odebrała, zanim zamknęła agencję na Święta. Jedyne, co mi powiedziała, to żebym po prostu ustaliła godzinę spotkania, odłożyła słuchawkę i przez dwa dni nie myślała o pracy. A on zaczął stosować gimnastykę umysłową, żeby jakoś wyciągnąć ode mnie numer telefonu. Oczywiście nie miałam zamiaru mu go podać. Zresztą, przecież nie znał mojego prawdziwego imienia, to niby jak mogłabym mu wyjaśnić z kim ma rozmawiać gdyby nawet zadzwonił?

Freddy zmieniał taktyki. Usiłował mnie przekonać, że Peach nie miałaby nic przeciwko temu, chociaż oboje wiedzieliśmy doskonale, że jest to jedna z tych rzeczy, których ona nie toleruje. Znamy przecież doskonale pierwsze przykazanie w tej branży: „Nie będziesz kradła klientów innym".

– Po prostu jeszcze nie wiem, o której godzinie będę chciał się z tobą umówić.

– Zadzwonię w południe i wtedy zdecydujesz – odpowiedziałam. Miałam założoną blokadę identyfikacji mojego numeru, nie będzie więc mógł sprawdzić z jakiego telefonu dzwonię. Peach kazała mi zamówić taką blokadę, ostrzegając, że jeśli tego nie zrobię, klienci będą wydzwaniać o każdej porze dnia i nocy. To daje im poczucie przewagi.

Freddy irytował mnie coraz bardziej. Byłam zmęczona i chciałam się jak najszybciej zdrzemnąć zanim przebiorę się i pojadę do Dedham na wieczór wigilijny z Louisem i jego rodziną.

– Nnnie, no przestań, Tia. Coś ci powiem: zadzwonię tylko ten jeden raz, a potem już nigdy. Wyrzucę twój numer.

Jaki cholerny dżentelmen. Wyrzuci nawet mój numer. Jeśli kupię ten argument, to jestem pewna, że następna będzie propozycja sprzedania mnie do jakiegoś zabagnionego miasteczka na Florydzie.

– Nie! – powiedziałam mocno i zdecydowanie.

– To pieprz się sama! Pieprz się sama szmato. I nawet nie myśl o tym, że cię jeszcze kiedyś zechcę! – wykrzyczał do słuchawki i rozłączył się.

Natychmiast zadzwoniłam do Peach.

– O co tu do diabła chodzi?

– Och, nie przejmuj się. Freddy ciągle tego próbuje – odparła spokojnie. – Na pewno niedługo znowu będzie próbował. Nie bierz go serio.

– Ale po co on to robi? Przecież już powinien wiedzieć, że nic nie wskóra?

Usłyszałam jak zapala papierosa, zaczekałam aż się zaciągnie.

– No, cóż. Co jakiś czas jednak mu się udaje. To podtrzymuje jego nadzieje. Ale nie przekreślaj go, Jen. On po prostu lubi mieć numery telefonów kurew. To go podnieca.

Po raz drugi usłyszałam to słowo pod swoim adresem. Pierwszy raz użył go Seth. Byłam tym oburzona. Zupełnie jakbym oglądała film – ujrzałam siebie na uniwersytecie, jak stoję przed tablicą i prowadzę wykład: „Prawdopodobnie termin „kurwa”* wziął się od generała armii unijnej Josepha Hookera, który pozwolił prostytutkom iść za jego armią aby zapewnić żołnierzom choć trochę przyjemności, w rodzaju tych, jakie mają w domu. Nazywano je „dywizjonem Hookera”.

– Jen, jesteś tam? – głos Peach wyrwał mnie z zamyślenia.

– Jestem, Peach. Nie przejmuj się. W porządku. Wesołych Świąt.

– Wesołych Świąt, Jen.

Trzy godziny później siedziałam przy stole z Louisem i jego rodziną usiłując za wszelką cenę nawiązać jakąś typową w takich sytuacjach rozmowę. Byłam wyczerpana, bolała mnie głowa, a Louis denerwował mnie, usiłując grać rolę pana domu i przedstawiając mnie swoim rodzicom jako główną atrakcję tego wieczoru, którą zamówili.

– Louis powiedział nam, że jesteś profesorem na uniwersytecie.

Jego matka wpatrywała się we mnie przeszywającym wzrokiem. Ona też była profesorem, na uczelni w rodzinnym Ekwadorze, ale porzuciła karierę naukową gdy wyszła za mąż za ojca Louisa – dyplomatę wenezuelskiego.

– Tak. Właściwie obecnie jestem wykładowcą, ale mam nadzieję już wkrótce na etat na uczelni.

– Jaką dziedziną się zajmujesz? – zapytał ojciec Louisa, po raz pierwszy unosząc swój wzrok znad talerza.

Napiłam się wina i odpowiedziałam:

* Po angielsku „hooker” – przyp. tłum.

– Pracę doktorską pisałam z antropologii. Ale obecnie wykładam...

Louis kopnął mnie pod stołem. Zakasłałam, ale chyba było za późno. Jego matka z zainteresowaniem zapytała:

– Jakie wykłady prowadzisz?

Popatrzyłam na Louisa, ale on nic nie powiedział, ani nie zrobił nic, żeby mnie uratować, toteż powiedziałam prawdę:

– Trzy fakultety z zakresu socjologii, z których dwa stworzyłam sama.

Modliłam się w duchu, żeby na tym poprzestali, ale sama też postanowiłam sobie jakoś pomóc. Próbowałam skierować rozmowę na inny temat.

– Louis mówił mi, że państwo dużo podróżują. Czy wybieracie się państwo gdzieś w najbliższym czasie?

Louis w końcu obudził się i powiedział:

– Lecą do Australii w lutym. Mamo, befsztyk jest naprawdę wyśmienity.

– Jakie są tematy tych wykładów? – zapytał ojciec Louisa. Miał zapewne zwyczaj drążenia jednego tematu w nieskończoność. Starannie wytarłam usta w serwetkę i wyrecytowałam:

– Jeden wykład ma tytuł „O śmierci i umieraniu", drugi „Życie w Azylu" a trzeci „Historia i socjologia prostytucji". Louis ma rację – befsztyk jest świetny.

Matka Louisa wyglądała na nieco zmieszaną.

– To dosyć dziwne tematy – powiedziała niepewnie.

– Całkowita strata czasu – orzekł ojciec Louisa, nie zaszczycając mnie już spojrzeniem.

Nagle poczułam, że wzbiera we mnie złość. Byłam zła za to lekceważenie. Przecież takie właśnie traktowanie ludzi było przez całe stulecia powodem zamykania ich w miejscach odosobnienia, strasznych jak więzienia, ale nie dających szansy wyjścia na wolność albo na powtórne rozpatrzenie ich sprawy. Kobiety zmuszane do prostytucji, a potem mordowane przez swoich oprawców w glorii prawa. Te dzieciaki – porzucone, zranione, przerażone, które kryją się w cieniu tych wszystkich wydarzeń, dzieci bezimienne, tak jak ich rodzice – pozbawione możliwości funkcjonowania w rzeczywistym świecie. Te wszystkie zapomniane kobiety, których głosy odżywają dzięki stworzonemu przeze mnie cyklowi wykładów, których tortury, śmierć i zatarcie wszelkich śladów zostało zaaranżowane i zaakceptowane przez aroganckich, zajętych tylko sobą mężczyzn, takich właśnie jak ten siedzący przede mną przy stole, wpatrujący się w swój befsztyk i unikający wszelkich sytuacji, które mogłyby zakłócić jego błogostan.

No, cóż – zdecydowałam, że będę głosem tych wszystkich pokrzywdzonych. Stworzyłam programy nauczania dla grup studentów. Przedstawiałam prawdę o ich życiu tym, którzy – miałam nadzieję – potrafią ją uszanować. Moje zajęcia nie miały na celu wywołania wrażenia na dziekanie czy zdobycia etatu albo też popularności – żeby zapraszano mnie na różne sympozja naukowe. Myślałam, że tak, ale teraz – w ten wieczór wigilijny zrozumiałam, że nie!

Chciałam opowiedzieć o tych, którym odebrano prawo do istnienia w historii. Przywracałam godność pamięci tych, którym ją odebrano za życia. Siałam ziarno współczucia i buntu w sercach studentów, mając nadzieję, że wykiełkuje w nich zrozumienie i chęć pomocy dla ludzi bezdomnych, chorych umysłowo, porzuconych. Że zmieni się także ich ocena prostytutek.

Wzięłam głęboki wdech i na tyle spokojnie, na ile mogłam powiedziałam:

– Proszę wybaczyć. Myślę, że powinnam już wyjść.

Zastanawiałam się wychodząc, ile czasu minie, zanim Louis odezwie się od mnie.

* * * * *

Nie spotkałam się z Freddy'm w drugi dzień świąt, a na kolejne dni także nie było zamówień. Louis pojechał z rodzicami odwiedzić jakiegoś kuzyna pod Nowym Jorkiem, nie było zajęć do przygotowywania, nie było żadnego nowego programu do opracowania, zaczęło mi się nudzić. Nawet paznokcie miałam już doprowadzone do perfekcji. Zadzwoniłam więc do Peach, tak tylko, żeby sobie z kimś porozmawiać.

– Nic się nie dzieje? – zapytałam. Byłoby dobrze zarobić jakieś pieniądze, bo stanowczo za dużo wydałam na prezent świąteczny dla Louisa – zegarek Patek Philippe. Zresztą nawet nie wiem, czy w zaistniałej sytuacji będę miała okazję kiedykolwiek mu go wręczyć.

– Nic, Jen. Wiesz, zawsze między Bożym Narodzeniem a Nowym Rokiem brakuje zleceń.

– Nie dostałaś ani jednego? – mój głos zdradzał poirytowanie. Zresztą tak właśnie się czułam.

– Dostałam. Na dwudziestoletnią Azjatkę. Podjęłabyś się takiego zlecenia?

Peach starała się nie tracić cierpliwości.

– Nie, rozumiem cię. Po prostu strasznie się nudzę i staję się zgorzkniała. Daj znać jak coś będzie.

Byłam w połowie lektury książki kiedy zadzwonił telefon.

– Mam kogoś, ale to nowy klient i nie jestem pewna, czy go chcesz.

– Hmmm..., ja...

Oto cała ja: zawsze gotowa błyskawicznie i inteligentnie ripostować. Ale pytanie było dość trudne, a ja wielokrotnie uczulałam Peach, że nie chcę nowych klientów. „Tylko faceci, których znasz, faceci, którzy na pewno nie są glinami. Mogę to robić tylko pod warunkiem, że nikt się o tym nie dowie. Wystarczy jedna osoba, która dostanie w ręce raport z mojego aresztowania – i wszystko, co ma znaczenie w moim życiu przepadnie".

– A, co ty o nim myślisz?– zapytałam.

– Brzmi dobrze. Wiesz, że możesz zrezygnować w każdej chwili.

No, to pojechałam do niego. Przez telefon był małomówny ale przywykłam do wszelkiego rodzaju mruków. Nie przejęłam się tym.

Cała sytuacja była trochę dziwna. Zamiast do drzwi miałam zadzwonić z mojej komórki, pomyślałam więc, że ma zepsuty dzwonek. Przy drzwiach czekał młody, chudy mężczyzna, który szeptem poinstruował mnie, żebym nic nie mówiła, dopóki nie wejdziemy na górę.

Na górze, jak się okazało, była jego sypialnia czy raczej pomieszczenie, w którym stało pojedyncze łóżko, oświetlone jedynie maleńką lampką pod sufitem. Usiedliśmy na tym łóżku. Zaczęłam od sprawy zasadniczej – był to nowy klient – chciałam więc otrzymać pieniądze na samym początku.

– Miejmy to już za sobą – powiedziałam. – Jesteś nowym klientem i Peach wymaga żeby w takich sytuacjach najpierw pobrać pieniądze.

– Dobrze. Sto sześćdziesiąt, prawda? – powiedział wyciągając portfel.

Poczułam, jak zaczynam się denerwować.

– Nie, dwieście.

– Ta dama, z którą rozmawiałem przez telefon powiedziała, że sto sześćdziesiąt.

„Ta dama"? Ile ten facet ma lat?

– W porządku – zadzwońmy do niej i wyjaśnijmy tę sprawę.

Otworzył portfel ale nie wyjmował z niego pieniędzy.

– Nie, nie trzeba. Zapłacę dwieście. Chcę tylko upewnić się co do jednego: będziemy uprawiać seks? Muszę się upewnić, za co ci płacę.

Zamarłam. To była typowa kwestia z przedstawienia pod tytułem „Świat według Peach": glina chce, żebyś się przyznała, że uprawiasz seks za pieniądze. To jak broń za zakładników – zwykle podkpiwałam sobie w duchu. Ale teraz nagle przestało mi być do śmiechu. Mam się przyznać, żeby mógł mnie aresztować.

– Możemy robić to, na co mamy ochotę – odpowiedziałam z namysłem. – Załatwmy sprawę pieniędzy, żebym mogła zadzwonić do Peach i potwierdzić, że wszystko jest w porządku. Później uzgodnimy co będziemy robić.

Nie patrzył w moim kierunku.

– Ja chcę mieć pewność, że będziemy uprawiać seks za te pieniądze – upierał się.

O Boże, niech to nie będzie prawdą. Uczyniłam ostatni wysiłek:

– Wiesz, nie lubię planować. Spróbujmy się nieco rozluźnić i zobaczymy, co z tego wyniknie.

Gwałtownie uniósł głowę, popatrzył na mnie i z uporem maniaka zapytał:

– Ale będzie seks, prawda?

Wstałam i bardzo opanowanym głosem zapytałam go:

– Przepraszam, czy pan jest policjantem?

Scenka wyglądała bardzo dramatycznie, a to był jej punkt kulminacyjny.

– Nie – odpowiedział, potrząsając głową – a czy ty jesteś?

No, to pomyliłam się, co w tej sytuacji nie było wcale trudne. Okazało się, że był wyjątkowo nieprzystosowanym, młodym człowiekiem, o dość ograniczonej inteligencji i niewielkich umiejętnościach funkcjonowania w społeczeństwie, który po tym jak wymieniliśmy ostatnie słowa, zapłacił mi bez zmrużenia oka, poczekał aż zadzwonię do Peach, a potem tak jak tego chciał – dostał swoją porcję seksu. Nie zamieniliśmy już ani słowa.

No, cóż – pomyliłam się. Byłam zadowolona, że zakończyliśmy przed czasem i mogłam wyjść. Zakładam, że nawet gdybym została aresztowana, to Peach poręczyłaby za mnie i wpłaciła kaucję. Ale ta myśl nie miała znaczenia, bo jak już wspominałam, Peach wymagała, żeby stosować się do jej zaleceń. A ja robiłam to z chęcią.

* * * * *

W tym roku podjęłam postanowienie noworoczne. Zwykle tego nie robiłam, bo uważam, że to niepotrzebnie wywołuje u ludzi poczucie winy, tak jak postanowienia z lat poprzednich, nigdy przecież nie dotrzymywane. Oto co postanowiłam: czytać więcej pouczających książek, zapisać się znów do fitness–klubu, zacząć uczyć się nowego języka obcego, dbać o utrzymywanie kontaktów z przyjaciółmi, dbać o porządek.

Miałam sporo czasu na przemyślenia. Koniec grudnia i początek stycznia był bardzo spokojny. Zaledwie dwa przyjęcia, wspólne spotkanie noworoczne na uczelni, parę wieczorów z grą w scrabble u Peach, przedziwny bal kostiumowy u Ireny. Wzięłam udział we wszystkich, starałam się być miła i świetnie się bawić.

Ale tak naprawdę, to większość czasu przeznaczyłam na przemyślenie własnej sytuacji. Myślałam o tym, co zdarzyło się podczas kolacji u Louisa. Myślałam o tym jaką drogą idę i dokąd zmierzam. Wydawało mi się, że znalazłam się właśnie na rozstaju. Zaczynało wyglądać na to, że moja kariera – to co zawsze chciałam w życiu robić – nauczanie, nabierało kolorów i być może niedługo uda mi się zdobyć dobrą pozycję. Obiecano mi tyle grup wykładowych, na ile tylko zdołam znaleźć czas, a było oczywiste, że po roku lub dwóch powinnam dostać wreszcie wymarzony etat pracownika naukowego. Nawiązałam wiele kontaktów na uczelniach, a także na sympozjach, na których prowadziłam wykłady. Wszystko zaczynało wyglądać lepiej niż kiedykolwiek dotychczas.

Z drugiej strony ciągle doskwierał mi brak pieniędzy, żeby płacić za mieszkanie, za nagromadzone rachunki z kart kredytowych (większość to zakupy pieprzonego drania Petera, ale w końcu to ja – idiotka – je podpisałam), spłacić kredyt zaciągnięty na studia, moje prywatne (bardzo drogie) ubezpieczenie medyczne i tak dalej. Poczucie bezpieczeństwa mógł dać mi jedynie stały etat na uczelni: prawdziwa praca z regularnymi wypłatami i dodatkowymi korzyściami, przysługującymi pracownikom. Toteż ciągle jeszcze byłam zmuszona pracować dla Peach. Pozostawał problem jak to robić, żeby nie miało to negatywnego wpływu na moje prawdziwe życie?

Znalezienie się w tym punkcie nie wymagało ode mnie jakiejś szczególnej błyskotliwości lub nadmiernego wysiłku. To, co naprawdę pozwoliło mi dojść tutaj, co mnie uratowało, to wykłady o prostytucji. W zasadzie – więcej szczęścia niż ciężkiej pracy. Ale ostatnio, niestety, poziom moich wykładów zaczął się obniżać z powodu braku snu, czasu, braku możliwości funkcjonowania bez narkotyków, które trzymały mnie na nogach i środków nasennych, które pomagały mi zasnąć. Nie brałam kokainy od czasu gdy zakończył się semestr, na przyjęciach świątecznych piłam bardzo niewielkie ilości alkoholu, ale nie miałam złudzeń. Cztery wykłady tygodniowo, cztery zlecenia tygodniowo i wszystko powróci. Wydawało się, że nie mam wyboru. A tym razem już nie będę mogła wprowadzać jakichś drobnych modyfikacji do programu, żeby znowu jakoś zakamuflować kiepski poziom nauczania, spóźnienia, moje zachowanie przypominające zombie. Nie będzie już tak łatwo się wybronić. Moja kariera może się zakończyć, zanim się tak naprawdę zacznie.

I ten Louis... Nie wiedziałam co z nim robić. Jego zwyczaj przesiadywania do późna w nocy był kolejnym problemem. Gdybym nawet pracowała dla Peach jedynie w weekendy – to w tygodniu przecież będzie Louis. Musiałam brać – jak to sobie obliczyłam – trzy, czasem nawet cztery zlecenia z agencji tygodniowo.

Jedno z moich noworocznych postanowień brzmiało: zastanów się co dalej robić. Potrzebowałam więcej niż jednego wieczoru, żeby to dokładnie przemyśleć. Popatrzyłam jak na Times Square tradycyjnie opada noworoczna kula, wzniosłam do Scuzziego toast musującym Vouvray i poszłam spać.

Okazało się, że nie potrzebowałam martwić się o Louisa. Problem rozwiązał się sam.

Rozdział szesnasty

Louis przewidział to już wcześniej. Kiedyś powiedział mi, że związek między dwojgiem ludzi może mieć tylko jeden z dwóch celów: albo się pobrać albo się rozstać. A po kilku miesiącach stało się jasne, że nie zamierzamy się pobierać. Myślę, że rozstanie z nim dotknęło mnie bardziej niż chciałabym się do tego przyznać. Byłam zła zarówno na niego, jak i na siebie, i to uczucie towarzyszyło mi przez długi czas.

Zajęcia zaczęły się znów w początku lutego. Brałam zlecenia tylko w weekendy, starając się, aby było ich jak najwięcej; zwykle dwa w soboty i jedno w niedziele, tak by w pozostałe dni zajmować się jedynie przygotowaniami i prowadzeniem zajęć. Peach nie rozumiała co się dzieje i chyba poczuła się obrażona gdy systematycznie odmawiałam przychodzenia do niej na partyjkę scrabble i drinka pod pretekstem, że nie chciałabym natknąć się na Louisa. Nie było wcale łatwo unikać poprzedniego stylu życia. Wydaje mi się, że Peach celowo nalegała, żebym jednak pojawiła się u niej i to nie dlatego, że miała coś złego na myśli, ale po prostu lubiła mnie i było jej mnie brak. Któregoś wieczoru zadzwoniła, zapraszając mnie na kolację i mówiąc, że po kolacji będzie miała dla mnie zlecenie. Co miałam robić? Pojechałam.

W tych czasach wśród klientów było wielu szefów kuchni i restauratorów. Kiedy Peach zapraszała gdzieś na kolację, było to zazwyczaj to samo jej ulubione miejsce – restauracja z kuchnią azjatycką w jednym z większych hoteli w centrum miasta, modna i szykowna, a Peach była zdaje się zaprzyjaźniona z właścicielem. Często korzystał z naszej agencji, zarówno dla siebie, jak i dla swoich znajomych, przyjaciół, odwiedzających go biznesmenów. Miał także jakiś układ z hotelem, bo – jeśli tylko była taka potrzeba – zawsze na czas znajdowały się klucze do pokoju.

Spotykałam się z klientami w tym hotelu, z kelnerami z restauracji, czasem z Japończykami przyjeżdżającymi w sprawach służbowych. Zawsze przynoszono do pokoju drinki z restauracji, małe przekąski. Restauracja miała doskonałe jedzenie. Kiedyś właściciel powiedział mi, że mogę wpadać na drinka, będzie zachwycony, a przy okazji mogę być pewna, że jeśli tylko będę chciała, to zawsze znajdzie mi klienta na wieczór. Było to bardzo miłe z jego strony ale nigdy z tego nie skorzystałam.

Jeden z mężczyzn, z którym się tam spotkałam, jeden z szefów kuchni, wręczył mi pewnego wieczoru swoją nową wizytówkę mówiąc, że się przenosi do innego miejsca, że założył własną restaurację *sushi* na przedmieściach. Życzyłam mu powodzenia, obiecałam, że się odezwę – i oczywiście za chwilę już nawet o tym nie pamiętałam. Ale chyba miał jakieś przeczucie, że się wyniósł, bo azjatycka restauracja po kilku miesiącach została zamknięta. Obecnie mieści się tam restauracja specjalizująca się w stekach.

Czasami pewne fakty z mojej przeszłości pojawiają się przede mną znów, może nie po to, by mnie straszyć, ale żeby o sobie przypomnieć. Ostatniego lata brałam udział w konferencji w Wellesley College i wdałam się z jedną z koleżanek w rozmowę o jedzeniu. Usłyszawszy, że lubię *sushi* poradziła mi, żebym wybierała się tylko do restauracji na przedmieściach, a jeśli chcę zjeść naprawdę świetne *sushi*, to całkiem niedaleko stąd znajduje się najlepsza japońska restauracja w całej Nowej Anglii – i tu podała nazwę, którą pamiętam z tamtej wizytówki. Miło jest dowiedzieć się, że niektórym z naszych znajomych coś się w życiu udaje.

Najróżniejsze dziwne zdarzenia takie jak to, pojawiają się aby przypomnieć ci, jak kiedyś żyłaś. To nie jest wcale takie złe, pamiętać skąd się pochodzi, jaką przeszliśmy drogę. Na chwilę przeniosłam się myślami z konferencji do hotelu, w którym bogaty japoński biznesmen stawiał mi drinki; ja w sukni za osiemset dolarów; pełnia zadowolenia z życia. To nie takie złe wspomnienia. Ale oczywiście teraz już nie pojawiam się w tej restauracji. Ten rozdział jest zamknięty, a moje obecne życie jest właśnie takie, o jakim zawsze marzyłam.

Poza tym mój mąż nie cierpi *sushi*.

Ale wracając do tamtego lutego. Znów prowadziłam wykłady, spotykałam się z Peach wtedy gdy wiedziałam, że mogę sobie na to pozwolić bez zbytniego przemęczania się, bez kokainy, przyjmowałam zlecenia prawie wyłącznie w weekendy. Czułam się dużo zdrowsza. Może to dzięki *sushi*, które wtedy jadałam regularnie. Ale pojawiło się we mnie coś nowego, pewna determinacja w moim nauczaniu, jakaś pasja, której wcześniej nie zauważyłam. Być może podejście do tych zagadnień, które było udziałem Louisa i jego rodziny, dotknęło we mnie pewnej struny, do tej pory głuchej. Pośpieszne oceny i stereotypowe myślenie są wynikiem braku wiedzy i nieumiejętności krytycznego podejścia do sprawy. Zawsze podobało mi się stwierdzenie Emmy Goldman: „Najbardziej szkodliwym czynnikiem w społeczeństwie jest ignorancja". A ja odczuwałam coraz większą potrzebę, żeby coś z tym zrobić. Złość, która siedziała we mnie od czasu kiedy Louis odszedł, usiłowała znaleźć odpowiedni kierunek i siłę, żeby się wyładować.

Pierwsza część wykładu o prostytucji miała charakter czysto historyczny. „Westalki i ta cała reszta", jak to określała moja nowa asystentka Vicky. Moja pozycja na uczelni nie upoważniała mnie do własnej asystentki, ale chętnie przyjęłam jej pomoc w robieniu fotokopii, rezerwowaniu dla mnie książek i tego typu sprawach. Szkoda, że nie mogłam łączyć tych dwóch światów, w których żyłam, bo Peach byłaby zachwycona mając u siebie Vicky, a Vicky – przepiękna, bardzo zgrabna, wygadana, samotna, zawsze bez pieniędzy – zapewne byłaby zadowolona z dodatkowego zajęcia. U Peach mogłaby bez problemu zarabiać tysiąc dolarów tygodniowo.

Lubiłam przytaczać przykłady męskiej prostytucji, zwłaszcza, że potrzeba seksu jest ponad podziałami na płeć, wiek, rasę czy narodowość. W czasach starożytnych można znaleźć bardzo wiele takich przykładów – wtedy zjawisko homoseksualizmu było traktowane z dużo większą swobodą niż w naszych czasach. Ale, jak na to wskazuje historia, tolerancja nie jest czymś oczywistym na żadnym etapie historycznym.

Stałam przed grupą prowadząc wtorkowy poranny wykład. Przygotowywałam się do tego, by zaszokować studentów informacją, której woleliby nie usłyszeć, którą najchętniej zignorowaliby, która może będzie powodem ich koszmarów sennych. Zawsze dziwili mnie ludzie, którzy myślą, że historycy to jakieś świętoszki nie z tego świata. Tacy ludzie, którzy nie zdają sobie sprawy z całego cyklu przemocy i tragedii, który składa się na historię ludzkości. Wierzcie mi, historycy wszystko o tym wiedzą.

– Kiedy jeszcze byłam studentką, miałam kolegę, który mawiał: „Konstantyn nawrócił się na chrześcijaństwo i odtąd wszyscy żyli długo i szczęśliwie"– zaczęłam. Grupa była zrelaksowana, uśmiechnięta.

– Mój przyjaciel miał rację – kontynuowałam. Teodozjusz, następca Konstantyna pod karą śmierci zakazał sprzedawać chłopców w celu prostytucji. Niestety, ci którzy ogłaszali ten edykt przekręcili jego znaczenie. Zamiast karać handlarzy niewolników, którzy sprzedawali chłopców, karano tych biednych chłopców. W Rzymie wyciągano ich z męskich burdeli i palono żywcem na ulicach na oczach zadowolonego tłumu.

Zapanowała cisza. Już nikt się nie uśmiechał.

– I jeśli natura ludzka jest taka, jak mi się wydaje, oraz jeśli weźmiemy pod uwagę, ilu jest na świecie hipokrytów, to jestem pewna, że wśród tego tłumu było co najmniej kilku klientów tych biednych chłopców.

Zaczekałam chwilę, a potem zdecydowałam, że już pora pozwolić studentom na własne wypowiedzi.

– Jak więc myślicie – dlaczego prostytucja homoseksualna stała się takim problemem za Teodozjusza, podczas gdy wcześniej zarówno hetero– jak i homoseksualne stosunki były praktykowane dość otwarcie?

Znów zapanowała cisza spowodowana może wiedzą, którą właśnie im przekazałam, a może potrzebą zastanowienia się przez chwilę nad odpowiedzią. Jedna ręka uniosła się w górę.

– Czy dlatego, że religia chrześcijańska tego zabrania, a cesarz był chrześcijaninem?

Kiwnęłam głową.

– Czy problemem był homoseksualizm czy jego praktykowanie przez prostytutki? – zapytałam.

– Obydwie sprawy były zakazane. Przecież kościół jasno określa, że celem seksu jest prokreacja. — Ani homoseksualiści ani prostytutki nie mają zamiaru mieć dzieci – odpowiedział ktoś inny.

Po grupie przebiegł dreszczyk, wytworzyła się nieco nerwowa atmosfera.

– To prawda. Widzę, że poczytaliście trochę. Jednak jest jeszcze inny powód. W rozumieniu władzy w stosunkach homoseksualnych ciało mężczyzny jest używane w taki sam sposób jak ciało kobiety w stosunku heteroseksualnym. Kto dostrzegł w tym problem?

Tym razem nikt nie podniósł ręki, czyli przeczytali tylko to, co naprawdę konieczne. Cóż, lepsze to niż nic.

– Pamiętacie Augustyna, znanego ze swej mizoginii? Otóż powiedział on i zaraz wam zacytuję jego słowa dokładnie – wyjęłam i otworzyłam książkę – „ciało mężczyzny jest nadrzędne w stosunku do kobiecego, tak jak dusza jest nadrzędna w stosunku do ciała".

Złapałam ich zainteresowanie; oczy im błyszczały. Teraz musieli słuchać, rozumieć, myśleć.

Ręce nie unosiły się górę, co nie znaczyło, że panowała cisza.

– Ma pani na myśli to, że homoseksualizm był zły ponieważ mężczyzna zniżał się do roli kobiety? Cała ta sprawa dotyczy tak naprawdę pozycji kobiet w tamtych czasach? – zapytał młody mężczyzna siedzący prawie tuż przede mną.

– A jak ty myślisz? – zapytałam. W końcu nie byłam tam po to, żeby ich indoktrynować. Chciałam, żeby na podstawie zebranych faktów sami wyciągnęli mądre, przemyślane wnioski. Mój wkład w następne pokolenie ma być taki, że nie pozwolę im być jak stado baranów, podążające bezmyślnie za papką propagandową, serwowaną im codziennie przez polityków i media.

Chcę, żeby się uczyli, zbierali fakty i na ich podstawie wyrabiali sobie opinie. Jakieś tam: „Mnie się wydaje..." jest absolutnie niewystarczające.

Tak, to prawda, na samym dnie serca przechowuję wielkie ideały, a w tej sali wykładowej, tego zimowego poranka, wydawało mi się, że wszystko jest możliwe.

Rozdział siedemnasty

W związku z wykładami o burdelach imperium, zaczęłam myśleć o organizacji prostytucji i o ludziach, którzy czerpią z niej korzyści, o tych wszystkich, którzy decydują jakimi prawami rządzi się burdel czy agencja towarzyska. Jak to wpływa na zatrudnione tam dziewczyny. Jeżeli kiedykolwiek zdarzyło mi się nie doceniać jakie miałam szczęście, że od razu na początku trafiłam na agencję Peach, to bardzo szybko przekonałam się o tym dzięki spotkaniom i rozmowom z innymi dziewczynami. Niektóre z nich, zwłaszcza te młodsze, były nastawione na co najmniej kilka zleceń dziennie. Wydawały mnóstwo pieniędzy, a posiadanie dużej ilości pieniędzy do dyspozycji nie pozostaje bez wpływu na charakter; zwłaszcza jeśli masz niewiele lat, głód życia, wiele potrzeb i wydaje ci się, że taka dobra passa będzie trwała zawsze. Oznaczało to, że musiały dziennie dostawać więcej zleceń i skracać je poniżej jednej godziny. Toteż pracowały dla Peach ale także dla innych agencji, takich, gdzie był większy ruch w interesie, ale gdzie praca była bardziej ryzykowna (co nie od razu było dla nich jasne). Peach nie była w stanie zagwarantować czterech czy pięciu klientów jednego wieczoru; niektóre inne agencje mogły. I kiedy robiłam z nimi „duety", kiedy czasem odwoziłam którąś do domu albo spotykałyśmy się na drinka w jakimś barze, zaczęłam dostrzegać pewne niepokojące fakty.

Oto kilka migawek obrazujących to, o co mi chodzi.

Paula. Mieszkała w stanie New Hampshire. Tam chodziła do college'u. Dostała pracę na pół etatu w barze, ale wkrótce okazało się, że w jej niepisanym zakresie obowiązków jest świadczenie usług seksualnych niektórym klientom baru. Natychmiast odeszła, tłukąc przy okazji parę butelek. Postanowiła, że to ona będzie decydować kiedy, gdzie i z kim będzie to robić. Wsiadała do autobusu do Bostonu dwa razy w tygodniu aby pracować dla agencji Peach. Jej jedynym warunkiem było to, że musi o określonej godzinie znaleźć się w autobusie, który zabierał ją z powrotem do Manchester.

Poznałyśmy się podczas pewnego „duetu" w Quincy i odwiozłam ją na Dworzec Południowy, żeby mogła złapać swój autobus. Przyjechałyśmy za wcześnie, ja nie miałam kolejnego zlecenia, poszłyśmy więc coś zjeść w „Blue Diner". Paula opowiadała, że przeniosła się do agencji Peach, bo właściciel agencji, w której pracowała poprzednio – Lee – nie pozwalał dziewczynom używać własnych samochodów – uzależniając je od szoferów – punków. Ale najbardziej zdenerwowało ją to, że któregoś wieczoru szofer zabrał ją z dworca i zawiózł do jakiegoś pustego mieszkania w Dorchester. Lee miał nowy pomysł, który właśnie zaczął wprowadzać w życie – chciał emitować seks „na żywo" przez internet, a to mieszkanie miało być studiem. Tyle, że wtedy miał tam jedynie łóżko. Szofer zostawił ją samą w tym mieszkaniu i powiedział, że zadzwoni do niej na komórkę, jak znajdzie klienta. Okazało się, że ten gnojek Lee trzymał Paulę w mieszkaniu przez trzy dni. Dziewczyna nie mogła wrócić do domu, bo nie miała pieniędzy ani na taksówkę, ani na bilet powrotny na autobus. W końcu przyjeżdżała do Bostonu, żeby zarabiać pieniądze, a nie wydawać. Dzwoniła do agencji ale za każdym razem mówiono jej, że zaraz przyjedzie jakiś klient. Czekała więc, siedząc na tym łóżku pod gołą żarówką zwisającą z sufitu, w pełnej gotowości. Minęła godzina, dwie, trzy. Dzwoniła i dzwoniła, aż w końcu w agencji powiedzieli jej, że jak nie przestanie, to jej w ogóle nikogo nie wyślą. W końcu zasnęła. Rano zadzwonili z informacją, że nie mają teraz szofera żeby odwieźć ją na stację ale jeśli chce zaczekać, to wieczorem na pewno znajdą jej pracę. W mieszkaniu nie było nic do jedzenia, budynek stał w dzielnicy mieszkalnej. Paula bała się zostawić mieszkanie, a zresztą i tak nie miała pieniędzy na jedzenie. Tego dnia nic więc nie jadła. Dostała zlecenie o czwartej nad ranem, ale wszystkie pieniądze zabrał szofer, co było zgodne z zasadami agencji. Lee ustalił, że dostanie pieniądze dopiero z następnego zlecenia wieczorem. Znów – o piątej trzydzieści rano – zawieziono ją do tego samego mieszkania w Dorchester. Nadal była strasznie głodna. Położyła się, żeby przespać dzień; jej zlecenie było na dziesiątą wieczorem. Dostała wreszcie pieniądze ale było już za późno na autobus do Manchester. Musiała więc spędzić trzecią noc w tym obskurnym mieszkaniu. Rano zadzwoniła po taksówkę, a z dworca – do Lee i oficjalnie zrezygnowała z pracy w jego agencji.

Czy to takie nieprawdopodobne? Niektórzy zapewne tak pomyślą.

Kimmie także pracowała dla innej agencji, zanim dostała się do pracy u Peach. Jej poprzednia agencja, której (chyba nieprzypadkowo) właścicielem był także facet, wysłała ją na rejs połączony z łowieniem ryb w okolicach Gloucester. Spotkałyśmy się w jednym z barów w dzielnicy finansowej.

– Miałam stanowić prezent urodzinowy dla jednego z facetów. Szofer zabrał mnie do Gloucester, bo Howie nie pozwalał nam jeździć własnymi samochodami, trzymał nas na krótkiej smyczy.

Na myśl o tym przeszedł ją dreszcz, a ja zaczęłam dokładniej się jej przyglądać. Była bowiem po prostu przepiękna, włosy blond, długie nogi, niezwykłe szmaragdowe oczy. Na dodatek była bardzo miła. Pomagała swoim starszym rodzicom. Była wolontariuszką w programie nauczania pisania i czytania dla dorosłych. Na dodatek miała magisterium z chemii i samotnie wychowywała córkę. Myśl o tym, że ktoś mógłby ją skrzywdzić była dla mnie nie do zniesienia.

– Była piękna pogoda, przywieziono mnie wcześniej i miałam czekać w sypialni na łodzi, jeśli to pomieszczenie na dziobie można nazwać sypialnią. Dopłynęliśmy dokąd mieliśmy dopłynąć, wyłączono silnik. Wszyscy byli już po trzecim piwie, zarzucili wędki i ktoś w końcu przyszedł po mnie. To była niespodzianka. Tyle, że dla mnie... – spuściła oczy i już do końca tej opowieści nie spojrzała na mnie. Okazało się, że Kimmie zgodziła się na całodzienne zlecenie, zapewniono ją, że cały ten czas jest zapłacony przez kolegów jubilata i że to on będzie jej klientem. No, chyba, że ona już na miejscu ustali coś innego. Niestety wyboru dokonano za nią. Na seks z nią mieli ochotę wszyscy. Zgodziła się, bo musiała. Gdyby się nie zgodziła – cóż – byłby to gwałt.

Byłam zbulwersowana. Musiała się zgodzić, bo jeśli nie, byłoby to uznane za gwałt??? Ciągle jeszcze nie mogę tego zapomnieć.

Ale to jeszcze nie koniec. Kiedy już wypili piwo i łódka wróciła do portu, Kimmie zziębnięta, obolała i załamana wyszła na ląd, po czym okazało się, że Howie przepytuje każdego z facetów co z nią robił i dolicza to do rachunku. Przez cały czas wiedział co ma się zdarzyć ale nie pofatygował się, żeby jej powiedzieć!

Angie robiła ze mną „duet" w lecznicy pediatrycznej, a później podwiozłam ją do baru w południowym Bostonie, gdzie umówiła się ze swoim chłopakiem. Pracowała równolegle w dwóch agencjach i chociaż wolała pracować dla Peach, to jednak w zestawieniu z jej potrzebami nasza agencja nie zapewniała jej wystarczająco dużo zleceń. Angie nazywała Peach i właściciela tej drugiej agencji „agentami", co brzmiało tak, jakby pracowała w show biznesie.

Każdego wieczoru zgłaszała się w obu agencjach i kiedy dostawała zlecenie z jednej – wypisywała się z tej drugiej, zgłaszając się znów, kiedy skończyła. To wszystko wydawało mi się zbyt skomplikowane. Cały czas kiedy jechałyśmy samochodem Angie przerzucała jakieś skrawki papieru z notatkami, żonglowała swoim telefonem komórkowym, pagerem, robiąc plany na dalszą część wieczoru. Ta druga agencja była prowadzona przez Lee (znowu?). Angie była niezadowolona:

– Niech to diabli, chcą mnie wysłać do Jerome'a – wysyczała przez zęby.

– Trudny klient?

Okazało się, że klient nie jest trudny; raczej jego zlecenie niosło ze sobą duże ryzyko. Jerome miał ustalone z agencją, że dostarczamy mu „siano" od szoferów. Jerome płaci za to, a oprócz tego za usługę seksualną. Nie byłam naiwna i zdawałam sobie sprawę, że to bardzo niebezpieczne.

– Ile „siana? – zapytałam.

– Dwadzieścia osiem.

– Zwariowałaś? Aż tyle? – prawie wjechałam na chodnik. Patrzyła na swoje paznokcie. Długie, sztuczne, czerwone.

– Wszystko, co mam zrobić, to tylko przekazać mu torebkę.

– Ach, naprawdę? Tylko tyle?

Jeżeli czegoś się nauczyłam od pieprzonego drania Petera to tego, jakie są wyroki za handel narkotykami. Mówił o tym ciągle. Oczywiście wcale go to nie powstrzymywało od handlu.

– Czyli szofer podwozi cię pod dom klienta, ty wchodzisz z małym pakuneczkiem, a godzinę później wychodzisz bez niego. Szofer czeka na ciebie. Nikt się nie zorientuje o co chodzi?

– Wysiadam z samochodu na ulicy nie pod domem klienta – próbowała się bronić.

– I co, to tak dużo bezpieczniej? Angie, znikniesz na piętnaście lat. To się nazywa handel narkotykami a stan Massachusetts jest pod tym względem bardzo rygorystyczny.

Obróciła się twarzą do mnie i zniecierpliwiona powiedziała:

– Jen, zmień temat, dobrze? Muszę to robić, rozumiesz? Muszę pracować. Mam w domu dwójkę dzieci. Potrzebuję zleceń, a Lee mi ich nie daje jeśli nie robię dla niego innych drobnych „przysług". Po prostu się odczep.

No, to się odczepiłam.

Ale kiedy posłuchałam tych wszystkich historyjek, to zdałam sobie sprawę z tego, ile miałam szczęścia, że trafiłam od razu na Peach. Zrozumiałam, że w żadnej innej agencji nie miałabym szansy.

Nie byłam w stanie wyobrazić sobie, że pracuję dla agencji, w której nie tylko program wizyty jest otwarty do negocjacji, ale na dodatek to call-girl musi go negocjować i to ona będzie winna jeśli nie spełni oczekiwań szofera czy właściciela agencji.

Jedna z wielu Rosjanek, które pracują w bostońskich agencjach – Elena – wytłumaczyła mi to: „Kiedy przychodzisz do klienta, kosztuje go to sześćdziesiąt dolców. Tylko tyle. Potem on mówi ci co chce robić, a ty dodajesz ceny za każdą usługę. Całowanie i obejmowanie – czterdzieści dolarów, obciąganie druta – dodatkowo sześćdziesiąt. Normalny stosunek – stówa. I tak dalej".

„I tak dalej". Niby proste sformułowanie ale moja wyobraźnia jakoś nie dawała mi spokoju. Na przykład nasi „trudniejsi" klienci, którzy usiłowali manipulować, kontrolować call-girl, byli wystarczająco źli nawet bez prowadzenia z nimi negocjacji cenowych. Ale już słyszę jak przez dziesięć (niepłatnych) minut dopytują się czy rzeczywiście konkretna usługa w moim wykonaniu jest warta tej konkretnej ceny. Taak, nazwałabym to upokorzeniem. A na dodatek klient nie zdaje sobie sprawy, że dla dziewczyny może to być co najmniej tak samo upokarzające, jak dla niego. Jedynie osoby z bardzo specyficzną konstrukcją psychiczną są w stanie przejść od takiej zaciętej i nieprzyjemnej negocjacji do sytuacji, w której muszą stworzyć nastrój intymnej przyjemności towarzyszący wykonaniu usługi.

Reasumując, byłam naprawdę zadowolona, że pracowałam właśnie dla agencji Peach.

Muszę się przyznać do tego, że nawet odczuwałam pewne poczucie wyższości z tego powodu. Pewnego wieczoru byłam na „prawdziwej" randce zorganizowanej przez Irenę. Pojechaliśmy do dzielnicy Chinatown na zupę i makaron *dun–dun*. Wracając przejeżdżaliśmy przez ulicę Kneeland, obstawioną przez dziewczyny. Były dosłownie wszędzie: pod latarniami, na każdym rogu – smukłe, uśmiechnięte i nieco przestraszone. Zamiast cieszyć się, że nie muszę stać tam pośród nich, poczułam się tak jakbym była lepsza od nich dzięki temu, że moja praca nie niesie ze sobą tyle niebezpieczeństw. Moja agencja być może nie przyciągała bostońskich polityków „z najwyższej półki" ani najseksowniejszych gwiazd Hollywood, ani najbogatszych prezesów firm z Doliny Krzemowej, ale bycie jeden czy dwa szczebelki niżej było naprawdę wystarczająco komfortowe.

Cóż, nie byłam zachwycona tym poczuciem wyższości, ale przyznaję uczciwie, że się pojawiło.

Śnieg w końcu marca wreszcie się roztopił (ale i tak wszyscy dokoła przypominają, że zima może jeszcze powrócić, bo „kiedyś to nawet jeszcze w kwietniu spadł śnieg", chociaż był to wybryk natury, który zdarzył się wiele lat temu i to zaledwie raz). Sesja przyszła i przeszła. Nie zgłaszałam się przez tydzień do agencji, żeby móc lepiej się skoncentrować. Potem przez cztery kolejne noce nie dostałam żadnego zlecenia od Peach, mimo że się zgłaszałam i nie byłam pewna czy to przypadek czy też nie...

Byłam właśnie w swoim klubie sportowym, przepłynęłam basen dwadzieścia pięć razy i spędziłam piętnaście błogich minut w jacuzzi, kiedy zadzwoniła Peach. Wyjmując torbę z szafki w szatni zauważyłam, że mam wiadomość nagraną na komórce. Oddzwoniłam natychmiast.

– Cześć, co się dzieje?

– Och, Jen. Myślę, że powinnaś usłyszeć to ode mnie – powiedziała łamiącym się głosem. – Bill Francis nie żyje!

Zaczęłam gorączkowo szukać w pamięci. Bill Francis? A! Chyba pamiętam – to jeden z najbardziej stałych klientów, widywałam go sporadycznie. Mieszkał przy Beacon Hill w jednym z tych domów, które często pojawiają się na widokówkach.

Miły gość, pomyślałam. Jeden z tych zwyczajnych klientów. Wyjątki stanowili ci najbardziej szarmanccy z jednej strony i ci beznadziejni zboczeńcy, z drugiej.

Peach kontynuowała:

– Chciałam po prostu oszczędzić ci zdenerwowania.

– Jak umarł? – zapytałam. Nie mogła się doczekać tego pytania.

– Słyszałam, że ktoś się włamał do jego mieszkania, a on w tym czasie wrócił do domu. Chyba bardzo go pobili czy coś w tym rodzaju. Nie wiem dokładnie. Wiem tylko, że nie żyje.

Nie chciałam pytać w jaki sposób się o tym dowiedziała.

– Jest mi przykro, Peach. Zapewne czujesz się okropnie– usiłowałam ją pocieszyć. Wiem, że nie chodziło jej o to, że agencja straciła klienta. Ona rozmawia z nimi wszystkimi, czasem nawet kilka razy w tygodniu. Niektórych z nich naprawdę lubi.

Bill Francis był mi dość obojętny, toteż bardzo mnie zdziwiło, że tej nocy śniły mi się koszmary, obudziłam się krzycząc, cała spocona, z jakimś niespodziewanym widmem śmierci, krążącym mi nad głową. Z oczu płynęły mi łzy i mimo że zapaliłam wszystkie światła, zrobiłam sobie gorącej herbaty i włączyłam telewizor, czułam, że skryło się ono gdzieś w cieniu mojej podświadomości i czeka tylko aż znów się położę, żeby pojawić się ponownie. Siedziałam więc kołysząc się bezwiednie w przód i w tył. Nie mogłam przestać płakać. A przecież prawie nie pamiętam tego mężczyzny. Z początku zupełnie nie kojarzyłam który to, bo nie było żadnych szczególnych sytuacji, które pozwoliłyby mi go zapamiętać. Był po prostu jednym z klientów. A łzy nie chciały przestać płynąć.

To nie był sen związany z Billem. Śnili mi się ludzie, których kiedyś w życiu kochałam, a których straciłam, których było mi żal. Śniły mi się moje własne lęki przed tym, co nieuniknione.

Oczywiście następnego dnia prowadziłam wykład „O śmierci i umieraniu". Zaczęłam więc od tego, że zmarł mój „przyjaciel" i że miałam nocne koszmary, świetliste, przerażające widmo – i powoli przeszłam do tematu, który, co prawda zgodnie z programem wykładów miał być poruszony później, ale wydał mi się w tym momencie nieunikniony, naturalny: o śmierci i o sztuce. Mówiłam o tym ponieważ większość inspiracji w sztuce wywodzi się z podświadomości, a obecność śmierci jest dokładnie przepleciona z wszelkimi przejawami życia; stąd poprowadziłam dyskusję dalej – na temat twórczości Goi, Dalego i Boscha.

Obserwując żywe zainteresowanie słuchaczy pomyślałam przez chwilę o tym, co czułby Bill Francis wiedząc, że jedna z jego call-girls zainteresowała dzięki niemu swoich studentów. Chyba byłby zadowolony.

Rozdział osiemnasty

W maju, kiedy zajęcia dobiegają końca i nadchodzi wyzwolenie w postaci letnich wakacji, studentom coraz trudniej jest koncentrować się na nauce. Gorzej jeszcze – studenci przestają chodzić na zajęcia. Okazuje się, że szkoły mają dość ambitny kalendarz imprez sportowych na wiosnę i lato. Być może kiedyś polecę do Chin. Henry powiedział mi, że tam studenci szanują swoich wykładowców, uznają za zaszczyt fakt, że mogą uczestniczyć w zajęciach. Ale jeszcze w tym roku muszę nauczać tutaj, niestety.

Na wykładzie „Życie w Azylu" omawialiśmy sposoby krępowania pacjentów. W dziewiętnastym wieku po prostu przywiązywano ludzi do przedmiotów, których nie można przesunąć, takich jak fotel, kolumna, ściana.

– Jaki więc postęp osiągnęliśmy od tamtych czasów ? – zapytał sarkastycznie jeden ze studentów. – Teraz także ich blokujemy, używając chemii. Dostają zastrzyk i snują się dokoła jak zombie.

Inny student dodał z przekąsem:

– Właśnie! Jak w tej piosence: „mirrors on the ceiling, pink champagne on ice".*

– Przepraszam? Co powiedziałeś? – nie spodziewałam się, że ta piosenka może mieć coś wspólnego z naszym tematem.

– To jest piosenka The Eagels – odpowiedział.

– Wiem, ale myślałam, że śpiewają o narkotykach.

– Jasne, tyle że narkotyki są legalnie im przepisane. Wie pani, pracowałem jako pomocnik w szpitalu psychiatrycznym na oddziale dla młodzieży. Wszystkie pokoje mają lustra w rogu i na suficie, żeby można było przez okienko w drzwiach obserwować co robią. A jeden z leków, którego używają – zapomniałem jak się nazywa – jest różowy i podaje się go w zastrzykach. Tyle, że lek musi być schłodzony, więc przed podaniem kładzie się strzykawki na lód. Wywnioskowałem z tego, że Hotel California to szpital psychiatryczny.

Dla mnie było to nowe, fascynujące odkrycie. Usiłowałam go zachęcić żeby opowiedział o tym, jak krępuje się tam pacjentów:

– Czyli, prawdę mówiąc – pracowałeś w takim miejscu odosobnienia, na współczesnym oddziale psychiatrycznym. Opowiedz nam o tym.

Popatrzył na grupę, po raz pierwszy chyba poczuł się naprawdę pewnie.

– Cóż, wiem, że to zabrzmi okropnie, ale wiecie, to wszystko miało czasami jednak jakiś sens.

Po sali przebiegł szept dezaprobaty. Wszyscy patrzyli na niego z oburzeniem.

– Kiedy to miewało sens? – dopytywałam się.

– Doktor Abbot. Oni byli jak dzieci. Wie pani – czasem dzieci wyrywają się spod kontroli. Mogą sobie naprawdę zrobić krzywdę. I wtedy potrzebny jest ktoś, kto przejmie nad nimi kontrolę. Większość z nich uspokaja się natychmiast, jak tylko zostaną do czegoś przywiązani.

* Lustra na suficie/różowy szampan na lodzie – tłum. B.J.

– Pewnie – wycedził ktoś przez zęby – praktyki faszystowskie – oto co najlepiej stosować.

– Nie, to zupełnie nie tak! To daje im poczucie bezpieczeństwa. Niezależnie od tych strasznych problemów, które ich dręczyły, wiedzieli, że pomożemy im na czas, że są bezpieczni przed samymi sobą. Kiedy są związani, wiedzą, że chodzi nam o to, by nie zrobili sobie krzywdy.

Wywiązała się dyskusja. A ja wróciłam na chwilę myślami do czasu, kiedy wreszcie dotarło do mnie, że moja mama umiera, kiedy zrozumiałam, że to jest rak i że nie można się przed tym obronić. To było jeszcze, zanim spotkałam Petera. Siedziałam razem z moim ówczesnym chłopakiem na łóżku płacząc i krzycząc z rozpaczy i bólu. Mój chłopak przytrzymywał mnie mimo że usiłowałam się wyrywać. Nie wiem co bym zrobiła ze sobą tamtej nocy, gdyby go przy mnie nie było. Czułam się okropnie ale wiedziałam, że dzięki niemu jestem bezpieczna, bo on nie pozwoli, żebym zrobiła sobie coś złego. Ale gdybym była wtedy sama..., cóż, myślę, że tak. Miałam więc kryzys, a dzięki temu, że on mnie trzymał kiedy wściekałam się na niego, na cały świat, na Boga... – jednak przeżyłam. Rozumiałam więc doskonale, że od czasu do czasu istnieje potrzeba aby kogoś przytrzymać wbrew jego woli.

Wróciłam myślami do sali wykładowej i słuchałam o czym mówią studenci.

– Pomyśl, przecież podstawowym prawem człowieka jest to, że nie zamyka się go w więzieniu bez procesu. Nakładanie ludziom kajdanek łamie to prawo.

– W szpitalach często podejmuje się decyzje w imieniu pacjentów, mimo że zapewne oni nie wyraziliby na to zgody. Co, jeżeli...

Przerwałam te rozmowy.

– Proszę o uwagę – zawołałam, jednocześnie wykonując odpowiedni gest, jakbym była sędzią sportowym. – Na środę napiszcie krótki tekst na temat krępowania pacjentów w szpitalach psychiatrycznych. Mogą to być wasze opinie, ale chciałabym, żeby były poparte solidną argumentacją. Do zobaczenia.

Kilkoro z nich ciągle jeszcze się kłóciło. Odczuwałam naprawdę dużą satysfakcję z tego, że udało mi się pobudzić ich do tak intensywnej pracy i tak gorącej dyskusji, i to na dodatek pod sam koniec semestru. Jeśli chodzi o mnie, to zaczęła mnie boleć głowa.

Usiadłam przy biurku i zaczęłam przeglądać notatki.

Przywiązywanie... Pewnie wszyscy myślą, że wiem coś w kontekście zdrowia psychicznego i szpitali, a tak naprawdę wiem dużo, dużo więcej. Przecież pracuję w agencji towarzyskiej...

Zakładanie mi kajdanek przez klienta w łóżku to jedna z rzeczy, na którą godziłam się bardzo rzadko. Nie mieści się to w mojej definicji „bezpiecznego seksu". Jeśli nie znałam klienta naprawdę bardzo dobrze, nigdy się na to nie godziłam.

Jedynym wyjątkiem byli nieliczni stali klienci, których znałam od dawna i wierzyłam, że nie przekroczą pewnych granic, a jeśli przekroczą, to powstrzymają się kiedy im każę. Myślę, że nakładanie kajdanek ma jakieś znaczenie w doświadczeniach seksualnych, chociaż czasem pozostaje jedynie w sferze fantazji.

Hotel „DoubleTree Suite" przy Storow Drive ma lobby, którego sufit sięga aż do ostatniego piętra. Ma także szklaną windę, która wiezie cię na dowolne piętro, dając widok na cały hotel. Jak to w szklanej windzie – jako pasażer także jesteś na widoku.

Jeden z moich stałych klientów zatrzymywał się w tym hotelu raz w miesiącu, przyjeżdżając służbowo do Bostonu. Jego zwyczajem było spotykanie mnie w hallu, gdzie natychmiast nakładał mi kajdanki na ręce. Podniecało go, że robi to publicznie, bez słowa, w zimnym, mechanicznym akcie. Szedł za mną przez cały hall, ja z rękami skutymi z przodu, kajdanki dość widoczne nawet dla postronnego obserwatora. Wywoływało to u niego określoną reakcję psychiczną. Kiedyś miał orgazm zanim jeszcze dotarliśmy do pokoju, w tej właśnie szklanej windzie.

Siedziałam masując skronie. Było to mało skuteczne, nigdy nie pomogło na ból głowy, ale jakoś czułam, że powinnam to robić. Myśli o wiązaniu wywołały lawinę skojarzeń w mojej głowie. Dla tych, którzy praktykują łańcuchy i pejcze, kajdanki to dziecinada. Takim praktykom zawsze towarzyszy mnóstwo klapsów. Jeżeli nie jestem związana, potrafię sobie poradzić w sytuacji gdy uderzenia stają się zbyt mocne lub klient przestaje mnie słuchać. Zawsze robią to w pełnym świetle, żeby mogli zobaczyć czerwone odbicie swoich dłoni na moich pośladkach. Starałam się zgadywać jakiej reakcji spodziewają się po mnie: czy mam krzyczeć czy zachować kamienny spokój.

Kiedy poznałam klienta naprawdę dobrze, nie miałam nic przeciwko wiązaniu mnie, a nawet mówiąc szczerze, odrobina perwersji powodowała, że czas mijał szybciej. Jest wiele sposobów, które mógł stosować klient: dłonie związane razem z tyłu, albo nad głową, przywiązane do ramy łóżka albo do jakiegoś innego mebla. Kiedyś klient poprosił, żebym zgięła się w talii tak, by mógł związać moje ręce i nogi w kostkach razem, co jest teoretycznie możliwe, ale w praktyce bardzo niewygodne. W użyciu były kajdanki, opaski do włosów, apaszki... To jest jedyna sytuacja, kiedy mężczyźni mogą realizować swoje najdziksze fantazje, do których nie chcą się przyznawać, które skrywają przed swoimi żonami. Mogą nareszcie spróbować tego wszystkiego, co wiedzieli w filmach porno, tego, co czym czytali. To jak smak zakazanego owocu.

Wiem z popularnej prasy oraz z internetu, że ludzie są ciekawi użycia nie tylko kajdanek. Chcą spróbować o wiele więcej. Ja też chcę. Mam już nieco doświadczenia z kajdankami i pejczami. Luke – chłopak, którego miałam przed Peterem, lubił to, a ja mogłam się od niego sporo nauczyć. W tamtym związku Luke dominował. Ja musiałam się podporządkować. Kiedy opowiadałam o tym Irenie, była nieco zdegustowana: „Po co znowu odgrywać rolę, do której i tak jesteś zmuszana przez całe swoje życie? Wygląda na to, że dajesz zły przykład". Podejrzewam, że w pewnych sytuacjach, w odniesieniu do pewnych par miała rację. Ale dla mnie i dla Luke'a to był właściwy czas i właściwe miejsce do grania tych ról.

Byłam wtedy w trakcie rozsyłania zgłoszeń na studia doktoranckie. Musiałam być na bieżąco z wieloma zagadnieniami, gdyż ilość i zakres materiałów wymaganych przez różne uczelnie był po prostu ogromny. Chodziłam na rozmowy kwalifikacyjne, które zmusiły mnie do stworzenia wizerunku osoby, mającej nietuzinkowe opinie, dostateczną determinację aby zrobić doktorat i nadającej się do tego aby zapełnić jeden z niewielu etatów, które uczelnia może zaoferować. Musiałam tak chodzić i sprzedawać się, sprzedawać się, sprzedawać się. Musiałam być doskonale zorganizowana, robić wrażenie i znać się na wszystkim. Na każdym kroku musiałam podejmować decyzje, brać na siebie zobowiązania, rozwiązywać problemy. Kiedy ja i Luke zaczęliśmy bawić się w wiązanie, nawet nasze pierwsze, nieśmiałe próby przyniosły mi jakiś dziwny rodzaj ulgi. Czułam, że nareszcie mogę komuś oddać kontrolę nad sobą, bo ufałam mu całkowicie i mogłam sobie pozwolić na wejście w rolę tak głęboko, jak tylko chciałam. Dowiedziałam się o sobie takich rzeczy, że nawet nie sądziłam, iż mogłyby być moim udziałem. Nauczyłam się kim naprawdę jestem, jaki jest rdzeń mojej osobowości. Nie dały mi tego wcześniejsze wizyty u psychoanalityka ani zajęcia z zakresu psychologii, na które uczęszczałam. Naprawdę świetnie się złożyło, że miałam takiego chłopaka. Nie jest łatwo znaleźć partnera, któremu ufa się tak bardzo, że można z nim bez zahamowań uprawiać tego typu seks. Oczywiście to nie znaczy, że pewne elementy nie mogą być stosowane osobno. Kajdanki są jednak najbardziej popularnym gadżetem i sądzę, że nawet jeśli wielu mężczyzn pragnęłoby pójść dalej, to obawialiby się lub wstydzili o to poprosić; nawet poprosić call-girl. Generalnie, większość naszych klientów miała potrzeby i fantazje seksualne, które łatwo było przewidzieć i zaspokoić. To, o co zwykle prosili (albo co otrzymywali jeśli nie zdecydowali się poprosić o więcej) było bardzo łagodnym rodzajem seksu. Oczywiście w różnych pozycjach i miejscach: na stole kuchennym, w drzwiach, za drzwiami, na sprzęcie do ćwiczeń w siłowni. Dużo specyficznego słownictwa: wielu z nich chciało żeby świntuszyć. Pragnęli słyszeć słowa, które być może sami wstydzą się wypowiadać. A ja byłam gotowa na to, co niezwykłe, lekko perwersyjne. Jeśli czegoś nie wiedziałam, czytałam o tym. Gdyby klienci wiedzieli co czytam, zapewne większość z nich nieźle by się przestraszyła. Ale to nic dziwnego, mnie też te lektury czasem mocno szokowały.

W końcu otrząsnęłam się z tego zamyślenia, zebrałam swoje książki i torbę, i wyszłam na korytarz. Pusty. Jeszcze kilka zaliczeń i nadejdzie wyzwolenie. Nawet jeśli ktoś douczał się jeszcze, to robił to i tak poza campusem.

„Zamieniasz się w nieznośną zrzędę" – karciłam sama siebie w myślach – „To, że jesteś napalonym naukowcem nie znaczy, że każdy musi tak samo. Żyj i pozwól żyć innym. Jest wiele sposobów aby dotrzeć do celu. Nie oceniaj nikogo, zanim nie przemierzysz choć jednej mili w jego butach." Zamyśliłam się znów na chwilę, po czym dodałam: "I używaj mniej banalnych sformułowań".

W schowku w moim samochodzie miałam ekscedrynę. Otworzyłam go z takim nabożeństwem, jakbym sięgała po święty sakrament. Połknęłam aż trzy, żeby mieć pewność, że zadziała szybko i skutecznie. Wracając do Allston niecierpliwie czekałam, żeby mój ból głowy się zmniejszył. Jednocześnie przypomniało mi się, że jeszcze przed chwilą dziwiłam się jak niewielu klientów pozwala sobie na jakieś ekstrawagancje i fetysze. Doszłam do wniosku, że najwyższy czas dodać nieco pikanterii swojemu życiu prywatnemu. Przecież klienci i praca nie są po to, żeby dostarczać nam dreszczyku.

Co właściwie lubią klienci? Chyba łatwiej powiedzieć czego nie lubią. Przykładają ogromne znaczenie do tego, jak dziewczyna wygląda i niechętnie akceptują te, które wykraczają poza wąską definicję pojęcia „piękna". Co dziwne, nie akceptują dziewczyn z kolczykami w różnych częściach ciała, a najmniej podobają im się kolczyki w łuku brwiowym, w wardze lub pępku. Czasami akceptują kolczyki w brodawkach piersi i wardze sromowej, ale nie wszyscy. To oczywiście oznacza, że możliwość wyboru jest w gruncie rzeczy niewielka, bo w tych czasach w Bostonie każda dwudziestolatka ma już co najmniej jeden kolczyk w jakimś dziwnym miejscu. Niektóre z nich, że zacytuję celne zdanie Harlana Cobana, wyglądały tak, jakby spadły ze schodów niosąc przed sobą pudełko pełne haczyków do łowienia ryb. Przekłuwanie ciała jest fetyszem popularnym w pewnej konkretnej grupie wiekowej. Nasi klienci wywodzili się w większości spośród tych, których Francuzi określają jako „panowie w pewnym wieku" i było zupełnie zrozumiałe, że nie będą traktować tych metalowych dodatków z takim zachwytem, jak rówieśnicy dziewcząt.

Prawie wszyscy klienci byli nastawieni na sprawowanie kontroli, co zapewne dużo mogłoby powiedzieć o ich samoocenie; zawsze chcieli całkowitego posłuszeństwa od „zamówionej" dziewczyny. Jeśli, na przykład spóźniła się, mogli do woli wściekać się na nią i podkreślać na jak wielki kłopot ich naraziła, jednocześnie dając jej odczuć już na samym początku swoje niezadowolenie z jej usługi. Jeśli dziewczyna była nowa, to naprawdę źle wpływało na jej psychikę i sposób pracy. I oni to wiedzieli.

Był pewien klient, o imieniu Abe, szczególnie dobrze znany wśród dziewcząt z agencji Peach. Kiedy tylko mogłyśmy, wymieniałyśmy między sobą informacje o nim. Był typem, dla którego poczucie, że sprawuje kontrolę stało się dosłownie paranoją. Miał silną potrzebę wchodzenia jak można najdalej w życie prywatne każdej z nas. Był inwalidą – miał problemy z sercem, kilka różnych innych schorzeń, na dodatek dużą nadwagę – ważył chyba ze sto osiemdziesiąt kilogramów. Nie przesadzam. Jedyny seks jaki z nim uprawiłyśmy, to była stymulacja ręczna, możliwa zresztą dopiero po tym jak udało się wydobyć jego członka spod fałdów tłuszczu. Korzystał z tego, żeby wzbudzać w nas litość. Przedstawiał siebie jako ofiarę. To świetnie działało – każda z nas ma w sobie coś z siostry miłosierdzia. Z łatwością wyciągał od nas informacje. Mówiłyśmy mu takie rzeczy, jakich nie powiedziałybyśmy nikomu innemu. A on je skrzętnie gromadził i czekał na właściwy moment.

Jedna z call-girls, Estee, pracowała na pół etatu w sklepie muzycznym w Newbury. Pewnego wieczoru napomknęła mu, że pracuje w sklepie z płytami, a on obdzwonił wszystkie takie sklepy w całym Bostonie – i znalazł ją. Od tego czasu wydzwaniał – aby się umówić na wieczór albo po prostu pogawędzić. Estee nie wolno było przyjmować prywatnych rozmów w pracy. Czasami gdy zadzwonił, przed nią stała kolejka niecierpliwych klientów. Kiedy tłumaczyła mu, że nie może rozmawiać, stawał się nieprzyjemny, dzwonił raz za razem i straszył, że jeżeli jeszcze raz się rozłączy, to zadzwoni do Peach i powie, że widywał się z nią bez wiedzy agencji. Wiedział doskonale, że pierwszym przykazaniem Peach było: „Nie będziesz kraść klientów..." Tyle że Abe nalegał, żeby go „kraść". Unikał zamawiania dziewczyn po raz kolejny przez agencję mówiąc, że jeśli naprawdę im zależy, to muszą się z nim spotykać bez wiedzy Peach. I wcale nie chodziło o pieniądze. Chodziło o sprawowanie władzy. Chodziło o przejęcie kontroli.

Tak, jak wiele innych dziewcząt, też dałam się namówić na wizytę u niego zaaranżowaną bezpośrednio. Umiem się pakować w kabałę.

Poprosił, żebym spędziła u niego całą noc. „Po prostu zostań na noc. Zapłacę ci czterysta dolarów. Będziemy słuchać muzyki, pić wino, bawić się i spać. Będzie spokojnie, bez konieczności czekania na kolejne zamówienie tego wieczoru". Znałam już jego gust muzyczny – lubił operę, co bardzo mi odpowiadało. Pomyślałam, że to dobra propozycja. Czterysta dolarów. Wychodzę rano. Żaden problem. Zdarzało mi się już zostawać na noc u klienta. Pijesz, wąchasz, uprawiasz seks, zasypiasz. Niezły układ.

Tyle, że Abe miał inną wizję. Spanie mogłam sobie wybić z głowy. Musiałam masować jego plecy, kark, podawać mu napoje, całować go, sprawiać, że będzie czuł się jak prawdziwy mężczyzna.

W pewnym momencie usiłowałam zaprotestować:

– Jestem już senna.

– Ja jeszcze nie – odpowiedział. – Zajmij się moim ptaszkiem.

No, to się zajęłam. Masowałam jego uda, całowałam go w usta, po karku, po klatce piersiowej, nawet po dłoniach. Podałam mu jego leki, podałam wino, zrobiłam mu coś do jedzenia. A około piątej nad ranem, kiedy już prawie zasypiałam, zerwał mnie na równe nogi, żebym nakarmiła jego kota. Było jasne, że za swoje pieniądze, wymagał pełnej obsługi.

W końcu nadszedł ranek. Zrozumiałam teraz doskonale tytuł powieści Alaistaira MacLeana „Noc bez brzasku". W zakres usługi weszło zrobienie śniadania, podanie i pozmywanie. Kiedy powiedziałam, że już chcę wyjść, nagle się zirytował:

– Dlaczego tak ci spieszno? Dla ciebie liczą się tylko pieniądze! Potrzebuję, żebyś tu była, żebyś trzymała mnie za rękę, żebym znów miał odwagę zmierzyć się z rzeczywistością.

Zapewne pomyślisz, że już dosyć tego, że powinnam była po prostu wyjść? Byłby to świetny pomysł gdyby nie fakt, że Abe ciągle jeszcze mi nie zapłacił i nie zamierzał tego zrobić, dopóki nie wyeksploatuje mnie do końca.

Zmieniałam płyty, prowadziłam konwersację, posprzątałam jego salon i grzecznie słuchałam jak wtóruje swoim głosem ariom z *Don Giovanniego*, *Rigoletta* i *Cyrulika Sewilskiego*. Zrobiłam mu obiad. W końcu wymyśliłam spotkanie o pierwszej, na które musiałam koniecznie pójść. Kolejne dwadzieścia minut przepytywał mnie, gdzie mam to spotkanie (zapewne po to, by sobie obliczyć, o której najpóźniej mogę wyjść), po co tam idę i czy mogę po spotkaniu wrócić do niego. Zaczął też narzekać, że odniósł wrażenie, że cały czas mi się spieszyło, więc chyba powinien coś odliczyć od tych czterystu dolarów.

Wydostałam się stamtąd tak szybko, jak tylko mogłam, co nie było łatwe. Do ostatniej chwili wahał się czy mi zapłacić, nalegał, żebym wróciła po spotkaniu i wtedy mi zapłaci, a nawet dołoży więcej pieniędzy. Odmówiłam stanowczo. Miałam inne plany na wieczór. Abe oczywiście zaraz przyczepił się do moich planów: co będę robić, z kim? Jak najchętniej spędzam czas? Pytał przecież tylko z tego powodu, że bardzo mu na mnie zależy. Jeśli mu opowiem o tym, będzie mógł sobie mnie wyobrażać przez cały dzień...

Zgarnęłam te czterysta dolarów i czym prędzej wyniosłam się stamtąd.

Ale na tym się nie skończyło. Zaprosił mnie na kolację. Nie chciał określić ani ile mi zapłaci, ani jakich ekstra czynności będzie znów ode mnie wymagał. Odmówiłam. Ale on nie lubił gdy mu się odmawia.

– Ty gdzieś uczysz – powiedział zdawkowo.

Zamarłam. Poczułam, jak nagle coś mnie ściska w dołku tak mocno, jak nigdy dotychczas. Nie, to niemożliwe...

– Skąd o tym wiesz?– zapytałam. Zanim go poznałam Peach ostrzegała mnie przed opowiadaniem mu o sobie. Powiedziałam mu, że piszę książki i pracuję w domu.

– Jedna z dziewczyn wspominała o tym.

O! Wspaniale. Dzięki dziewczynki! W końcu jednak nie zdziwiło mnie to aż tak bardzo, bo wiedziałam, że Abe ma swoje sposoby na wyciąganie informacji tak, że one nawet nie zdają sobie sprawy z tego jak dużo mu mówią. Ja także, zapewne, kiedyś powiedziałam mu więcej niż powinnam. Pomyślałam, że to jeszcze nie koniec świata, bo co właściwie Abe może zrobić z informacją, że gdzieś uczę? Postanowiłam zbagatelizować sprawę:

– Tak, czasami uczę. Ale wracając do kolacji, naprawdę nie mogę, przepraszam.

– A wiem także, że masz na imię Jen, że mieszkasz w Allston, a całej reszty mogę się z łatwością dowiedzieć. To nie jest dobre dla szkoły, że nie wiedzą prawdy o swoich wykładowcach. Ciekawe, czy nie byliby zainteresowani tym, że jedna z nauczycielek bierze narkotyki, że pracuje w agencji towarzyskiej. Proszę cię tylko o tę jedną kolację, to chyba nie tak wiele?

Był w tym naprawdę dobry. Doskonały detektyw, świetne wyczucie ludzi. Wyciągał od dziewczyn informacje, dotyczące ich samych, a także koleżanek z agencji, udając, że już i tak wszystko wie. Stosował chwyty w rodzaju: „Wiesz, Tia powiedziała mi jak ma naprawdę na imię, więc ty chyba też możesz?" Dzwonił do firmy taksówkowej wypytując dokąd dziewczyna pojechała po wyjściu od niego. Siedział w tym swoim mieszkaniu jak w jakimś centrum dowodzenia, zdobywał informacje, a następnie je wykorzystywał.

Jakiś czas później, jedna z dziewczyn od Peach, Anne, przeżywała wyjątkowo trudny okres. Pracowała w agencji a całą resztę czasu spędzała dając koncerty, kiedy tylko udało się coś zorganizować i biorąc lekcje śpiewu. Miała dokładnie wyznaczony cel w życiu, ale zaczęła za dużo pić, za dużo brać i wpadła w nałóg. Spotykała się z Abe w ramach zleceń z agencji ale także poza nimi. Była młoda, wierzyła w jego zapewnienia, w to że bardzo mu na niej zależy. Kiedy pobił ją jej chłopak, zwróciła się o pomoc do Abe. A ten przyjął ją z otwartymi ramionami. Obiecał jej, że nie będzie jej do niczego zmuszał. Spała na sofie i dotrzymywała mu towarzystwa, świadczyła usługi seksualne, dawała poczucie wartości; bardzo dużo z nim rozmawiała.

Nie powinna była nigdy z nim rozmawiać!

Po jakimś czasie Anne wzmocniła się. Zawsze tak się dzieje: co cię nie złamie, to cię wzmocni. Spojrzała w końcu trzeźwo na świat i zdecydowała się na zmiany. Przestała pić i brać kokainę, nie brała też żadnych antydepresantów. Skoncentrowała się na muzyce. Zapisała się do Stowarzyszenia Anonimowych Alkoholików. Nadal pracowała dla Peach ale brała tylko „wczesne" zlecenia. Przed dziesiątą wieczorem była z powrotem w mieszkaniu u Abe, zasypiając na swojej sofie. Wyglądało to jak bajka z bardzo dobrym zakończeniem – dla wszystkich z wyjątkiem Abe. On chciał, żeby ludzie go potrzebowali, żeby Anne była biedna i chora, uzależniona i roztrzęsiona, ćpająca kokainę, żeby mógł ją trzymać i pocieszać kiedy nadchodził głód. Chciał dawać jej swoje tabletki antydepresyjne. Chciał, żeby czuła jak te tabletki ją uspokajają, wyciszają, czynią świat piękniejszym. Wtedy stawała się wdzięczna, delikatna, łagodna. Mówiła mu, że nie mogłaby bez niego żyć. Masowała jego plecy, kark, a zwłaszcza ego, dając mu dokładnie to czego chciał w zamian za swoją opiekę, za spokojny sen.

Wszystko zaczęło się zmieniać kiedy Anne poczuła się silniejsza. Uśmiechnęło się do niej szczęście – ktoś z Royal Opera House w Londynie usłyszał jak śpiewa, przekazał jej kilka sugestii, okazał zainteresowanie. Wyszła z uzależnienia i czuła się dumna z siebie. Podziękowała Abe i zaczęła szukać sobie mieszkania.

Abe nie mógł tego znieść. Nie wytrzymywał tego, że nie jest już potrzebny, że traci nad nią kontrolę. Nie akceptował tego, że Anne ma swoje marzenia, swoje perspektywy życiowe, które nie mają nic wspólnego z nim. Straszył ją, że zadzwoni do jej rodziców i powie, że ich córka jest prostytutką.

Z jakiegoś powodu Abe po prostu musiał przejmować kontrolę nad każdą osobą, która pojawiała się w jego zasięgu. Naciągał nas wiedząc, że mamy dla niego dużo współczucia. Mówił na przykład: „Peach dzwoni równo po upływie godziny, tak jakby nie zdawała sobie sprawy z moich problemów; przecież nie jestem jak każdy inny klient". Podtrzymywał złudzenie bycia z nami w bliskich związkach prawiąc komplementy, skarżąc się na swój los, proponując swoją pomoc, chwytając się wszystkiego, co mogło zadziałać. Zawsze dość cyniczne podchodziłam do poziomu kulturalnego, który reprezentuje moje otoczenie. Abe umiał zadziałać także i w tej sferze: włączał mi nagrania arii operowych, udawał, że jest intelektualistą większym niż w rzeczywistości. Dla Anne był ostoją bezpieczeństwa. Na pozostałe dziewczyny też znajdował swoje sposoby. A potem kazał sobie za to płacić, szantażował, że powie wszystko Peach albo wykorzysta informacje, które posiada aby nas zmusić do robienia tego, co nam każe. Te swoje gry stosował także w kontaktach z Peach, co wydało mi się naprawdę dziwne, gdyż byłam pewna, że kto jak kto, ale ona na pewno nie da się na to nabrać. Jednak i to uchodziło mu na sucho, bo dla Peach najważniejsze były pieniądze, a Abe był jednym z najlepszych klientów. Toteż jakoś radziła sobie z nim. Dzwonił do niej o każdej porze dnia i nocy. Jeśli usiłowała się rozłączyć albo przyjąć drugą rozmowę, czuł się niezadowolony, obrażony, zraniony. Musiała później dzwonić do niego, żeby go jakoś obłaskawić. Kiedy mi o tym powiedziała, poczułam, że nie muszę już być dla niego taka uprzejma. Jego problemy były prawdziwe ale wykorzystywał je by móc kontrolować i ranić innych, by poczuć, że ma jakiś kontakt z życiem. Był żałosny ale też i niebezpieczny. A, niestety, nie był wyjątkiem w tym biznesie. Znając go, zrozumiałam jednak, że ci wszyscy mężczyźni używający kajdanków i pejczy są w porównaniu z nim jak łagodne dzieci. Ich zapotrzebowanie na używanie sznurów, łańcuchów i innych tego typu akcesoriów było dla mnie całkowicie jasne. Zdawałam sobie sprawę z tego, że w każdym z nich siedzi coś z Abe. Jeżeli facet miał kontrolę nad tym jaka dziewczyna do niego przyjeżdża, to chciał mieć przecież także kontrolę nad nią. Jeżeli udawało mu się zdobyć przewagę emocjonalną, nabrać tyle odwagi, żeby nakazać realizowanie jego fantazji seksualnych – to było to jakby dodatkową porcją bitej śmietany na torcie.

Ja osobiście uważam, że żaden z klientów nie ma takiej kontroli, jak mu się wydaje. Call-girl, widząc, że klient jest jednym z tych pragnących sprawować kontrolę, rozgrywa grę w taki sposób, by dać mu jak największą satysfakcję. W końcu ta gra jest dla niego.

Jedyną osobą, która naprawdę miała władzę w naszym małym świecie była Peach. Wszystko inne to iluzja, to teatr, w którym kwestie są znane już wcześniej, a w ostatniej chwili decydujemy, które z nich będą użyte i w jakim momencie.

Zabawa w kajdanki i pejcze, jeżeli w ogóle jest akceptowana, to tylko w swojej najdelikatniejszej formie. Jeżeli bowiem klient zamawia call-girl na godzinę i żadne z nich nie wie nic o drugim, to trudno sobie wyobrazić, żeby taka scenka mogła dostarczać satysfakcji. Na dodatek wcale nie jest bezpieczna.

Nikt nikomu nie ufa. Mówiąc szczerze, klienci są zazwyczaj trudni, egoistyczni, czasem wręcz nieznośni, zawsze mają duże wymagania, nie są to więc cechy przydatne w scenariuszu, w którym głównym założeniem jest zaufanie. Klienci próbują sztuczek, chcą cię czasem upokorzyć albo popsuć ci humor.

Pewien optyk w Hull, z którym spotykałam się czasem, nie mógł osiągnąć orgazmu nawet po pięćdziesięciu minutach mojej ciężkiej pracy ręką (wiem dokładnie, bo przy jego łóżku stał zegar) i kiedy zbliżał się czas mojego wyjścia krzyczał w słuchawkę do Peach:

– Ona jest kiepska, musisz mi dać dodatkowe pół godziny za darmo. A zresztą wcale nie powinienem płacić, bo nie ma za co!

Słyszałam od innych dziewczyn, że żadna nie mogła go doprowadzić do orgazmu i taka scenka telefoniczna powtarzała się za każdym razem.

Niektórzy stali klienci próbowali płacić mniej niż to było umówione. Mówili, że dopłacą następnym razem i, że Peach się na to zgadza. Aha! Na pewno! Jednego czego można się nauczyć w tej branży, to, że seks jest jak narkotyk – kiedy jego działanie się kończy, nikt ci nie zapłaci. Wszyscy nagle są bardzo zajęci zdobywaniem forsy na następny raz.

Byli też i tacy, którzy lubili bawić się pieniędzmi. Kazali ci prosić o każdy banknot z osobna, wydzielając dziesięciodolarówkę za dziesięciodolarówką. Dla nich była to część wizyty, jak na przykład dawanie mi klapsów albo mówienie, że jestem dziwką, albo dupczenie mnie na swoim biurku. Nie miałam ochoty na takie upokorzenia i kiedy tylko było to możliwe starałam się ich unikać. Peach służyła w tym wypadku pomocą. Zawsze wymagałyśmy od nowych klientów aby płacili przed usługą. Jednak większość klientów to byli ci stali, którzy mogli płacić po upływie godziny. To tak, jakbyśmy chcieli udawać, że to zwykła randka, a pieniądze są sprawą wtórną. Klienci chcieli, żeby tak było, ale na zgodę trzeba było sobie zasłużyć. Jeśli Peach dowiedziała się, że któryś próbował się wymigać od płacenia, cofała natychmiast swoją zgodę. Kiedy taki klient zadzwonił, mówiła coś w rodzaju: „Walter, muszę cię zawiadomić, że będziesz musiał zapłacić zaraz po przyjściu dziewczyny do ciebie. Jeśli nie, każę jej wyjść. Nie będziesz grał w kotka i myszkę z moimi dziewczętami, Walter." I taki Walter, Fred, Gary, czy jakikolwiek inny klient godził się na zadaną mu pokutę, przez jakiś czas był potulny, aż wreszcie po miesiącu lub dwóch Peach znów godziła się ewentualnie na to, żeby płacił po upływie godziny. Kiedy przystałam na to, żeby spotkać się z Abe bez pośrednictwa Peach, wpakowałam się właśnie w taką kabałę. Nie miał kto zadzwonić i postraszyć klienta. Dostałam nauczkę, na którą zresztą w pełni zasłużyłam.

Na moje szczęście okazało się, że Abe zwykł blefować. Nigdy nie zadzwonił do żadnej szkoły, żeby opowiedzieć o moich zajęciach „ubocznych", nigdy nie zadzwonił do rodziców Anne. Nawet on musiał sobie chyba zdawać sprawę, że istnieje pewna granica, której lepiej nie przekraczać. Był dziecinny i samolubny ale na szczęście nie był złośliwy.

Klienci „chorzy na władzę" byli więc najgorsi, ale dzięki Bogu nie byli jedynym źródłem naszych dochodów. Zupełnym ich przeciwieństwem był Martin, który mieszkał w Malden. Po pierwsze nie miał żadnych etycznych dylematów: nie miał żony, nie miał dziewczyny, a nawet było mało prawdopodobne, że będzie kiedykolwiek miał. Był upośledzony umysłowo, żył z zasiłku chorobowego, był w stanie uskładać wystarczającą sumę, żeby zamówić dziewczynę raz w miesiącu, dzięki pracy na pół etatu w pobliskim sklepiku. Zawsze dzwonił do agencji Peach. Ona była świetna w kontaktach z tego typu mężczyznami.

Był też klient w Dorchester, z porażeniem czterokończynowym, którego widywałam od czasu do czasu. Jego gosposia czekała cierpliwie w kuchni, kiedy byliśmy razem w sypialni. Dla niego Peach zawsze była jak anioł – dostosowywała się do jego próśb. Umiała krzyczeć i złorzeczyć klientom, jeśli robili coś złego jej dziewczynom, ale takim klientom jak Martin czy ten w Dorchester, zawsze okazywała wiele serdeczności i niemal matczynej troski.

Martin też miał własne rytuały. W jego małym pokoiku zwykle był włączony telewizor, ale nie na jakimś kanale z pornografią albo filmie „wyłącznie dla dorosłych". Po prostu to co oglądał w momencie twojego przybycia już zostawało. Lubił, żeby zaczynać od powolnego striptizu, potem troszkę pocałunków i pieszczot, potem seks oralny, potem siadałam na nim okrakiem i bardzo szybko miał orgazm. Następnie płacił, dodając napiwek. To była jeszcze jedna niezwykła rzecz – taki napiwek byłby obraźliwy od każdego innego klienta – było to zwykle coś około trzech dolarów siedemdziesięciu pięciu centów, ale w przypadku Martina, był to naprawdę wzruszający dowód uznania. Na sam koniec dawał w prezencie magnes na lodówkę, z logo sklepiku, w którym pracował, mówiąc cichutko: „Jeśli powołasz się na mnie, dostaniesz dolara zniżki na kanapkę." Wciąż mam gdzieś w domu kolekcję tych magnesów. Nawet teraz, nie mogę ich po prostu wyrzucić. Miały dla niego tak wielkie znaczenie. Tak..., Martin był wyjątkiem.

Do większości klientów nie miałam zaufania nawet za grosz. A bez zaufania nie ma mowy o seksie z kajdankami i pejczami, bo zbyt łatwo można stać się ofiarą własnej naiwności.

Wiem, że są kobiety, które się na to decydują. Nawet więcej: są kobiety, które się w tym specjalizują. Widziałam ich ogłoszenia. Wiem, że jest na to rynek. Nie wyobrażam sobie, żeby jakiś facet powiedział wieczorem do żonki: „Och, kochanie, tak na marginesie, dziś dostaniesz ode mnie dużo klapsów w łóżku". Dużo łatwiej jest zapłacić profesjonalistce. Tylko, że ja akurat nie chciałam być taką właśnie profesjonalistką. Ten rodzaj doświadczeń seksualnych wolę przeżywać w moim prawdziwym życiu, bardzo dziękuję.

* * * * *

Scuzzy czekał przy drzwiach, kiedy wróciłam do domu, a stan mojego mieszkania przypomniał mi, że był już najwyższy czas zmienić mu piasek w pudełku. Zrobiłam sobie herbatę i usiadłam przy biurku. Ból głowy nie ustępował, a ja musiałam przygotować egzaminy końcowe dla wszystkich czterech grup.

Dwie grupy uczęszczające na zajęcia o prostytucji, mogłyby – teoretycznie – mieć ten sam egzamin. Pamiętam jednak, ze swoich własnych czasów studenckich, że nie powinnam mieć złudzeń – studenci z pierwszej grupy natychmiast przekażą pytania grupie drugiej. Za drobną opłatą, oczywiście.

Życie nauczyło mnie, że wszystko można kupić.

Może rozwiążę problem w ten sposób, że przygotuję egzamin, który uczniowie opracują w domu...

Mam wrażenie, że zwykle kiedy wspominałam swoją matkę, natychmiast czułam się roztrzęsiona i podenerwowana. Po raz pierwszy od momentu kiedy podjęłam pracę w agencji, pozwoliłam sobie na zastanowienie się, jak moja matka oceniłaby to, co robię. Chyba żadne z moich zajęć nie przypadłoby jej do gustu.

Moja rodzina nie wywodziła się z kręgów akademickich. Byłam pierwszą osobą, która zrobiła magisterium, że już nie wspomnę o doktoracie. Zresztą nie robiło to na nich żadnego wrażenia. Moja mama zapewne byłaby bardziej zadowolona, gdybym wyszła za mąż, miała dzieci, mogłabym ewentualnie pisać książki w wolnym czasie, ale nie wykładać na uczelni, a tym bardziej pracować w agencji towarzyskiej.

Nie jest to takie dziwne, myślałam z przekąsem. Nie sądzę, żeby matki innych call-girls były zachwycone dowiedziawszy się o tym, czym zajmują się ich córki. Moja mama nie byłaby więc jakimś wyjątkiem. Co ciekawe – półtora roku po jej śmierci zaczynałam coraz lepiej rozumieć kim była, co czuła, jak myślała, dlaczego robiła to, co robiła.

Jej życie było nastawione na to, żeby pokazać się z jak najlepszej strony. Większość czasu udawała, że żyje w innym świecie. To, co rzeczywiste było złe, nieciekawe. To, co udawane było rzeczywistością. Ja podjęłam się żyć w prawdziwym świecie, odwróciłam się tyłem do fantazji, stwarzanych przez nią, co było mi poczytywane za zdradę.

Odrzuciłam te myśli. Nie mogłam sobie pozwolić na podążanie tym torem dalej, bo prawdopodobnie skończyłoby się to wyhodowaniem gigantycznego kompleksu winy albo poczucia, że zawiodłam. Miałam mnóstwo pracy, a ból głowy nie ustępował.

W średniowieczu wierzono, że jeśli masz taki silny ból głowy, to nocą nawiedzi cię duch. Znów sięgnęłam po środek przeciwbólowy. Moja matka robiła wszystko, żeby mnie ukarać w najbardziej nieodpowiednim dla mnie czasie; nie zamierzałam jej w tym pomagać.

Rozdział dziewiętnasty

Po wielu latach wybrałam się wreszcie w tym roku na urlop.

Peach nie była zachwycona, ale co tam. To tylko dwa tygodnie. Dokładnie tyle czasu było między dwiema letnimi sesjami egzaminacyjnymi i nie mogłam już się doczekać kiedy wydostanę się z Bostonu. Poczułam zew wolności. Zdumiewające jak łatwa jest ucieczka, kiedy ma się na nią wystarczająco dużo pieniędzy.

Scuzziego zawiozłam do mojej asystentki Vicki. Miauczał żałośnie przez całą drogę do jej mieszkania w Fenway. Irena zgodziła się podlewać moje kwiatki.

Nic już nie trzymało mnie w Bostonie.

Poleciałam liniami British Airways prosto do Londynu. Tak, jak dwa lata wcześniej, kiedy prowadziłam tam wykłady i kiedy podjęłam decyzję o pracy w agencji towarzyskiej. Zatrzymałam się w hotelu średniej klasy. W porównaniu do poprzednich noclegów w domu studenckim, było to naprawdę dużo wygodniejsze... Jadłam w pubach wspaniałe, pełne cholesterolu posiłki i zachowywałam się jak turystka. Big Ben. Zmiana warty przed Pałacem Buckingham. Dwa wspaniałe dni w British Museum. Zapiekanki. Herbata z mlekiem. Ciepłe piwo, zimne tosty.

Tym razem głos na stacji metra, nakazujący uważać pod nogi, nie wydawał mi się taki władczy. Może dlatego, że tym razem wiedziałam, że zarabiam więcej niż ta lektorka.

Londyńskie call-girls (w większości niezależne) zamieszczają swoje kolorowe, apetyczne wizytówki wewnątrz budek telefonicznych. To genialny pomysł. Ciekawe dlaczego u nas nikt jeszcze na to nie wpadł. Ale nie zapominajmy, że mamy dużo więcej popaprańców niż w Anglii. Nigdy nie wiadomo kto mógłby zadzwonić. Anglia jest bardziej cywilizowanym krajem. Tutaj mali chłopcy nie kasują kogo popadnie w szkole za pomocą broni maszynowej.

Poszłam na musical *Koty* i wracając spacerkiem do hotelu nagle zaświtała mi w głowie nazwa choroby, na którą cierpiałam już od wczesnej wiosny. Objawiała się ona spotykaniem cieni, duchów, które pozostawały jednak w bezpiecznym oddaleniu, tak że nie można było ich rozpoznać ale też nie można było o nich zapomnieć. Szeptały w pustych korytarzach za plecami, ich obecność potwierdzały zasłony w oknach, nagle wydymające się od wiatru, a co najbardziej frustrujące – nie byłam w stanie tego nazwać.

Tej nocy dotarło do mnie, że te duchy mają na imię: samotność.

Miałam przyjaciół. Znałam ludzi, którzy wpadali na lampkę wina, kilka partyjek jakiejś gry planszowej, na pogawędkę. Miałam przyjaciół, z którymi wyjeżdżałam za miasto, z którymi mogłam tańczyć do białego rana. Jeśli byłam sama – był to przecież mój własny wybór. Nigdy nie było tak, że jeśli potrzebowałam towarzystwa, to nie mogłam z kimś się umówić. Od kiedy jednak Louis odszedł, nie miałam nikogo, kto myślałby, że jestem najważniejsza na świecie. Nie sądziłam, że może mi na tym zależeć, ale wychodzi na to, że moja podświadomość nie zgadzała się ze mną. Londyn był pełen par, dotykających się nawzajem, całujących się, śmiejących się razem. Od chwili kiedy zdałam sobie z tego sprawę nie mogłam przestać o tym myśleć.

Londyn jest idealnym miejscem do snucia romantycznych fantazji o nieznajomych, bo angielski akcent sprawia, że Anglicy wydają się cudowni, kulturalni, inteligentni i seksowni – wszystko naraz. Uwielbiam słuchać jak mówią. Idziesz ulicą, słyszysz za plecami ten cudowny akcent, po plecach przebiega ci dreszczyk, odwracasz się – i widzisz małego, łysiejącego grubaska z papierosem w zębach. Niestety – najczęściej głos nie ma zbyt wiele wspólnego z właścicielem.

Zrobiłam więc sobie po przedstawieniu spacer do hotelu, przypominałam sobie te głosy, które słyszałam przez cały tydzień, położyłam się do łóżka i dotykając swojego ciała marzyłam, że nie jestem samotna.

* * * * *

Wróciłam do Bostonu. Było nieznośnie gorące letnie popołudnie. Taksówka z lotniska miała zepsutą klimatyzację. Jakaż niespodzianka. W Anglii jakoś wszystko zawsze działa, ludzie naprawiają zepsute rzeczy i pilnują, żeby dobrze funkcjonowały.

Witamy w domu.

Jakoś tak się stało, że poczułam się jeszcze bardziej samotna.

Moja waga łazienkowa pokazywała półtora kilograma, którego nie było przed wyjazdem. Zastanawiałam się, jak by to było gdybym mogła sobie pozwolić na przytycie półtora kilograma i nie martwienie się tym, że natychmiast muszę schudnąć, bo ktoś bliski nie przestałby mnie przecież z tego powodu kochać. Nie miałoby to wpływu na źródło dochodów, poczucie własnej wartości, styl życia jeśli nawet jakiś niedojrzały obcy facet pomyślałby, że według jego gustu jestem za gruba. Bo jest gdzieś miejsce, do którego się należy i osoba, na której zależy.

Ku mojemu zdziwieniu miałam oczy pełne łez, ale przecież nie miałam zamiaru płakać z tego powodu. Nie miałam zamiaru być taka żałosna, żeby litować się nad sobą z powodu swojej samotności. Zresztą, było to nieuniknione, myślałam rozpakowując walizkę, żebym pozostawała sama tak długo, jak długo pracuję dla Peach. Wchodzenie w związki, gdy pracuje się jako prostytutka oznacza, że ma się do wyboru jedną z dwóch możliwości, a obie są okropne: możesz nie powiedzieć prawdy partnerowi, kłamać, udawać, bać się ciągle, że on się jednak jakoś dowie, albo możesz mu powiedzieć od razu na początku, zobaczyć jak to przyjmie, wyda mu się to podniecające, a potem obserwować po jakim czasie dojdzie do wybuchu i zerwania kontaktów.

Jeśli mam być szczera, nie winię takiego mężczyzny. Mam pełną świadomość różnicy między usługami świadczonymi klientom w pracy a kochaniem się z moim mężczyzną – jak na przykład ostatnio z Louisem. Te dwa światy nigdy mi się nie mylą. Mogłabym to obrazowo określić: Louis kochał się z Jen, Tia uprawiała seks z klientami. Być może jest to pewnym uproszczeniem, ale naprawdę można na to tak właśnie patrzeć.

Byłoby mi dość trudno powiedzieć prawdę i kontynuować mój związek. Dużo lepiej byłoby zaczekać do czasu kiedy już nie będzie trupów w mojej szafie. Pytanie, czy taki czas nastąpi, bo być może nie? Ale z drugiej strony, czy musi mnie to dyskwalifikować? Każdy trzyma coś w swojej szafie. Każdy zrobił coś, czego się wstydzi. Każdy ma swoje brudne sekrety, nieujawnione i pilnie strzeżone kłamstwa. Każdy ma trupa w szafie. Mojego po prostu będzie dużo trudniej się pozbyć. Nie bardzo sobie wyobrażam aby taka historia zakończyła się happy endem.

„Kochanie, pytałeś o moją pracę dodatkową..." No jak powiedzieć swojemu mężczyźnie, że byłaś call-girl? Może na początku nawet wydałoby mu się to podniecające. Zapewne z dużą ciekawością sypiałby ze mną. Ale nie jestem przecież typem kobiety, którą można przedstawić mamusi. A już na pewno, którą chciałoby się poślubić. Zakończyłoby się to zapewne tak, że uprawiając seks ze swoją porządną, znudzoną żoną wracałby wspomnieniami do mnie.

Tak, nastawiałam się na najgorsze. Ale i tak chciałam spróbować. Pragnęłam być z kimś. Nie chciałam już być sama. Okazało się, że nawet najlepsze planowanie, jakiekolwiek próby przewidywania tego, co może się nam zdarzyć, zwykle biorą w łeb. Kiedy poznałam Tony'ego – mojego męża – jedyne co mu powiedziałam, to, że moja przyjaciółka prowadzi agencję towarzyską, bo wiedział, że mam kilka koleżanek, które pracują jako call-girls. Nie miał nic przeciwko temu ani nawet nie wykazywał zbytniego zainteresowania.

Moja decyzja była następująca: żyć w kłamstwie, trzymać trupa w szafie, jednocześnie upewniając się, że drzwi są szczelnie zamknięte. Pragnęłam żyć z tym mężczyzną. W końcu – dlaczego nie? To przecież tylko trzy lata mojej przeszłości, nic wielkiego. Mogłam przejść nad tym do porządku dziennego.

Parę razy zdarzyło mi się przejęzyczyć. Kiedyś powiedziałam: „...wtedy, gdy jeszcze pracowałam dla Peach", ale udało mi się natychmiast sprostować, wyjaśniając, że od czasu do czasu podwoziłam jej dziewczyny do klientów, gdy szofer był zajęty. Tony pokiwał głową ze zrozumieniem; tak naprawdę zdarzało mi się to robić nawet jeszcze całkiem niedawno, więc wierzył mi. Mogło mi się udać. Mogłam poradzić sobie z utrzymaniem sekretu, zapomnieniem przeszłości. Ale niestety, nie było mi pisane utrzymać trupa w szafie. Pewnej nocy Tony przypadkiem sam otworzył drzwi do tej szafy.

Mieszkaliśmy już wtedy razem, chociaż jeszcze nie byliśmy małżeństwem. Od dwóch lat nie pracowałam dla Peach. Nie wracałam myślami do tamtych czasów, chociaż ciągle prowadziłam wykłady na temat prostytucji i nie przestawało mnie dziwić, że ludzie dokoła w dalszym ciągu myślą o prostytucji według starych stereotypów. Zaczęłam się zastanawiać, czy napisanie książki o tym, jak działa agencja towarzyska i jak wygląda praca w niej, nie pomogłoby tego zmienić.

Natychmiast podzieliłam się swoim pomysłem z Tony'm:

– Przyjaźnię się z Peach od lat, przyglądałam się jej pracy, opowiadała mi wiele historii, napiszę o tym książkę.

Tony poparł mój pomysł. Tony zawsze mnie wspiera. Potrzebowałam jednak czegoś więcej niż opinia mężczyzny, którego, co prawda kocham, ale który nie zna całej prawdy o mnie.

Kiedy pisałam, że Seth był jedynym człowiekiem, któremu się zwierzyłam z całej prawdy, zapomniałam, że kilka miesięcy po tym okropnym wieczorze w „Ritzu" wyszłam napić się czegoś z Rogerem i jemu też powiedziałam o swojej pracy w charakterze prostytutki. Wybrałam Rogera, bo był gejem i nie było zagrożenia, że rzuci na stół plik banknotów i zacznie rozpinać spodnie. Dla Rogera nie było sprawy. Powiedział, zupełnie spokojnie, że sam kiedyś o tym myślał i dalej spokojnie sączyliśmy nasze drinki, zmieniając tematy.

Niestety, Roger się wyprowadził i miałam z nim kontakt jedynie przez pocztę elektroniczną. Ponieważ rozważałam napisanie książki, potrzebowałam opinii. Kogo innego mogłam zapytać? Na pewno nie Peach; ona z pewnością odradziłaby mi i zrobiła wszystko, co w jej mocy, żeby mi przeszkodzić. Nie Setha – byłby za bardzo przestraszony, że pojawi się (jak zresztą się stało) na kartach tej książki.

No, to napisałam e-mail do Rogera w Key West, pytając go, co o tym sądzi. Odpisał, że to świetny pomysł i sam chętnie kupi taką książkę, a poza tym wczoraj wieczorem poznał wspaniałego chłopaka i nie może się doczekać kiedy mi wszystko opowie...

Położyłam się spać ale Tony jakoś nie mógł zasnąć. Kiedy postanowił postawić sobie komputerowego pasjansa i podszedł do komputera okazało się, że na ekranie widnieje mój list do Rogera. Cholerne szczęście, prawda? Żaden wewnętrzny głos nie obudził mnie na czas, żaden omen nie ukazał się, by dać mi znać, że oto w moim życiu dokonuje się rewolucja. Żaden zawias nie skrzypnął gdy moja szafa z trupem otwierała się na oścież. Wiem, że powinnam była ją otworzyć sama i to już dawno temu. Powinnam była mu powiedzieć. Byłoby to etyczne, moralne, uczciwe. Umiałabym to zrobić delikatnie. Mogę sobie wyobrazić co czuł czytając mój e-mail... Mogę sobie wyobrazić jego myśli, jego wątpliwości – jakie jeszcze sekrety przed nim kryję, co, z rzeczy, które mu opowiadałam o sobie było prawdą, a co kłamstwem. Właściwie to sobie NIE wyobrażam. Zapewne poczuł się w jednej chwili, jakby dostał się do piekła.

Udało nam się jakoś to przetrwać. Mimo tego co zrobiłam, nadal czuliśmy, że jesteśmy dla siebie stworzeni. Okazało się, że kochamy się dostatecznie mocno, żeby przejść nad tym wszystkim do porządku dziennego. I tak właśnie udało się pozbyć tego trupa z szafy...

Nadal pamiętam swoje wcześniejsze myśli, po powrocie z Londynu, kiedy pragnienie bycia z ukochaną osobą było tak intensywne, że aż sprawiało mi ból. I minęło sporo czasu, zanim udało mi się je zaspokoić. To sekret, do którego niechętnie się przyznaję...

Rozdział dwudziesty

Znów nastała jesień.

Tym razem mój nastrój był doskonale zsynchronizowany z porą roku. Zwykle witałam jesień w poczuciu paniki: nastaje nowy rok szkolny, a ja nadal nie mam etatu. Tego roku, nawet jeśli jeszcze nie miałam stałej pracy, wiedziałam, że ją niebawem otrzymam. Zapraszano mnie na wszystkie przyjęcia wydziałowe, znani profesorowie dzwonili, pisali do mnie listy. Rektor pamiętał moje imię kiedy przypadkiem wpadł na mnie pewnego dnia na korytarzu przed swoim gabinetem. Powietrze było jakby czyściejsze, rześkie. Kupiłam sobie kilka świetnych ciuchów, które dały mi poczucie własnej atrakcyjności. Miałam plany, osiągałam wyznaczone sobie cele, przepełniała mnie radość i poczucie zadowolenia. Po raz pierwszy od wielu lat wierzyłam, że także i dla mnie początek nowego roku akademickiego jest zapowiedzią wielu wspaniałych wydarzeń, możliwości.

Tak, jakby coś naprawdę wyjątkowego oczekiwało na mnie za rogiem.

Pracowałam w agencji tylko raz, najwyżej dwa razy w tygodniu. Peach nie była tym zachwycona, ale grała wobec mnie fair, bo nie miała zwyczaju nikogo do niczego przymuszać. Obiecałam sobie, że w tym semestrze będę przyjmować zlecenia tylko na piątki i soboty.

Jakieś trzy tygodnie później, piątkowego wieczoru zadzwoniła mówiąc:

– Praca! Niestety aż w Milton. Czy wiesz, gdzie to jest?

– Na pewno tam trafię. Co mu powiedziałaś?

Miałam pewne obawy, gdyż w czasie wakacji w Anglii przytyłam półtora kilograma (za sprawą tego pysznego twarożku, jak sądzę) i jeszcze nie udało mi się z powrotem schudnąć.

– Och, spokojnie. Będzie ci się podobało. Prosił o najstarszą dziewczynę w agencji. Powiedziałam, że mogę mu wysłać Tię, która ma trzydzieści dziewięć lat, na co on zapytał, czy nie ma już nikogo starszego. Powiedziałam, że nie, ale że Tia na pewno bardzo mu się spodoba.

– Peach, to brzmi dość dziwnie. Nigdy nie kłamałam na temat swojego wieku w TAKI sposób – dodając sobie lat! W tym zawodzie mieć trzydzieści sześć lat to było na tyle dużo, że graniczyło z jakimś rekordem. Trudno byłoby znaleźć kogoś starszego ode mnie. Ten facet ma zapewne jakieś zboczenie. Na przykład kocha zmarszczki.

– Nie, Jen. Naprawdę jego głos brzmiał przez telefon całkiem zwyczajnie. Zrobił na mnie dobre wrażenie. Ale zadzwoń sama i sprawdź. Wiem, że nie lubisz nowych klientów. Masz prawo. Myślę jednak, że wszystko będzie w porządku.

Z mojej rozmowy telefonicznej z nim nie odniosłam jakichś szczególnych wrażeń, ale wyglądało na to, że chętnie się ze mną spotka, więc się umówiłam.

– Co mam na siebie założyć? – zapytałam.

Wydawał się zdziwiony.

– To, co zwykle. To, co normalnie na siebie zakładasz.

W drodze do Milton słuchałam głośno, na cały regulator, Springsteena: „*Mister, I ain't a boy, no, I'm a man, and I believe in a promised land*".*

Śpiewałam razem z nim, właściwie to wydzierałam się na całe gardło. Chciałam jak najgłębiej odczuć znaczenie jego słów, ten ból, tę historię. Już od dawna straciłam wiarę w ziemię obiecaną.

Glenn otworzył mi drzwi. Był ogromny, kudłaty, nieuczesany, miał na sobie flanelową koszulę w kratkę i nawet dość czyste spodnie koloru khaki. Mnóstwo tatuaży. Naprawdę mnóstwo.

– Cześć. Jestem Tia.

– Cześć, wejdź do środka.

W całym mieszkaniu pełno było gadżetów i akcesoriów Harley'a Davidsona. Mnóstwo plakatów z motocyklami, oprawione w ramki fotografie ludzi na motocyklach. Glenn pił piwo, ale mnie nie poczęstował. Usiadłam obok niego na kanapie, rozmawialiśmy. Położyłam dłoń na jego kolanie, po kilku minutach pocałowałam go. Kiedy zaczynałam pracę w agencji, zwykle pozwalałam klientowi narzucać tempo ponieważ najczęściej wiedział czego chce i kiedy. Aż zdarzyło się pewnego wieczoru, że w czasie mojej wizyty u pewnego znerwicowanego Hindusa rozmawialiśmy i rozmawialiśmy, i w końcu nieomal w ostatniej chwili, zanim Peach zadzwoniła, żeby przypomnieć mi o tym, że minęła godzina, skoczyliśmy na siebie i wszystko odbyło się do-

---

* Proszę pana, nie jestem już chłopcem, nie, ja jestem mężczyzną i wierzę w ziemię obiecaną – tłum. B. J.

słownie w ciągu kilku minut. Od tego czasu, jeśli tylko wyczuwałam, że klient nie bardzo wie, jak zacząć, przejmowałam inicjatywę.

Siedzieliśmy z Glennem przez jakiś czas na kanapie, aż zasugerował, żebyśmy przenieśli się do sypialni. Zdążył już w tym czasie dokończyć swoje piwo i odstawił pustą puszkę. Czułam, jak narasta jego zdenerwowanie. Zaczynałam się obawiać, że być może jest naćpany albo ma problemy z sercem albo jeszcze coś innego, co może sprawić mi kłopoty – gdyby coś mu się stało. Aż w pewnej chwili, w jakimś przebłysku geniuszu dotarło do mnie, o co tu chodzi.

Ten harleyowiec, właściciel małej firmy, ścigający się w wolnym czasie na motocyklach był prawiczkiem. Stąd się wzięła jego prośba o jak najstarszą (pełną zrozumienia) dziewczynę. To było takie wzruszające i słodkie. A jednocześnie wiązało się z naprawdę trudnym dla mnie zadaniem do wykonania.

Mimo że eksperymentowaliśmy różne pozycje, Glenn doszedł do wniosku, że najbardziej mu odpowiada seks oralny. Jestem w tym niezła, nawet jeśli używam prezerwatywy. Niestety z mojego doświadczenia wynika, że czasem trwa to bardzo długo. W przypadku Glenna okazało się to wiecznością. Za każdym razem gdy unosiłam się, żeby zaczerpnąć powietrza, rzucałam niecierpliwe spojrzenie na neonowy zegar na ścianie. Byłam naprawdę zmęczona. Już minęło czterdzieści osiem minut i zaczynałam myśleć, że będę musiała dokończyć ręką, kiedy wreszcie w pięćdziesiątej minucie udało się. Był naprawdę bardzo miły, dał mi dodatkowo dwadzieścia dolarów, ale mimo to ciągle pamiętam jaka to była wyczerpująca praca.

Zadzwonił w następny piątek i znów poprosił o mnie. Cóż – trudno było odmówić – zwłaszcza, że wydawało mi się, iż teraz będzie już znacznie szybciej, a poza tym miałam szansę na kolejnego stałego klienta. Myślałam, że głównym powodem jego problemu z osiągnięciem orgazmu był fakt, że denerwował się za pierwszym razem.

Ale następny raz okazał się dużo gorszy. Pomagałam sobie ręką, byłam niesamowicie zmęczona. Mały dylemat: jeden z najsympatyczniejszych klientów i jeden z najtrudniejszych przypadków.

Doszłyśmy do wniosku z Peach, że widywanie się z Glennem jest chyba o tyle dobre, że pozytywnie oddziałuje na psychikę.

Mówiąc szczerze tej jesieni praca w agencji stawała się dla mnie coraz mniej ważna. Skupiałam swoje zainteresowanie głównie na wykładach, na poszukiwaniu tematów, które mogą mi się przydać w przyszłości. Wszystkie te piątki i soboty jakoś mi się pomieszały w pamięci.

Paru klientów zapamiętałam. Na przykład faceta z Nahant, który chciał uprawiać seks w swojej domowej siłowni, patrząc jednocześnie w lustro. Byli dwaj studenci z Commonwealth Avenue, którzy chcieli uprawiać ze mną seks aby przekonać się jak wygląda „trójkąt" w takiej właśnie konfiguracji i nie mogli się nadziwić, że muszą zapłacić podwójnie.

Było jeszcze kilka dziwacznych zdarzeń. Pojechałam do klienta do North Shore, który chciał to robić tylko i wyłącznie na kanapie, na której zmarła jego żona. Na szczęście powiedział mi o tym dopiero kiedy wychodziłam. W rozmowie z innym klientem okazało się, że przyjaźni się z moim promotorem i mimo że było dość oczywiste, że się nie wygada, to i tak poczułam się zdenerwowana.

Uczciwie mówiąc, odnosiłam wrażenie, że mam gdzieś wbudowany zegar wewnętrzny, który przypominał mi o tym, że moje życie mija. Nocne spotkania były teraz dużo rzadsze, a już na pewno nie tak zabawne jak kiedyś. Rano budziłam się na czas, wypijałam filiżankę espresso zamiast wciągać kokainę; jeszcze kilka miesięcy wcześniej nie udawało mi się obudzić wcześniej niż na wiadomości nadawane o jedenastej.

Nie było to efektem moich przemyśleń. Wielką rolę w tych zmianach odegrały moje uczucia: dotychczasowa praca w agencji, z całą towarzyszącą jej niepewnością i stresem, zaczynała mi ciążyć, jak stary, zużyty płaszcz, który spełnił swoją rolę i teraz jest już niepotrzebny.

Poszłam do Peach na przyjęcie z okazji Halloween. Bywałam u niej ostatnimi czasy bardzo rzadko, bo nie mogłam już sobie pozwolić na imprezowanie do piątej nad ranem, picie, a następnie normalne funkcjonowanie od ósmej rano.

W jej przestronnym mieszkaniu było dużo ludzi; rozmowy, alkohol, śmiechy. Przebrałam się za Morticię Adams. Wolałabym koci kostium, ale ze względu na dodatkowe kilogramy nie udało mi się weń wcisnąć. Znałam chyba około jednej trzeciej gości. Kręciłam się po całym mieszkaniu, coś tam zjadłam, wypiłam kilka drinków, w końcu poszłam na taras otoczony błyszczącymi światłami. Ktoś wciągał tam kreskę kokainy usypaną na marmurowej balustradzie. I nagle poczułam się staro. Nie jakoś szczególnie źle, nawet nie smutno – po prostu – staro.

Jakikolwiek był powód – wiedziałam, że nie chcę dłużej zostawać na imprezach aż do wschodu słońca, nie chcę zabierać ze sobą do domu kogoś, kogo po krótkim czasie będę usiłowała się jak najszybciej pozbyć. Nie chciałam już odczuwać kaca i brać tabletek przeciwbólowych, wmawiając sobie, że wszystko jest w porządku, bo przecież dobrze się bawiłam. To, co naprawdę wydawało mi się w tej chwili wspaniałe, to wielkie pudełko ulubionych lodów, wygodna kanapa, mój kot tuż przy mnie, w telewizji Agatha Christie lub Colin Dexter. Nie wiem, czy Peach zauważyła kiedy wyszłam. Nawet jeśli tak, to zapewne nie przypuszczała, że ten wieczór stał się początkiem końca mojego podwójnego życia. Może ja też w tamtej chwili nie zdawałam sobie jeszcze w pełni z tego sprawy.

Rozdział dwudziesty pierwszy

Byłam bliska podjęcia decyzji o porzuceniu pracy w agencji, gdy stało się coś, co na początku nie wyglądało poważnie, ale z czasem okazało się być katastrofą. Zaczęło się jak zwykle od telefonu.

Jedną z rzeczy, które pamiętam z tamtej nocy jest to, że było bardzo zimno. Gdy później wracałam pamięcią do tego momentu – a robiłam to bardzo często – przypominał mi się ostry, zacinający wiatr i śnieg, który spowodował, że zarówno jazda samochodem, jak i parkowanie były niezwykle irytujące. Było naprawdę okropnie zimno. Dlatego, gdy zadzwoniła Peach z informacją, że ma dla mnie klienta w Cambridge, wcale się nie ucieszyłam.

Parkowanie w Cambridge, nawet w najlepszym okresie, było trudne, a ten z pewnością nie należał do dobrych. Swoją drogą, to jest kolejny zwyczaj panujący w tym mieście, którego nie rozumiem. Śnieg pada tu co roku, a za każdym razem ludzie są tak zaskoczeni jego pojawieniem się, jakby nie przypuszczali, że jeszcze kiedykolwiek ich to spotka.

A i jeżdżą tak, jakby widzieli go po raz pierwszy w życiu.

Cała ta sytuacja z parkowaniem stawała się okropna. Ludzie odśnieżali swoje samochody zaparkowane wzdłuż ulicy i dochodzili do wniosku, że swoim wysiłkiem zasłużyli sobie na to, aby mieć to parkingowe miejsce zarezerwowane tylko dla siebie. Wynosili więc stare, aluminiowe krzesła z kuchni, te z plastikowymi siedzeniami i oparciami, i stawiali je na środku miejsca do parkowania, tak, żeby inni wiedzieli, że jest zarezerwowane.

Żyłam w Bostonie na tyle długo, że zdążyłam już przekląć ten zwyczaj ale jednocześnie wiedziałam wystarczająco dużo na ten temat więc się podporządkowywałam. Naprawdę, wcale nie chcesz zadzierać z kimś, kto narażał się na zawał serca aby odśnieżyć swój samochód, z kimś na tyle stukniętym, że przywłaszczał sobie część publicznej własności. Poza tym, czy odejście i zostawienie samochodu w takim miejscu można uznać za dobry pomysł?

Byłam co najmniej niezadowolona na myśl o wyprawie do Cambridge.

– Spodoba ci się – zapewniała mnie Peach przez telefon. Łatwo jej mówić, siedziała zwinięta w kłębek na wygodnej sofie w ogrzewanym pokoju, zapewne czytając interesującą powieść i pijąc egzotyczny, kawowy drink.

– Może uda ci się złapać go na haczyk na stałe...? Mówił, że szuka kogoś bystrego.

– Pochlebstwa doprowadzą cię dokąd tylko zechcesz – wymamrotałam, w głębi duszy szczęśliwa z komplementu. Narzuciłam dużą pikowaną kurtkę na swoją małą czarną sukienkę. Zaparkowałam sześć przecznic dalej, na Broadwayu. Zmierzając w kierunku domu klienta, przeklinałam go za moje niszczące się na śniegu buty marki Nine West. Oczywiście nikt nie pofatygował się aby odśnieżyć chodnik. Bo i po co – skoro nie można na nim zostawić kuchennego krzesła?

Temperatura była mocno poniżej zera, a wiatr powodował, że miałam wrażenie, że jest około minus piętnaście. To musi być wspaniałe, mieć możliwość zamówić sobie dziewczynę do ciepłego, przytulnego mieszkanka. Najlepszy produkt z tych dostępnych „na wynos". Tej nocy tylko ja i dostawcy pizzy decydowali się na podróże do klientów.

Klient przez telefon wydawał się być miły. Młody. Pakistańczyk. Inteligentny. Zapytał mnie o rodzaj brandy którą lubię, co nie było pytaniem zadawanym mi codziennie. Zrobiło to na mnie wrażenie, a muszę przyznać, że jego mieszkanie było po prostu cudowne. Wypolerowane antyczne meble, obrazy w pozłacanych ramach na jednej ścianie, a na drugiej półka z książkami od podłogi aż po sufit. Kolorowy dywan perski w salonie. Mosiężny samowar w kredensie, indonezyjskie marionetki wiszące nad biurkiem. Widać było, że dużo podróżował.

Zaproponował, żebyśmy usiedli i przyniósł wodne fajki już napełnione haszyszem. Nazywał się Kai. Dużo czytał. Miał całą półkę z powieściami Rushdiego. Zupełnie zapominałam, że jestem tu aby go kusić i uwodzić.

– Co myślisz o karze śmierci wymierzonej Rushdiemu? – zapytałam z ciekawością. Skoro był Pakistańczykiem powinien też być muzułmaninem. Choć nie pasowało to do brandy, na pewno gdyby popierał ten wyrok, nie czytałby książek tego człowieka.

Potrząsnął głową.

– Nikt nie powinien usiłować naginać prawd zawartych w Koranie do swoich własnych wyobrażeń. W islamie nie o to chodzi.

Nastąpiła chwila ciszy. Napiłam się brandy i poczułam ciepło płynące przez przełyk i żołądek. Podobało mi się to uczucie, tak jak podobało mi się to, że jestem tutaj – tuż obok tego mężczyzny.

To był pierwszy sygnał ostrzegawczy. Pojawił się, przeniknął przeze mnie i uniósł się – zignorowany – w powietrze. Powinnam była go dostrzec, przygotować się odpowiednio, zaniepokoić się moim zaangażowaniem. Przecież to była tylko praca. Ale bardzo chciałam go dotknąć, kochać się z nim, trzymać jego ciemną, piękną głowę w swoich rękach i całować go. Byłam pewna, że między nami może wydarzyć się coś ekscytującego i wyjątkowego, czułam podniecenie i oczekiwanie wypełniające mnie od środka, gorące i kuszące jak brandy.

Moja ostatnia sprawnie działająca komórka mózgowa przypomniała mi, że był klientem i, że moje myśli powinny być bardziej profesjonalne, lecz miałam wystarczająco dużo czasu na przygotowanie sobie obrony przed tym argumentem. Tak, tak więc to jest praca i co z tego? Nie ma nic złego w czerpaniu przyjemności z pracy którą się wykonuje...

Ostatni racjonalny głos w mojej głowie poddał się, wiedząc, że przegrał.

– Nie mam czasu na spotkania z kobietami – wyjaśniał Kai. Wielu klientów czuje potrzebę usprawiedliwienia się dlaczego muszą lub chcą płacić za seks. Jednak w przeciwieństwie do innych historii jego opowieść nie wydała mi się ani żałosna, ani powierzchowna, a wręcz urocza.

Jak gdyby moje zdanie miało tu jakiekolwiek znaczenie...

Wciąż mówił, rozwijając temat swojego całkowitego braku czasu na romanse z kobietami:

– Studiuję jednocześnie na dwóch wydziałach – na informatyce i ekonomii, na Harvardzie. Jest ciężko ale muszę to robić gdyż czas mojego pobytu w tym kraju jest ograniczony. Ciągle pracuję i nie mam czasu na spotkania. Chciałbym być blisko z kobietą ale na tym etapie mojego życia jest to niemożliwe.

Oczywiście „kupiłam" jego historię. Nie powiedziałam mu, że Lunch Dates albo match.com spełniałyby lepiej jego potrzeby niż usługi agencji towarzyskiej. Chciałam wierzyć, że to ja byłam kobietą której szukał.

– Rozumiem – powiedziałam.

Harvard to prawdziwe wyzwanie. Geniusz zawsze mnie podniecał – cóż wszyscy wiemy, że ludzie kompetentni, to prawdziwa przyjemność, a fakt, że studiował na Harvardzie w połączeniu z jego nie islamskim szacunkiem dla moich poglądów, dla mojej osoby...

Kiedy przyciągnął mnie delikatnie do siebie i pocałował czułam, że to całkowicie naturalne i wzajemne (?). Był to długi, głęboki pocałunek, odkrywający nieznany smak drugiej osoby.

Kiedy obejmowaliśmy się w jego ciemnej sypialni, kiedy zdjęliśmy z siebie ubrania, trudno było powiedzieć które z nas bardziej pragnęło tam być. W łóżku był niezwykle delikatny i aktywny. Czułam jego piękne długie palce wplecione w moje włosy, pieszczące moje piersi i okolice łona, a kiedy wszedł we mnie – było to jakby naturalnym dopełnieniem całego wieczoru.

Zapłacił mi bardzo dyskretnie, wsuwając mi w dłoń kopertę, tak jakby był to najbardziej naturalny gest. Jeszcze przy drzwiach całował mnie namiętnie i przysięgam, że czułam żal spowodowany rozstaniem kiedy powiedział:

– Niedługo znów się zobaczymy.

Poczułam dreszcz zadowolenia i – dobrze, przyznaję się – nie pomyślałam nawet, że być może pakuję się w jakieś kłopoty. Byłoby to oczywiste dla każdego, z wyjątkiem mnie.

Zadzwoniłam do Peach z komórki w samochodzie, czekając z zapalonym silnikiem, aż włączy się ogrzewanie. Przednią szybę pokrywała cienka warstewka lodu.

– Wszystko w porządku? – zapytała jak każdej nocy.
– Tak – odpowiedziałam próbując mówić normalnie. – Był miły. Podobał mi się. Zrób coś dla mnie, kiedy następnym razem zadzwoni, pozwól mi się nim zająć.
– Dzwonił przed chwilą. Nie chce widzieć się z nikim poza tobą. Zdaje się, że masz nowego stałego klienta, skarbie.
Oczywiście zdawałam sobie sprawę z tego, że lojalność Peach polegała na tym, iż w przypadku gdyby on zadzwonił, a ja byłabym zajęta, bez zmrużenia oka przekazałaby go innej call-girl.
Głos Peach rozwiał moje myśli:
– Jest dopiero jedenasta trzydzieści. Chcesz jeszcze kogoś na dzisiaj? Prawdopodobnie będę w stanie coś załatwić.
Pomysł, żeby przyjąć jeszcze kogoś tej samej nocy wydał mi się zły, wręcz nie do przyjęcia.
Normalnie nie przeszkadzało mi to, że po spotkaniu z jakimś klientem dostawałam drugie zlecenie. Lecz dzisiaj było inaczej. Dzisiaj odeszłam uśmiechając się, nucąc pod nosem, a do tego nawet nie przeliczyłam pieniędzy.
– Peach jest za zimno. Idę do domu. Chcę się zwinąć w kłębek ze Scuzzim.
Tak było w sobotę. We wtorek gdy wyciągałam obiad z piekarnika, zadzwoniła Peach.
– Masz zlecenie. Twój stały klient z Cambridge dzwonił i chce się z tobą spotkać dziś wieczorem.
– Ten Pakistańczyk???
Cała ja.
– Właśnie on. Zadzwoń pod 555–7483. Daj mi znać kiedy się spotykacie.
Zanotowałam numer na papierowej serwetce i poczułam dreszcz zdenerwowania, podnosząc słuchawkę. Powiedziałam sobie, że to śmieszne, bo to tylko kolejny telefon do klienta. Wyjątkowo wspaniałego, nadrabiającego za mojego innego stałego klienta z Cambridge, który każe mi bez przerwy powtarzać jaki jest cudowny.

Kiedy zadzwoniłam, nie wyczułam ani odrobiny ciepła w jego głosie.

– Tak. Tia. O której będziesz?

Odwróciłam głowę w stronę zegara.

– Hmm, jest ósma piętnaście, czy może być o dziewiątej?

– Oczywiście. Do zobaczenia – odparł.

– Nie mogę się doczekać... – powiedziałam, ale już się rozłączył.

Zostawiłam kolację na stoliku, zastąpiłam telewizję płytą Pat Benatar i otworzyłam szafę. Wybrałam czarną, aksamitną sukienkę. Nie musiałam zakładać zbyt eleganckiej bielizny, gdyż rozbieraliśmy się przy zgaszonych światłach. Czarny stanik, czarna koronkowa koszulka, szare rajstopy. Perfumy Chanel 5. Malując się przed lustrem w łazience czułam się jak nastolatka, szykująca się na randkę. Scuzzy wskoczył na toaletę i obserwował mnie.

– Wychodzę. Sądzisz, że powinnam rozpuścić włosy czy je związać? – zapytałam.

Spojrzał na mnie jak zwykle z obojętnością. Zostawiłam rozpuszczone włosy.

Radio w samochodzie włączyłam na tyle głośno, żeby nie słyszeć swoich myśli. Czułam się nieomal znokautowana swoim nastawieniem do tego spotkania. Wjechałam windą na trzecie piętro. Kai stał w drzwiach i czekał na mnie. Nie odezwał się ani słowem. Weszłam do środka, patrząc mu w oczy lecz również nic nie mówiąc. Nagle chwycił mnie i gwałtownie przyciągnął do siebie i pocałował tak, że wstrzymałam oddech. Nie zachowywał się delikatnie.

Zrobiliśmy to tuż przy wejściu do mieszkania. Zdołał zamknąć za mną drzwi, a ja klęczałam na perskim dywanie, próbując rozpiąć mu spodnie.

Później tłumaczył, że nie mógł się już doczekać... Pokazywał mi zdjęcia rodziców w Karachi, brata w Paryżu. Wciąż patrząc na zdjęcia powiedział:

– Uwielbiam się z tobą spotykać. Uwielbiam mieć cię przy swoim boku. Chciałbym aby było mnie stać na więcej niż tylko godzinę. Chciałbym zaprosić cię na obiad, pójść z tobą do muzeum.

Wzięłam głęboki wdech, zwlekając z odpowiedzią. Wiedziałam, że jeśli Peach się o tym dowie, będę szukać nowej agencji. W końcu odpowiedziałam:

– Podoba mi się twoja propozycja. Mogę podać ci mój domowy telefon.

Czekał cierpliwie i teraz to ja nie byłam w stanie patrzeć mu w oczy.

– Chciałabym się z tobą spotkać poza pracą.

Uśmiechnął się.

– Ja również bardzo bym tego chciał.

Poczułam się pewniej.

– Dobrze, więc powinieneś wiedzieć, że naprawdę nazywam się Jen, nie Tia.

– Imię Jen jest dużo ładniejsze. Czy jeśli spotkamy się jutro wieczorem to będzie zbyt wcześnie? Mógłbym po ciebie przyjechać i moglibyśmy zjeść razem kolację w Biba.

– Tak, to znaczy nie, nie będzie za wcześnie, jutro, doskonale.

Dziwne zdawało się to, że stać go było na Harvard, na mieszkanie i na obiady w restauracji, a nie mógł sobie pozwolić na moje usługi. Ale nie chciałam za dużo myśleć na ten temat.

Lubił mnie i chciał prawdziwego związku ze mną. W to właśnie chciałam wierzyć. W to wierzyłam.

Tak już z nami jest. Kobiety zawsze znajdą sposób aby wierzyć w coś, co jest niewiarygodne. Call-girls wcale się tym nie różnią. Więc zaczęliśmy się spotykać.

O wielu rzeczach nie rozmawialiśmy. O tym, że wciąż pracowałam dla Peach. O tym, że spotykaliśmy się tylko w nocy i, że nigdy nie przedstawił mnie swoim znajomym. Ignorowaliśmy te tematy choć czasem myślenie o tym nasuwało mi jakieś niesprecyzowane podejrzenia. Jednak jestem bardzo dobra w nieuleganiu niesprecyzowanym podejrzeniom....

Było zabawnie i miło. Chodziliśmy do różnych restauracji próbując kuchni wielu narodów: zarówno soli w sosie mornay, szaszłyków, jak i *sushi*. Rozmawialiśmy o literaturze, polityce, technologii, etyce. Oglądaliśmy zagraniczne filmy w „Kendall Square" i „Coolidge Corner". Słuchaliśmy nowych zespołów w „Central Square", jazzu w „Scullers" i bluesa w „Wally's". Kai mówił, że ma alergię na koty, więc nigdy nie poszliśmy do mnie, za to ja często nocowałam u niego, w jego mieszkaniu na Broadwayu.

Miał nieskazitelne maniery i nieodgadnione myśli.

Peach wiedziała, że coś się dzieje. W końcu przyznałam się, bo zdałam sobie sprawę, że ona myśli, iż spotykam się z Kaiem zawodowo bez jej pośrednictwa. Nie okazała zdziwienia tylko irytację tym, że straciła klienta. Niewielką, bo wiedziała, że jej strata jest tymczasowa. Jednak nie podzieliła się ze mną tą myślą.

– Ostrzegałam cię, kiedy zaczynałaś pracę, że zakochasz się w jednym z klientów – powiedziała z pogardą. – To się zdarza każdej. Robisz to co musisz zrobić, a potem dostajesz nauczkę i już nigdy więcej tego nie próbujesz. Cóż, jeśli masz choć trochę instynktu samozachowawczego, to nie dopuścisz do tego. Znałam jedną, może dwie dziewczyny, które próbowały ale im nie wyszło, nigdy nie wychodziło, niezależnie od tego jak bardzo się starały. Nie można było wymazać tego w jaki sposób dochodziło do spotkania. Mężczyźni zawsze już żądali aby seks był taki, jak na początku, aby kobieta usługiwała im i sprawiała przyjemność – w końcu taka jest praca prostytutki. Jej potrzeby były nieistotne. Spędzała godzinę skupiona jedynie na kliencie. Gdy wstępowali w związek sytuacja ulegała zmianie. Dziewczyna stawała się człowiekiem z huśtawkami nastrojów, bólami głowy, z własnymi potrzebami i zachciankami.

Peach doskonale zdawała sobie z tego sprawę. Jej zdaniem należało wycofać się zanim znajomość zajdzie zbyt daleko, dlatego nie była właściwą osobą, aby prosić o radę lub współczucie.

– To się po prostu stało, Peach. Bardzo go lubię – powiedziałam bezsilnie.

Nadal przyjmowałam zlecenia z agencji i wytłumaczyłam Kaiowi, że nie możemy się spotykać w te wieczory, kiedy pracuję. Łudziłam się, że to jest dość normalne, że jest w porządku. Byłam w stanie przekonać samą siebie, że Kai jest jedynym mężczyzną na tym świecie, który rozumie różnicę między seksem uprawianym dla pieniędzy, a seksem, który jest rezultatem miłości. Wmówiłam sobie, że dla niego przyjmowanie przeze mnie zleceń nie ma nic wspólnego z uprawianiem seksu, wynikającego z naszego zaangażowania uczuciowego. Nie zdawałam sobie sprawy z tego, że to przecież na własne życzenie przekroczyłam granicę, której call-girl nie powinna przekraczać, odsłoniłam się całkowicie.

Pewnej nocy oglądaliśmy film z Catherine Deneuve, popijaliśmy brandy, kochaliśmy się i zasnęłam w jego mieszkaniu. Obudziłam się dopiero rano. Leżałam jeszcze w łóżku, a Kai poszedł do łazienki wziąć prysznic. Zwykle o tej porze już mnie tam nie ma; nie doszliśmy jeszcze do takiego etapu, że miałam u niego jakieś swoje rzeczy. Zresztą tak było lepiej, bo gdybym zostawała u niego przez cały dzień, zapewne nie czulibyśmy się komfortowo wieczorem, kiedy brałam zlecenie z agencji i wkładałam jakieś specjalne ubranie dla klienta. Nie chciałam, żeby ktokolwiek widział mnie tak ubraną i pomyślał, że jestem jakąś kobietą na jedną noc. Zależało mi na jego reputacji u sąsiadów. Już widzę ten twój ironiczny uśmieszek. Masz rację, byłam po prostu śmieszna.

W pokoju było zimno, pod kołderką – cieplutko. Nawet nie zwróciłam uwagi na dzwonek telefonu, ale osoba, która dzwoniła zaczęła się nagrywać na automatyczną sekretarkę. Wiadomość była zwalająca z nóg:

– ... a, słuchaj chłopie, nigdy nie przestaniesz mnie zadziwiać. Dan właśnie mi powiedział, a właściwie wszyscy w campusie już o tym trąbią. Załatwiłeś sobie kurwę za darmo! Ten numer przejdzie do historii. Wdrapałeś się, bracie na sam Panteon. Kiedy ją przyprowadzisz, żebyśmy mogli sobie ją obejrzeć? To naprawdę bombowo! Ale z ciebie ogier. Na razie. Trzymaj się.

Dźwięk odkładanej słuchawki. Nie przypominam sobie, jak wyszłam z łóżka, ubrałam się, ani jak opuściłam jego mieszkanie. Nie chciałam czekać na jego wyjście spod prysznica. Nie zostawiłam żadnej karteczki. Słowa w tej chwili wydały mi się zupełnie niepotrzebne. Przypomniały mi się moje najgorsze przeczucia, kiedy zaczynałam tę pracę. Oto właśnie się spełniły.

Scuzzy był szczęśliwy, że mam depresję. Zadzwoniłam na wydział i powiedziałam, że mam poważną sytuację rodzinną, która uniemożliwi mi pracę w ciągu kilku najbliższych dni. Zadzwoniłam do mojej asystentki, żeby poprowadziła najbliższe wykłady. Kot wylegiwał się na niesprawdzonych ciągle pracach studentów i wydawało się, że gdyby to zależało od niego, zaliczyłby wszystkim. Siedziałam w domu, oglądałam film za filmem, karmiłam Scuzziego smakołykami. Co wieczór zamawiałam sobie dostawę kolacji do domu, przejadałam się, nie przychodziło mi nawet do głowy, żeby posprzątać. Mój kot miał wielką frajdę z poniewierających się wszędzie pudełek po jedzeniu, myśląc zapewne, że to są zabawki przyniesione specjalnie dla niego. Zasypiałam na kanapie, nawet jej nie rozkładając. Kot sadowił się na mojej klatce piersiowej. Nie zadawałam sobie trudu dbania o moją higienę osobistą, co było kolejną przyjemnością dla kota; wszak nie znosił wody ani niczego co mokre.

Mimo że odłączyłam telefon, byłam pewna, że Peach do mnie wydzwania. Ale co tam! W końcu nie jestem pierwszą ani ostatnią idiotką, którą ktoś znów zrobił w konia! Tylko, że tym razem czułam, że to jakby coś innego... Coś obscenicznego, perwersyjnego, gorszego niż te wszystkie obrzydliwe męskie fantazje, które realizowałam w czasie wizyt u klientów. Tamto to były eksperymenty, poszukiwanie granic, to było czystym okrucieństwem. On „załatwił sobie kurwę za darmo". Tak mnie zdefiniował. Nie miało znaczenia czy to ja, czy inna. Typowa przedstawicielka swojej grupy. Nie Jen; nawet nie Tia. Po prostu kurwa. Być może w grę wchodził nawet jakiś zakład. Wyobrażam sobie jego kolesiów, chichoczących nad swoimi butelkami piwa: „Nie, niemożliwe. Żadna kurwa nie prześpi się z tobą za darmo".

I wyobrażam sobie jego odpowiedź: „Założę się, że znajdę taką, która będzie mnie o to błagać". Całe to zdarzenie musiało zapewne doskonale podbudować jego „ego". W końcu był cudzoziemcem w anglosaskim kraju, muzułmaninem świetnie znającym nasze wartości, u podstaw których leży: „Wierzę w Boga". Amerykanie muszą płacić za seks ze mną, mógł się teraz zrewanżować za te wszystkie podejrzane spojrzenia, za ksenofobię. Oni muszą płacić, on ma mnie za darmo w każdej chwili i jak często mu się podoba. „Wdrapałeś się, bracie, na sam Panteon".

Oglądałam telewizję, ale po jakimś czasie znów wracały te słowa, huczały mi w głowie. Czułam się tak zraniona, jak nigdy dotąd w całym moim życiu. Po jakimś czasie poczułam wreszcie, że jestem brudna i przepocona. Zebrałam się w końcu w sobie i poszłam pod prysznic. Potem – następny mały kroczek – do sklepu. Następnego dnia zrobiłam pranie i podłączyłam telefon. Peach była oburzona:

– Gdzie do cholery byłaś? Co się dzieje z twoim telefonem? Dzwoniłam do ciebie codziennie po kilka razy! Gdzie się podziewałaś? – jej głos przypominał warkot. – Mogłabyś czasem pomyśleć o kimś innym, a nie tylko o sobie. Mogłaś pomyśleć, ile problemów mi przysparzasz. Co miałam mówić klientom?

Tak, na pewno najbardziej mnie obchodziło to, co Peach miała do powiedzenia klientom...

– Przepraszam, Peach – powiedziałam zmęczonym głosem. – Już wszystko w porządku.

– To znaczy, że możesz dziś wieczorem pracować?

Nie wiedziałam, co odpowiedzieć. Nie wiedziałam, czy mogę wierzyć klientom, a także sobie. Sprowokowana – z łatwością mogłabym wywalić całą porcję mojej frustracji na jakiegoś Bogu ducha winnego klienta, który nieświadomie napomknąłby o czymkolwiek, co może mieć związek z Kaiem: jakimś miejscu, w którym byliśmy razem, muzyce, której wspólnie słuchaliśmy. Z drugiej strony, jeśli nie wyjdę z tego mieszkania, to z pewnością wkrótce zwariuję.

– Dobrze, Peach. Wpisz mnie na dzisiaj.

– Świetnie. Niedługo się odezwę.

Zdecydowałam więc, że podejmę wysiłek aby wrócić do życia. Starannie opiłowałam paznokcie i nałożyłam ciemnoczerwony lakier. Poprawiłam kształt brwi, wtarłam emulsję nawilżającą w całe ciało, wyszczotkowałam starannie włosy w sposób, w jaki to robiła jeszcze moja babcia. Włączyłam teleturniej i przeszłam z łatwością przez całą kategorię: Literatura europejska. Gdy doszli do Tablicy pierwiastków odpadłam na wstępie. Postawiłam wszystko na pytanie ostatniej szansy i przepadłam z kretesem, bo nie miałam pojęcia, który prezydent podpisał pewien akt, o którym nigdy nie słyszałam. Na pocieszenie zjadłam trzy ciastka. Jeżeli nie zacznę ćwiczyć, to przy moim sposobie odżywiania, w naturalny sposób przestanę się kwalifikować do pracy dla Peach.

Usiłowałam skupić się na najnowszym programie Particii Cornwell i jak zwykle zirytowały mnie jej błędy gramatyczne. Po raz kolejny byłam gotowa pisać list do telewizji, chociaż wiedziałam, że i tak tego nie zrobię. O dziewiątej wieczorem postanowiłam zadzwonić do Peach, żeby sprawdzić co się dzieje. Prawie wszyscy moi stali klienci zamawiali mnie wczesnym wieczorem, ale w końcu przez parę dni byłam nieobecna i nie miałam złudzeń co do lojalności Peach w tej sytuacji. Jeżeli tylko była w stanie namówić klienta na inną call-girl, robiła to bez zmrużenia oka.

– Cześć, mówi Jen. Dzwonię, żeby się dowiedzieć dlaczego nie dostałam żadnego zlecenia.

– Mały ruch w interesie.

Byłam już totalnie znużona przebywaniem w czterech ścianach mojego mieszkania.

– Peach, wezmę cokolwiek. Muszę wyrwać się z domu.

Zapadła cisza. Mogło to oznaczać, że Peach myśli albo że nie może oderwać się od ekranu telewizora. Jeżeli to byłby serial „Ally McBeal", zapewne nie udałoby mi się odzyskać jej uwagi. Wiedziałam, że kiedy ogląda ten serial, to nawet jeśli dzwoni jej matka, Peach każe jej czekać.

– Jen, naprawdę nic się nie dzieje. Daj mi jeszcze godzinkę, spróbuję coś załatwić.

Przez następną godzinę znów czułam się jak skończona idiotka, myśląc i rozpamiętując po raz nie wiem który, co właściwie się stało. Znów zadzwoniłam.

– Żadnych zleceń? Nie wygłupiaj się Peach, to nie musi być książę z bajki.

– Słuchaj, jedyne zamówienie jest od pewnego Pakistańczyka w Cambridge.

Była wściekła. Prawdopodobnie usiłowała mnie przed czymś chronić. Jeżeli tak, to powinnam jej być wdzięczna. Ale ja oczywiście nie wpadłam na to, że powinnam wreszcie dać sobie z nim spokój.

– Tak? Co mówił? Powiedziałaś mu, że jestem w agencji dziś wieczorem?

– O rany! Dziewczyno, uspokój się. Tak, powiedziałam mu, że dziś pracujesz. I powiedziałam, że jest jeszcze kilka innych dziewcząt. Powiedział, że jest mu wszystko jedno, więc dałam zlecenie tej nowej dziewczynie z Sudbury. Byłam przekonana, że ty wolałabyś tam nie wracać.

Nic nie odpowiedziałam. Usiłowałam przełknąć jakoś tę wiadomość, że mimo tego, co było między nami, gotów był nadal widywać się ze mną i płacić za spotkania. Że mógł tak łatwo przejść nad tym do porządku dziennego. Cokolwiek to było, graniczyło z iście amerykańskim, kolokwialnym stylem bycia. Może być Tia, może być inna dziewczyna, na przykład ta nowa z Sudbury, wszystko jedno. Byłam w końcu jedynie kurwą, którą udało się zbajerować na darmowe usługi. A kiedy okazało się, że nie można za darmo, to nie ma problemu z tym, żeby mi znów płacić.

Myślałam sobie, że oto właśnie sięgnęłam dna.

Myliłam się.

* * * * *

Następnego dnia pojechałam na uczelnię. Spotkałam się w moim nowym biurze ze studentami lamentującymi z powodu otrzymanych ocen. Przed siódmą byłam już po wizycie na siłowni, prysznicu i kolacji (dietetyczna pizza). Zadzwoniłam do Peach:

– Zgłaszam się na ten wieczór.

Zadzwoniła w ciągu pół godziny. Obwieściła:

– Masz zlecenie. To ktoś nowy, jeśli ci to nie przeszkadza. Mieszka w Sheratonie, recepcja mówi, że już go widywali. Mam dobre przeczucie jeśli chodzi o niego. Zadzwoń i daj mi znać, co ty myślisz.

Wyobraziłam sobie, że jeżeli pracownicy recepcji sprawdzili go, to na pewno nie jest to żaden potwór. A poza tym naprawdę musiałam wyrwać się z tego pustego mieszkania. W rozmowie telefonicznej nic nie wzbudziło moich zastrzeżeń. Prawdopodobnie sama sobie jestem winna, bo tak naprawdę, to bardzo lubiłam zlecenia w hotelach, spacer po eleganckim korytarzu, wspaniałe samopoczucie i świadomość, że dzięki swojej atrakcyjności właśnie zarobiłam sto pięćdziesiąt czy nawet dwieście dolarów. Czułam się jakbym była częścią tych hotelowych luksusów.

Założyłam luźną spódnicę i sweter, który tuszował moje dodatkowe kilogramy i pojechałam do Sheratona. W samochodzie, a na szczęście w końcu także w mojej biednej głowie, panowała cisza. Odszukałam pokój, przywitałam się z klientem. Kiedy weszłam poczułam przypływ jakiegoś podenerwowania, który towarzyszył mi zwykle, gdy spotykałam nowych klientów. Ten jednak, wydawał się bardzo miły. Nalał mi białego wina i zapytał:

– Czy możemy najpierw chwilę porozmawiać?

– Ależ oczywiście – odparłam rutynowo, niemal automatycznie. Patrzył na moje nogi kiedy siadałam na krawędzi łóżka, nie zaoferował pomocy kiedy zdejmowałam płaszcz. Napiłam się wina.

– Chciałbym coś wyjaśnić – powiedział. – Za te dwieście dolarów będziemy uprawiać seks, prawda? To znaczy, że będę miał orgazm, może nawet dwa?

Cóż, jego pytanie dalekie było od delikatności, ale po tylu latach umiałam już sobie poradzić.

– Proponuję, żebyśmy spróbowali poczuć się dobrze w swoim towarzystwie. Odpręż się. Potem zobaczymy, co chcemy robić – powiedziałam nadając swojemu głosowi zmysłowy ton.

Nie wystarczyło mu to.

– Ale będziemy uprawiać seks, prawda? – usiłował wyglądać na podenerwowanego, ale zdałam sobie sprawę, że tak naprawdę jego głos brzmi automatycznie. – Mam na myśli to, że za tak duże pieniądze spodziewam się dostać wszystko, czego będę chciał.

Jak na czterdziestoletniego mężczyznę zachowywał się naprawdę dziwnie. Coś mi tu nie grało. Ostatni raz kiedy miałam takie odczucie, okazało się, że klient był po prostu bardzo nieśmiały i zawstydzony. Może tym razem też tak jest? A może właśnie tak nie jest?

Odstawiłam kieliszek na podłogę, odchrząknęłam. Jeżeli się mylę, wyjdę na kompletną idiotkę i mogę zostać wyrzucona za drzwi. Ale, przecież jestem w tym biznesie już dostatecznie długo, żeby wiedzieć, że ignorowanie takich przeczuć może skończyć się dla mnie tragicznie.

– Proszę pana – powiedziałam głośno i wyraźnie – czy pan jest policjantem?

Był. Zobaczyłam to natychmiast w jego oczach. Zesztywniał, spojrzał w lustro na drzwiach szafy.

– Mam powody sądzić, że przyszłaś tu uprawiać seks za pieniądze – powiedział oficjalnie.

– Ktoś pana wprowadził w błąd – rzekłam słodko. – Firma oferująca usługi towarzyskie zadzwoniła do mnie mówiąc, że chciałby pan spędzić godzinę z atrakcyjną kobietą, że jest pan w Bostonie przejazdem i może mogłabym pokazać panu miasto.

Jakże cieszyłam się, że założyłam tę luźną spódnicę i sweter, a nie moją czarną koronkową bluzeczkę.

– A poza tym, musi pan wiedzieć, że nigdy nie chodzę do łóżka z facetem na pierwszej randce. Wygląda na to, że pan jest zainteresowany jedynie seksem, więc rozumiem, że musi pan znaleźć sobie kogoś innego. Ale chciałabym jednak wiedzieć czy jest pan policjantem, czy tylko skończonym draniem?

Wstałam, wzięłam swój płaszcz. Przykazanie Peach głosi, że gdy zadasz to pytanie, jesteś kryta bez względu na okoliczności. Jeśli zadasz to pytanie, a odpowiedź brzmi: „tak", wtedy zmieniasz wszystko w nieporozumienie: Peach jest właścicielką agencji, która aranżuje randki. Jeśli nie ma odpowiedzi, a masz do czynienia z policjantem, nie mogą cię aresztować, bo byłoby to traktowane jako uknuty spisek czy coś w tym rodzaju. Nie pamiętałam szczegółów, ale byłam pewna, że się nie mylę.

Podszedł do mnie, wyjął portfel i pokazał odznakę policyjną. Przez moment myślałam, że jeśli wyciąga ten portfel, to zapewne chce mi zapłacić.

– Proszę pokazać jakiś swój dokument – zażądał.

Adrenalina, która jeszcze przed chwilą wypełniała mnie „po brzegi" nagle opadła i poczułam się przestraszona. Nie, nie mogę na to pozwolić. Jeśli mnie aresztują, nie będę już mogła pracować na uczelni. Nie dostanę pracy nawet w jakiejś prowincjonalnej szkole wieczorowej. Nigdy. Nie ma mowy żebym pokazała swój dokument osobisty.

– Dlaczego miałabym się legitymować?

Wyciągnął jakiś kwestionariusz. Powiedział:

– To rutynowa procedura. Proszę podać imię i nazwisko.

– Nie muszę tego robić. Zwabił mnie pan do tego pokoju pod fałszywym pretekstem. Na miejscu odrzuciłam pana żądania i usiłowałam wydostać się stąd. Pan chciał mnie zmusić do ujawnienia moich danych osobistych. Myślę, że zapewne jest pan prześladowcą, być może gwałcicielem.

Spojrzał ponownie w kierunku lustra. Natychmiast powiedziałam:

– Cokolwiek ma pan na taśmie i tak zostanie odrzucone w sądzie, proszę więc nawet nie próbować mnie straszyć.

Przydało się to, że miałam klienta prawnika. Przydało się także to, że zawsze usiłował zrobić na mnie wrażenie swoją wiedzą na temat prawnych implikacji mojego zawodu. Najbardziej jednak cieszyłam się z tego, że uważając, iż taka rozmowa z klientem jest nie tylko interesująca ale może mi się przydać, wyjątkowo słuchałam, co do mnie mówił.

– Proszę podać nazwisko i adres. Stawia pani opór oficerowi na służbie – powiedział bardzo z siebie zadowolony.

I nagle poczułam, że mam tego dosyć. Dosyć tej satysfakcji na twarzach facetów, dosyć tego udawania, dosyć stawania na głowie byle tylko zaspokoić ich fantazje, sprawiać im przyjemność. Nagle zrobiłam się wściekła na tych wszystkich mężów, oszukujących swoje żony i pieprzących się z prostytutkami, żeby nabrać poczucia wyższości. Miałam dosyć pornografii, gierek, udawania kogoś innego. Dosyć układania się z wrogiem, mężczyzną, który kocha i nienawidzi cię w tej samej chwili. A ponieważ nie jest w stanie się nijak usprawiedliwić, zrzucić na ciebie odpowiedzialności za to jaki jest łatwy, redukuje cię w swoich oczach do nic nie znaczącego przedmiotu.

Madonna. Ladacznica. Dziewica. Zdzira. Cycki. Dupa. Macica. Feministyczna suka. Meduza. Cyrce. Penelopa. Żona. Prostytutka. Ten glina, stojący tu przede mną, myślał, że doskonale wie z kim ma do czynienia (nie żadna tam Jen, nie Tia, ale zwykła dziwka). Tak samo przecież myśleli wszyscy inni klienci. Jedyna różnica polega na tym, że to jemu płacono za podglądanie. Jaka dobra praca...

Naprawdę miałam już tego wszystkiego po dziurki w nosie. Chamskiego zachowania, nad którym próbuję jakoś przechodzić do porządku dziennego. Świadczenia usług, którymi powinny zająć się szpitale psychiatryczne. Dosyć już tych kłamstw, mruczenia, poczucia, że jestem taka wartościowa, bo każdego wieczoru mogę zarobić garść pieniędzy.

Wzięłam głęboki wdech i wyrecytowałam:

– Wychodzę. Jeśli spróbuje mnie pan powstrzymać, zacznę krzyczeć, że usiłuje mnie pan zgwałcić i nie przestanę dopóki nie ujrzę pana w sądzie, w swoim mundurku, a pana żony wręczającej panu papiery rozwodowe. Przyszłam tu, bo czuł się pan samotny w obcym mieście i chciał pan porozmawiać. Panu chodzi tylko o seks.

Otworzyły się drzwi do przyległego pokoju i wyszedł jeszcze jeden facet, trochę starszy. Otworzył szafę i wyłączył kamerę. Wyglądał na zmęczonego.

– Skąd wiedziałaś? – zapytał prosto z mostu. – Jak domyśliłaś się, że to podstęp?

Starałam się zachować spokój i ciekawa jestem, czy to tylko mnie się wydawało, że w moim głosie słychać histerię:

– Jest pan chyba nie z tej planety. Nigdy nie zdarzyło mi się coś podobnego, ale zapewne dlatego, że nie bywam w tych kręgach. Lepiej niech pan pojedzie na ulicę Kneeland. Widziałam tam wiele kobiet. Jeśli będzie pan jechał bardzo wolno, podejdą. Pogadajcie sobie. Jestem pewna, że parę z nich da się nabrać. Pracują dla alfonsów i mogą wiele opowiedzieć. Jeśli pan dobrze poszuka, to znajdzie tam swój stereotyp kurwy. A ja – nawet gdybym była call-girl, panie policjancie – nie mam ani odpowiedniego makijażu, mam dość zakryte wszystkie części ciała, jestem wykształcona i inteligentna. Jak śmiesznie by pan wypadł, aresztując kobietę, która nie wygląda jak dziwka, ale raczej jak pana żona, siostra albo córka.

Myślałam, że się odezwie. Wykonał jakiś niesprecyzowany ruch. Byłam wyczerpana i nie zamierzałam pozostać tam ani sekundy dłużej. Kiedy już wychodziłam z hotelu, zadzwoniłam do Peach.

– Pilnuj się, skarbie. Nieomal mnie aresztowano.

– Co się stało? – Peach zapewne myślała, że zatrzymała mnie drogówka.

– Twój nowy klient, ten z dobrymi wibracjami, to glina, kotku. Kamera ukryta za lustrem, te sprawy...

– Co? Co się właściwie stało? I jak nas znalazł?

Zwykle policja interesuje się dużymi agencjami z książki telefonicznej, takimi, które gwarantują rozgłos w przypadku sprawnie przeprowadzonej inwigilacji.

– Nie wiem jak nas znalazł. Powiedziałam mu, że umawiamy się towarzysko na randki. Wszystko jest w porządku, ale byłabym bardziej uważna na twoim miejscu.

– A jak ty się czujesz? – zapytała w końcu i chociaż późno, to byłam pewna, że naprawdę martwi się o mnie. Robiła co mogła. Właściwie, nie. Nie robiła, tylko myślała, że robi. Wydawało jej się, że pocieszanie nas przez telefon, udawanie zmartwionej rzeczywiście jakoś nam pomaga. Przez trzy lata wydawało mi się, że tak właśnie jest. Teraz zaczynałam dostrzegać prawdę. Zresztą, nie miałam ochoty na kłótnię.

– Nie wiem, Peach. Jadę do domu, biorę prysznic i wyrzucam wszystkie swoje seksy ciuszki. Przez pewien czas będę znowu biedna. Muszę skoncentrować się na nauczaniu. Potrzebuję... Boże, nie wiem czego tak naprawdę potrzebuję. Ale wiem na pewno, że już nie chcę tego.

Usiłowała mnie jeszcze namawiać do zmiany zdania. Dzięki mnie zarobiła masę pieniędzy; okazało się, że byłam zamawiana częściej niż dwudziestoletnie blondynki. Dużo częściej. To ja pomogłam usytuować agencję w tej specjalnej niszy – przyciągnąć klientów, którzy preferowali kobiety wykształcone. Nie będzie łatwo znaleźć kogoś na moje miejsce.

Nie należy zapominać, że ja też, dzięki niej, zarobiłam dużo pieniędzy. Nie było wcale łatwo tak nagle z tego zrezygnować, mimo że narastał we mnie coraz mocniejszy sprzeciw wewnętrzny. Rozkładasz nogi, mówisz: „o, tak, kochanie, o tak, kochanie", wracasz do domu, płacisz swoje rachunki. Ale ten głos w mojej głowie przekonał mnie w końcu i zrozumiałam, że nie mogę i nie chcę już do tego wracać.

Zawsze uważałam, że im człowiek jest głupszy, tym łatwiej mu się żyje. Nadal tak uważam.

Rozdział dwudziesty drugi

Nie umiem sobie odpowiedzieć precyzyjnie na pytanie dlaczego zrezygnowałam. Chyba nawet nie ma to dla mnie większego znaczenia. Możesz sobie wybrać: dlatego, że się przestraszyłam, albo dlatego, że zostałam zraniona, albo dlatego, że wreszcie dorosłam, a może nawet wyrosłam z tego. A może z powodu, z którego do tej pory nie zdaję sobie sprawy. Jestem zadowolona, że zrezygnowałam, bo był to już najwyższy czas.

Ta praca dała mi to, czego potrzebowałam – niezależność i bezpieczeństwo finansowe, w czasie gdy przygotowywałam się do robienia kariery naukowej. Dała mi także potwierdzenie mojej urody i atrakcyjności mimo, że wszystkie agencje reklamowe wmawiały mi, że jestem już starszą panią. Być może dała mi jeszcze jedno... poczucie życia na krawędzi, świadomość, że mimo robienia czegoś nielegalnego – jednak jakoś mi się upiekło.

Wiem, że jest wiele kobiet, które odchodzą i wracają, bo im czegoś brak. Tego czegoś, co ta praca daje – może pieniędzy, może stylu życia, do którego tak łatwo się przyzwyczaić...

Ja miałam od samego początku świadomość, że to tylko chwilowe zajęcie, że sprawą nadrzędną jest etat na uczelni, że czas i grawitacja zrewidują na moją niekorzyść moje kwalifikacje. Wiedziałam, że to nigdy nie stanie się częścią mojego prawdziwego życia. Ta świadomość sprawiała, że było mi dużo łatwiej.

Mogłam odejść w każdej chwili i nie mieć z tego powodu żadnych kłopotów. Byłam też pewna, że ta praca nie może mnie zniszczyć. Mam swoje mocne strony. Przez wiele lat byłam sama. Jedynym wyjątkiem był pieprzony drań Peter. Nie, właściwie opowiadam bzdury – właśnie wtedy – mieszkając z nim byłam najbardziej samotna. Wiem, jak sobie wypełnić czas. Bywały chwile kiedy czułam pustkę ale nie starałam się ich ukryć albo ignorować; zdawałam sobie z nich sprawę i nigdy nie dopuszczałam takiej możliwości, żeby pod ich presją podejmować decyzje. W czasie gdy odeszłam z agencji towarzyskiej miałam już pełen etat na uczelni, chodziłam na *t'ai chi*, zupełnie zerwałam z kokainą i zaczęłam pisać kolejną książkę.

Nie mogę powiedzieć, że obyło się zupełnie bez żalu. Nawet teraz, czasem, kiedy zbliża się godzina siódma zastanawiam się jak to wszystko wygląda dzisiaj wieczorem. Kto pracuje, którzy klienci zadzwonią. Oczywiście nawet ich nie znam, czas płynie, a w tym biznesie jest wyjątkowo szybki. Imiona nie mają tu specjalnego znaczenia: potrzeby są i pozostaną te same.

Wiem, że zadzwoni telefon, szoferzy rozjadą się do podmiejskich domów, dziewczyny poprawią makijaż w bocznych lusterkach. Pamiętam, że klienci są pozerami pełnymi oczekiwań, żądań, złości; patetyczni i szarzy. Wiem, że jak co noc – pieniądze przejdą z rąk do rąk. Cieniutkie kreski ułożone z kokainy będą formowane w czyichś łazienkach. Call-girls dostarczą klientom przyjemności, podniecenia, nadziei, zachwytów, tajemniczości. A zegar będzie odmierzał czas.

Czasem tak właśnie zastanawiam się co by było gdyby..., ale natychmiast się z tego otrząsam, wsiadam na rower i jadę na przejażdżkę albo zabieram dzieci do księgarni, albo by sobie przypomnieć jak uwodzicielska byłam kiedyś, zaciągam męża do sypialni, by sprawdzić, czy nadal mam ten magiczny dotyk... Mąż potwierdza, że tak. Tworzenie własnego prawdziwego i pięknego życia jest dużo bardziej interesujące niż profesjonalne odgrywanie ról w życiu innych i zaspokajanie ich fantazji.

Nadal mieszkam i pracuję niedaleko Bostonu. Zmieniłam nazwisko – wyszłam za mąż. Ku mojemu zdziwieniu mam rodzinę, pracę o jakiej zawsze marzyłam, czuję się szczęśliwa i w pełni się realizuję. Scuzzy ma maleńki ogródek, w którym codziennie i bezskutecznie usiłuje złapać wiewiórkę. Mój mąż kontynuuje swoje zmagania z wiedzą o tym, co robiłam, zanim go poznałam. Kiedyś zapytałam, jak by się poczuł, gdyby któryś z kolegów dowiedział się o tym. Odpowiedział:

– Pamiętasz te reklamy, w których dodaje się: „Tylko dla profesjonalistów. Nie próbuj tego robić w domu?" Powiedziałbym im po prostu: „Cóż, *MY* robimy *TO* w domu".

Po przeczytaniu mojego e-maila do Rogera, Tony przez wiele miesięcy walczył ze sobą, aby pozbyć się mitów, stereotypów. Wydawało mu się, że miał dość liberalne poglądy, ja poddałam tę jego opinię ciężkiej próbie. Już tylko sam fakt, że w ogóle chciał przejść przez to wszystko wraz ze mną czyni go jednym z najlepszych mężczyzn na całym świecie.

* * * * *

Peach radzi sobie nieźle. Wyszła za mąż, kupiła dom. Nie jest już obiektem zachwytów grona wielbicieli, dużo częściej niż do modnych restauracji i klubów chodzi teraz na siłownię. Podróżuje. Zaprasza przyjaciół na barbecue w ogrodzie. Nasze drogi się rozeszły, ale wierzę, że też jest szczęśliwa.

Chyba żadna z nas nie przypomina sobie już, kiedy to ostatnio zarwałyśmy razem noc, imprezując, pijąc, biorąc kokainę.

Jeśli chodzi o ludzi, o których opowiedziałam, to nie wiem co się z nimi obecnie dzieje. Nie wstydzę się tego rozdziału w moim życiu ale także nie czuję się do niego jakoś przywiązana – wszystkie znajomości zawarte wtedy – w naturalny sposób stały się obecnie nieważne. Niektórych osób jest mi żal, obawiam się, że nie udało im się wyjść z tego bez szwanku.

Wiem, że część kobiet zdecydowała się to robić, tak zresztą jak i ja, aby ułatwić sobie karierę życiową, aby pomóc rodzinie.

Niektóre nie umiały przestać, wydawały pieniądze zamiast je oszczędzać, nie zostawiły sobie żadnej drogi odwrotu. Reguły panujące w tym światku sprzyjają takiemu myśleniu...

Ale z drugiej strony, kiedy mam zły dzień, dzieciaki są niemożliwe, przede mną leży cały stos prac studentów do sprawdzenia, łapię się na tym, że towarzyszy mi ten tajemniczy uśmieszek, powodowany wspomnieniami tamtych dni pełnych zabawy i blasku. Ciągle jeszcze poprawia mi to nastrój.

Epilog

Kiedy piszę tę książkę, po kilku latach, wydarzenia, które mam przed oczami budzą mój głęboki sprzeciw. Dziś rano w programie telewizji *BBC* pokazywano młodziutkie dziewczynki porywane z krajów Europy Wschodniej i przewożone do Kosowa, aby służyły jako prostytutki żołnierzom misji pokojowych. Poczułam, że robi mi się niedobrze.

Jestem przerażona, nawet w tej chwili, tym jak bardzo wypaczona jest idea prostytucji i roli, jaką odgrywają w niej kobiety. Całkowicie nie zgadzam się z prostacką, obiegową opinią, że alfonsi są całkowicie normalnymi facetami, ale kobiety, które zatrudniają, a niejednokrotnie także szantażują, są wyrzutkami społecznymi.

Opowiedziałam tu jedną z prawdziwych historii – moją własną. Podjęłam pracę w agencji towarzyskiej z pełną świadomością i z własnej woli. Nie mam ani nie miałam z tego powodu żadnych wyrzutów sumienia. Takie agencje istnieją. Agencje, które nie eksploatują swoich dziewcząt ponad ich siły, nie niszczą ich osobowości, nie szantażują. Dzięki nim jakaś grupa kobiet, takich jak ja, może zapewnić sobie pewien poziom bezpieczeństwa finansowego. Jednocześnie wiem, że mój przypadek nie jest typowy – większość kobiet wybierających tę pracę nie posiada doktoratów, nie zdobywa pieniędzy na spłacenie studenckich kredytów.

Większość z nich jest w sytuacji przymusowej: gwałcone, okłamywane, wyrwane z domów, pozbawione jakiejkolwiek życiowej szansy. Niewolnice, istoty niższego rzędu, nie dostają nic w zamian za to, że używa się ich do zaspokajania potrzeb seksualnych, tych, którzy uważają siebie za dużo lepszych od nich.

Wiele kobiet, a przecież wśród nich jest ogromna grupa młodziutkich dziewcząt, nigdy nie miały tego luksusu, który był moim udziałem: wolnego wyboru. To się nie zmienia. Zmieniają się tylko twarze, imiona. Trwają niewyczerpane dostawy świeżych ciał, które zaspokajają chucie drani na całym świecie.

Tak, jak opisałam – są zniewalane za pomocą narkotyków, aby bez oporu dały się zamienić w nędzne niewolnice. Uzależnienie jest przerażającą chorobą. Zasiewanie jej ziarna i pilnowanie, by się dobrze zakorzeniło w ciele innej osoby jest w moim odczuciu zbrodnią. Mam nadzieję, że Dante zarezerwował dla tych zbrodniarzy specjalny krąg w swoim piekle.

Jedynym sposobem aby przerwać ten horror, porwania, czerpanie zysków z seksualnego wykorzystywania kobiet, jest zalegalizowanie prostytucji. Legalizacja przyniesie ze sobą uregulowania prawne; legalizacja oznacza bezpieczeństwo.

Moja opowieść kończy się dobrze.

Ale to dosyć wyjątkowe zakończenie. Na pewno stanowię mniejszość w grupie kobiet, które świadczyły takie usługi.

Opowiedziałam ci o typowej agencji towarzyskiej, udzieliłam odpowiedzi na wiele nurtujących cię pytań.

Mam nadzieję, że teraz zastanowisz się zanim pogardliwie powiesz o którejś z nas: kurwa! Kto wie – może mówisz o swojej matce, siostrze, dziewczynie, córce? A może nawet profesorce ze swojej uczelni...?

Statystycznie rzecz biorąc, jest to wielce prawdopodobne.

Spis treści